T3-BOG-568

Christoph Dohmen

Das Bilderverbot

BONNER BIBLISCHE BEITRÄGE

Herausgegeben von

Frank-Lothar Hossfeld
Helmut Merklein

Professoren der Katholisch-Theologischen Fakultät der Universität Bonn

Band 62

Christoph Dohmen

Das Bilderverbot

Seine Entstehung und seine Entwicklung im Alten Testament

Peter Hanstein Verlag

CIP-Kurztitelaufnahme der Deutschen Bibliothek

Dohmen, Christoph:
Das Bilderverbot : seine Entstehung u. Entwicklung
im Alten Testament / Christoph Dohmen. – Königstein/
Ts. ; Bonn : Hanstein, 1985.
(Bonner biblische Beiträge ; Bd. 62)
ISBN 3-7756-1076-6
NE: GT

Reproduktion, Druck und Bindung: Poeschel & Schulz-Schomburgk, Eschwege
Printed in Germany
ISBN 3-7756-1076-6

Für

Franz Eversheim

VORWORT

Die vorliegende Arbeit wurde von der Kath.-Theol. Fakultät der Rheinischen Friedrich-Wilhelms-Universität Bonn im Wintersemester 1984/85 als Dissertation angenommen; für den Druck wurde sie geringfügig überarbeitet.

Mein Doktorvater Prof. F.-L.Hossfeld hat die Arbeit von Anfang an mit großem Interesse begleitet, es dabei weder an Kritik noch an Unterstützung fehlen lassen und so eine Atmosphäre geschaffen, die das Studium der Schrift zur Freude werden ließ.
Prof. H.-J.Fabry übernahm freundlicherweise das Korreferat.
In Herrn Prof. H.Schützinger, Bonn, fand ich einen Lehrer, der den mühsamen Weg des Theologen ins Dickicht altorientalischer Sprachen und Kulturen über Jahre hinweg mit viel Geduld und persönlichem Einsatz finden half.
Zu danken habe ich auch Herrn Prof. H.-F.Fuhs, Würzburg, der seinerzeit meine Diplomarbeit zur alttestamentlichen Götterbildterminologie betreut hat und dabei mein Interesse am Thema in erste Bahnen gelenkt hat.
Verbunden weiß ich mich auch denjenigen, die mir ihre noch unveröffentlichte Arbeit bereitwillig überließen; außer den beiden Referenten sind zu nennen: C.Begg, Washington; J.Henninger, St.Augustin; H.M.Niemann, Rostock.
Mit viel Sorgfalt und Verständnis - unterstützt von Frau G.Ültzen - hat meine Frau Ulla die Offsetvorlage erstellt. Ohne ihre stete Sorge um Autor und Werk wäre eine so zügige Fertigstellung nicht möglich gewesen.

Die Widmung der Arbeit gilt dem Priester, der durch sein Leben und Denken meinen Weg im Glauben und hin zur Theologie am stärksten geprägt hat; sie schließt die "Grundsteinleger", meine Eltern, dankbar mit ein.

Ganz besonderer Dank gilt dem Erzbistum Köln und auch meinem Heimatbistum Aachen, die beide die Veröffentlichung der Arbeit durch großzügigste Zuschüsse ermöglicht haben.

Bonn, im März 1985 Christoph Dohmen

INHALTSVERZEICHNIS

ABKÜRZUNGSVERZEICHNIS

ABL	Assyrian and Babylonian Letters,s.HARPER,R.F.
AbLAK	Abhandlungen zur biblischen Landes- und Altertumskunde
AcOr	Acta Orientalia, Kopenhagen
ÄA	Ägyptologische Abhandlungen, Wiesbaden
AHw	Akkadisches Handwörterbuch,s.SODEN,W.v.
AION	Annali dell' Istituto Orientale di Napoli,Neapel
AJBA	Australian Journal of Biblical Archeaology, Sydney
AkkSyll	Akkadisches Syllabar,s.SODEN,W.v.-RÖLLIG,W.
AmharDic	Amharic Dictionary,s.LESLAU,W.
AnBib	Analecta Biblica, Rom
AnOr	Analecta Orientalia, Rom
AOAT	Alter Orient und Altes Testament, Neukirchen - Vluyn/Kevelaer
AP	Aramaic Papyri,s.COWLEY,A.
AR	Assyrische Rechtsurkunden,s.KOSCHAKER,P.
ArabWb	Arabisches Wörterbuch,s.WEHR,H.
ArOr	Archiv Orientální, Prag
ATD	Das Alte Testament Deutsch
AThANT	Arbeiten zur Theologie des Alten und Neuen Testaments, Zürich
ATS	Arbeiten zu Text und Sprache des Alten Testaments, St.Ottilien
AWLM	Akademie der Wissenschaften und Literatur Mainz
BA	The Biblical Araeologist, New Haven
BASOR	Bulletin of the American Schools of Oriental Research, Jerusalem/Missoula
BB	Biblische Beiträge, Fribourg
BBB	Bonner Biblische Beiträge, Bonn
BCAT	Biblische Commentar über das Alte Testament, Leipzig
BGBE	Beiträge zur Geschichte der biblischen Exegese, Tübingen
BHHW	Biblisch-historisches Handwörterbuch,REICKE,B. - ROST,L.(Hrsg.), Göttingen I-IV, 1962-1979
BHK	Biblia Hebraica,KITTEL,R.(Hrsg.), Stuttgart [3]1937
BHS	Biblia Hebraica Stuttgartensia,ELLIGER,K. - RUDOLPH, W.(Hrsg.), Stuttgart 1966-1977
Bibl	Biblica, Rom
BibOr	Bibbia e Oriente, Mailand
BiKi	Bibel und Kirche, Stuttgart
BK	Biblischer Kommentar Altes Testament
BLe	Historische Grammatik der hebräischen Sprache,s. BAUER,H. - LEANDER,P.
BN	Biblische Notizen, Bamberg
BRL[2]	Biblisches Reallexikon, GALLING,K. (Hrsg.), Tübingen (HAT I/1) [2]1977
BThB	Biblical Theology Bulletin , New York
BuL	Bibel und Leben, Düsseldorf
BWA(N)T	Beiträge zur Wissenschaft vom Alten (und Neuen) Testament, Stuttgart u.a.

BZ	Biblische Zeitschrift, Paderborn
BZAW	Beihefte zur Zeitschrift für die alttestamentliche Wissenschaft, Berlin
CRRA	Compte rendu de la Rencontre Assyriologique Internationale
DISO	Dictionnaire des Inscription Sémitiques de l'Ouest, s.JEAN,C.F. HOFTIZER,J.
EA	El-Amarna-Tafeln,s.KNUDTZON,J.A.
EdF	Erträge der Forschung, Darmstadt
EHS	Europäische Hochschulschriften, Frankfurt
EstEcl	Estudios Eclesiasticos, Madrid
EThL	Ephemerides Theologicae Lovanienses, Löwen
EThSt	Erfurter theologische Studien, Leipzig
EvTh	Evangelische Theologie, München
FRLANT	Forschungen zur Religion und Literatur des Alten und Neuen Testaments, Göttingen
FzB	Forschungen zur Bibel, Würzburg
GAG	Grundriß der akkadischen Grammatik,s.SODEN,W.v.
GesB	Hebräischen und aramäisches Handwörterbuch,s. GESENIUS,W. - BUHL,F.
GesK	Hebräische Grammatik,s.GESENIUS,W. - KAUTZSCH,E.
GrTS	Grazer theologische Studien, Graz
HAL	Hebräisches und aramäisches Lexikon,s.BAUMGARTNER,W.
HAT	Handbuch zum Alten Testament, Tübingen
HBT	Horizons in Biblical Theology, Pittsburgh
HdO	Handbuch der Orientalistik, Leiden
HK	Handkommentar zum Alten Testament, Göttingen
HSAT	Die Heilige Schrift des Alten Testamentes,Bonn
HUCA	The Hebrew Union College Annual, Cincinnati
HWbPh	Historisches Wörterbuch der Philosophie,RITTER,J - GRÜNDER,K.(Hrsg.), Darmstadt/Basel 1971ff.
IBSt	Irish Biblical Studies
IEJ	Israel Exploration Journal, Jerusalem
JA	Journal Asiatique, Paris
JBL	Journal of Biblical Literature, Philadelphia
JJSt	Journal of Jewish Studies, Oxford
JNES	Journal of Near Eastern Studies, Chicago
JNWSL	Journal of Northwest Semitic Languages, Leiden
JQR	Jewish Quarterly Review, Philadelphia
JSOT	Journal of the Study of the Old Testament, Sheffield
JSS	Journal of Semitic Studies, Manchester
KAH	Keilschrift-Texte aus Assur historischen Inhalts,s. MESSERSCHMIDT,L.
KAI	Kanaanäische und aramäische Inschriften,s.DONNER,H.-RÖLLIG,W.
KAJ	Keilschrift-Texte aus Assur juristischen Inhalts.s. EBELING,E.
KAT	Kommentar zum Alten Testament, (Leipzig) Gütersloh
KeH	Kurzgefaßtes exegetisches Handbuch zum Alten Testament, Leipzig
KHC	Kurzer Hand-Commentar zum Alten Testament, Tübingen
KuD	Kerygma und Dogma, Göttingen

KTU	Die Keilalphabetischen Texte aus Ugarit,s. DIETRICH,W.-LORETZ,O.-SANMARTIN,J.
LexÄg	Lexikon der Ägyptologie, HELCK,W.-OTTO,E.(Hrsg.), Wiesbaden 1975ff.
LS	Lebendige Seelsorge, Würzburg
LVTL	Lexikon in Veteris Testamenti Libros, s.KOEHLER,L.
MDOG	Mitteilungen der Deutschen Orient Gesellschaft, Berlin
MThSt	Marburger theologische Studien, Marburg
MThZ	Münchener theologische Zeitschrift, München
MySal	Mysterium Salutis,FEINER,J,-LÖHRER,M.(Hrsg.), Zürich 1965-1981
NCB	New Century Bible, London
NEB	Neue Echter Bibel, Würzburg
OBO	Orbis Biblicus et Orientals, Fribourg/Göttingen
Or	Orientalia, Rom
PhWb	Philosophisches Wörterbuch,BRUGGER,W.(Hrsg.), Freiburg u.a. [4]1976
PW	Realencyclopädie der klassischen Altertumswissenschaften,PAULY,A.-WISSOWA,G.(Hrsg.), Stuttgart 1894ff.
RB	Revue Biblique, Paris
RdM	Die Religionen der Menschheit, Stuttgart
RGG[3]	Die Religion in Geschichte und Gegenwart,GALLING, K.(Hrsg.), Tübingen, [3]1957-1965
RHPR	Revue d'Histoire et de Philosophie Religieuses, Paris
RivBib	Rivista Biblica, Brescia
RLA	Reallexikon der Assyriologie,EBELING,E.u.a.(Hrsg.), Berlin 1932ff.
RLV	Reallexikon der Vorgeschichte,EBERT,M.(Hrsg.), Berlin 1924-1932
RStTh	Regensburger Studien zur Theologie, Frankfurt
SBS	Stuttgarter Bibelstudien, Stuttgart
SchThU	Schweizerische theologische Umschau, Bern
SSN	Studia Semitica Neerlandica, Assen
StANT	Studien zum Alten und Neuen Testament, München
StTh	Studia Theologica, Oslo
SyrDic	Syriac-English Dictionary,s.SMITH,P.
THAT	Theologisches Handwörterbuch zum Alten Testament, JENNI,E.-WESTERMANN,C.(Hrsg.), München I, [3]1978; II, [2]1979
ThB	Theologische Bücherei, München
ThJ	Theologisches Jahrbuch, Leipzig
ThL	Theologische Literaturzeitung, Leipzig
ThPh	Theologie und Philosophie, Freiburg
ThQ	Theologische Quartalschrift, München
ThR	Theologische Revue, Aschaffendorf
ThW	Theologische Wissenschaft, Stuttgart
ThWAT	Theologisches Wörterbuch zum Alten Testament,BOTTERWECK,G.J.-RINGGREN,H.-FABRY,H.-J.(Hrsg.),Stuttgart 1971ff.

ThWNT	Theologisches Wörterbuch zum Neuen Testament, KITTEL, G.-FRIEDRICH, G. (Hrsg.), Stuttgart, 1933-1979
TRE	Theologische Realenzyklopädie, KRAUSE, G.-MÜLLER, G. (Hrsg.), Berlin 1976ff.
TZ	Theologische Zeitschrift, Basel
UF	Ugarit Forschungen, Neukirchen - Vluyn
UT	Ugaritic Textbook, s. GORDEN, C.H.
VAB	Vorderasiatische Bibliothek, Leipzig
VT	Vetus Testamentum, Leiden
VTS	Supplements to Vetus Testamentum, Leiden
VuF	Verkündigung und Forschung, München
WbÄS	Wörterbuch der ägyptischn Sprache, s. ERMAN, A-GRAPOW, H.
WMANT	Wissenschaftliche Monographien zum Alten und Neuen Testament, Neulirchen - Vluyn
WUS	Wörterbuch der ugaritischen Sprache, s. AISTLEITNER, J.
WVDOG	Wisschenschaftliche Veröffentlichungen der Deutschen Orient Gesellschaft, (Leipzig) Berlin
ZA	Zeitschrift für Assyriologie und vorderasiatische Archäologie, Berlin
ZÄS	Zeitschrift für Ägyptische Sprache und Altertumskunde, Berlin
ZAW	Zeitschrift für die alttestamentliche Wissenschaft, Berlin
ZDMG	Zeitschrift der Deutschen Morgenländischen Gesellschaft, Wiesbaden
ZDPV	Zeitschrift des Deutschen Palästina-Vereins, Wiesbaden

*Die Literatur ist in den Anmerkungen immer abgekürzt zitiert; für Monographien und Aufsätze wird nur das erste Stichwort - möglichst das erste Nomen - angegeben, für Kommentare, Lexikonartikel u.ä. wird nur die Reihenabkürzung angegeben. Die ausführlichen bibliographischen Angaben finden sich im Literaturverzeichnis. Die Abkürzungen der biblischen Bücher sowie allgemeine Abkürzungen folgen dem ThWAT.

1. KAPITEL

Das Bilderverbot als Problem

1.1. Der Zugang zum Thema

Die religiös-kultische Bedeutung von Bildern verschiedenster Art ist für den gesamten Bereich des Alten Orients nachgewiesen[1]. Besonders in Ägypten[2], aber ebenso auch in Mesopotamien und Syrien/Palästina[3] spielen die Darstellungen von Göttern resp. ihrer Symbole eine wichtige Rolle im Kult. Sind die Unterschiede zwischen den verschiedenen Kulturbereichen bei der Verehrung und theologischen Bewertung von Bildern auch nicht vorschnell zu nivellieren, so ist doch festzuhalten, daß sie alle der Möglichkeit, theologischen Konzeptionen bildlichen Ausdruck zu verleihen, positiv zugewandt sind. Auf diesem Hintergrund fällt alleine die Reli-

---

1) Vgl. C.H. RATSCHOW, RGG³I, 1268-1271; G. LANCZKOWSKI, TRE VI, 515-517; A.C. MOORE, Iconography, bes. 66-96; H. SCHRADE, Gott, passim.

2) Vgl. E. HORNUNG, Eine, 91-133; H. BRUNNER, Grundzüge, 87f.; W. HELCK, LexÄg III, 859-863.

3) Vgl. A. SPYCKET, Statues, passim; Dies., Statuaire, passim; E. UNGER, RLV IV, 414-426; B. HROUDA-J. KRECHER-U. SEIDL, RLA III, 483-498; J. RENGER-U. SEIDL, RLA VI, 314-319.

gion Israels aus dem Kontext der altorientalischen Religionen[4]; denn ihre ausformulierte Ablehnung von Bildern stellt nicht nur ein Element kultischer Novität oder Exklusivität dar, sondern bietet in der im AT vorliegenden Form eine ausgeprägte theologische Konfrontation mit anderen Religionen; zugleich wurde sie Ausgangspunkt von folgenreichen ikonoklastischen Bewegungen im Judentum, Islam und Christentum.

Diese ausdrückliche Ablehnung von Bildern durch die unterschiedlichsten Schriften des AT wird in der Forschung vor allem unter zwei Bezeichnungen - *Bilderverbot* oder *Zweites Gebot* - behandelt[5]. Die Wahl der Benennung der anstehenden Thematik deutet bereits die grundlegenden Probleme an: Ist es angemessener, vom *Bilderverbot* oder vom *Zweiten Gebot* zu sprechen? Der erstgenannte Begriff (*Bilderverbot*) weist sogleich auf die Fragen nach der inhaltlichen Füllung des Themas, denn der allgemeine Begriff Bild verlangt schon nach einer Konkretion. Folglich muß, wenn vom Bilderverbot geredet werden soll, vorab reflektiert werden, was der deutsche Begriff *Bild* semantisch umfaßt und in welchem Verhältnis die im AT begegnenden entsprechenden Lexeme semantisch zu diesem Bedeutungsfeld stehen, d.h. eine möglichst exakte semantische Beschreibung der hebr. Lexeme und die dazu parallellaufende Problematisierung der Übersetzungsäquivalente stellt bereits die Weichen zu einer sachgerechten Erfassung der Verbotsproblematik (s.u.1.2./3.). Jedoch - und gerade dies provoziert der Begriff *Bilderverbot* - läuft der so eingeschlagene Weg in Richtung einer inhaltlichen Bestimmung des Verbotes, was aber nur ein Aspekt der anstehenden Thematik sein kann.

---

4) Vgl. T. METTINGER, Veto, 15: "The prohibition of images in the decalogue appears to belong to Israel's *differentia specifica*"; vgl. S. DU TOIT, Aspects, 1o5.

5) Zur Begründung der Bevorzugung des Begriffs "Bilderverbot" im Titel dieser Arbeit, s.u. 1.4.

Demgegenüber schneidet die zweite für die anstehende Thematik zur Wahl stehende Bezeichnung (*Zweites Gebot*) ganz andere Fragenkomplexe an. Sie verweist eindeutig in den Bereich des Dekalogs. Abgesehen von den klassischen Fragen nach der Gesamtkomposition des Dekalogs[6] ergeben sich daraus für das anstehende Thema zum einen die Frage nach der Herkunft des Verbotes in dem Sinn, wie sich die übrigen Belege des Verbots (z.B. Ex 34,17; Lev 19,4 u.a.) zu den Dekalogfassungen (Ex 2o,4; Deut 5,8) zeitlich und sachlich zuordnen lassen und zum anderen die Frage nach der Zählung der Gebote[7].

Ausgehend von dem markanten Phänomen der Doppelüberlieferung des Dekalogs ist gerade bei den ersten beiden Geboten ein auffälliger Unterschied zwischen der Ex-Fassung und der Deut-Fassung zu verzeichnen[8]. Steht am Anfang der älteren Deut-Fassung des Dekalogs ein breit ausgebautes "Hauptgebot" - Fremdgötter- und Bilderverbot in einem -, so ist gerade diese Verbindung in der novellierten Ex-Fassung aufgebrochen worden[9]. Dieser inneralttestamentliche Befund, die Abweichung der Aneinanderreihung der Gebote in den beiden Dekalogfassungen, wurde bisher oft unterbewertet resp. völlig außerachtgelassen. Dieser Unterschied hat aber gerade in der Wirkungsgeschichte des Dekalogs seine Spuren hinterlassen und liegt auch den unterschiedlichen Katechismusfassungen der Zehn Gebote entsprechend der reformierten anglikanischen Einteilung und der lutherischen römisch-katholischen Einteilung zugrunde[1o]. Diese angedeutete Zuordnung

---

6) Vgl. L. PERLITT, TRE VI, 4o8-413; F.-L. HOSSFELD, Dekalog, passim.

7) Vgl. B. REICKE, Worte, passim; M.D. KOSTER, Numbering, passim.

8) Vgl. hierzu den synoptischen Vergleich bei F.-L. HOSSFELD, Dekalog, 21-162, zum hier Anstehenden bes. 21-26; s.u. 3.7.2.

9) Vgl. im einzelnen F.-L. HOSSFELD, Dekalog, 161, sowie 3.7.2.

1o) L. PERLITT-J. MAGONET-H. HÜBNER-H.G. FRITZSCHE-H.W. SURKAU, TRE VIII, 4o8-43o; H. SCHÜNGEL-STRAUMANN, Dekalog, 7ff.; C. KONIKOFF, Commandment, 7f.

zum Ersten Gebot wirft natürlich auch schon einiges Licht auf die inhaltliche Bedeutung des Gebots (s.u.1.2.). Zu fragen bleibt allerdings, ob dem inneralttestamentlichen Wechsel von der Verbindung von Fremdgötterverbot und Bilderverbot (Deut) hin zur Verselbständigung des Bilderverbots (Ex) eine sachliche Neuinterpretation zugrunde liegt. Gestellt, aber an dieser Stelle noch unbeantwortet, zeigt diese Frage bereits deutlich, daß der Begriff *Zweites Gebot* gerade den Problemkreis der inhaltlichen Entwicklung ausblendet, da er von einer einzigen Dekalogfassung auszugehen scheint, die es in dieser Form jedoch im strengen Sinn nicht gibt. Zurückblickend zeigt sich, daß der Begriff *Bilderverbot* eher die Fragen nach der Bedeutung dieses Phänomens der geforderten Bildlosigkeit des Kultes wachruft, der Begriff *Zweites Gebot* eher auf die Frage nach der Herkunft dieses Verbots hinzielt.

Daß die geforderte Bildlosigkeit des JHWH-Kultes ein zentrales Theologumenon der israelitischen Religion ist, kann nicht bezweifelt werden, und die Referenz, die ihm gerade entsprechende ältere und neuere Werke zur Religion und Theologie des AT erweisen[11], bestätigt dies eindrücklich. Die Erkenntnis derartiger Charakteristika der JHWH-Religion, wie sie sich vor allem in den ersten Dekaloggeboten niedergeschlagen haben, kann aber nicht von der minutiösen Erforschung ihrer Herkunft und Bedeutung befreien; denn für ihre Vorgegebenheit[12] gibt es bis heute keine sicheren Beweise, und auch die implizit dabei immer vorausgesetzte These, daß es das *eine* alttestamentliche Bilderverbot gebe, dies nur

---

11) Vgl. z.B. E. KÖNIG, Hauptprobleme, 53-72; G.v.RAD, Theologie I, 225-232; W.H. SCHMIDT, Glaube, 74-81; W. ZIMMERLI, Grundriß, 1o3-1o8; Y. KAUFMANN, Religion, 13-2o.236f.

12) So z.B. von W.H. SCHMIDT, Glaube, 54, in seiner Einleitung zu den "Charakteristika des Jahweglaubens" vermutet.

im Laufe der Zeiten unterschiedlich formuliert und beachtet worden sei, stellt ein unbewiesenes Vorurteil dar (s.u.l. 2.).

Eine Untersuchung des Phänomens *Bilderverbot* erlaubt folglich, in das Zentrum des alttestamentlichen Glaubens einzudringen und einen der theologisch bedeutsamsten Bereiche zu thematisieren. Dies gilt nicht nur für das AT, sondern auch für die jüdische und christliche Religionsgeschichte, da gerade das Bilderverbot tiefe Spuren durch alle Jahrhunderte hindurch hinterlassen hat[13]. Auffallend ist, daß trotz dieser herausragenden Stellung das Bilderverbot innerhalb der alttestamentlichen Forschung keine angemessene Beachtung gefunden hat. Zahlreiche Aufsätze widmen sich zwar Einzelproblemen, besonders dem Verhältnis von archäologischen Ausgrabungsergebnissen zum Bilderverbot oder dem Einfluß des Verbots auf die Kunst[14]; ausführlicher monographisch bearbeitet wurde das alttestamentliche Bilderverbot in den letzten Jahrzehnten jedoch nur zweimal[15]. Die bei den meisten Arbeiten im Vordergrund stehenden Probleme sind die Fragen nach Bedeutung und Herkunft des Verbots. Diesen beiden Problemkreisen und den wichtigsten bisher vorgebrachten Lösungsvorschlägen widmen sich die beiden folgenden Punkte.

---

13) Zur Wirkungsgeschichte in Juden- und Christentum vgl. J. MAIER-H.G. THÜMMEL-W.v.LOEWENICH, TRE VI, 521-557; J. GUTMANN (Hrsg.), Image, passim; für den Islam vgl. M.S. IPSIROĞLU, Bild, passim; R. PARET, Bilderverbot, passim; Ders., Entstehung, passim.

14) Vgl. im einzelnen die ausführlichen Literaturangaben im Artikel "Bilder" in der TRE (VI, 517-568).

15) K.-H. BERNHARDT, Gott, passim; A. KRUYSWIJK, Beeld, passim: die Arbeit von C. KONIKOFF, Commandment, hat ihr Hauptinteresse im Bereich der Wirkungsgeschichte des Bilderverbotes für die altisraelitische Kunstgeschichte liegen (vgl. auch u. Anm. 18), da er von der (fragwürdigen) These ausgeht, "Antiquity knew no parallel to the Second Commandment and no analogy can therefore explain its spirit. (...) The interpretation of the Second Commandment is thus to be found only in the perspective of Jewish history, not in an abstract way, nor by comparison with the art or literature of other people." (17).

1.2. *Die Frage nach der Bedeutung des Verbotes*

Schaut man durch die Brille seiner Wirkungsgeschichte auf das alttestamentliche Bilderverbot, dann scheinen sich die Probleme auf die Frage nach der Interpretation des Verbots zu konzentrieren. Ausgehend von dem Faktum eines Verbotes zur Herstellung von Bildern im AT erkennt man folglich schnell, daß die Notwendigkeit einer definitorischen Festlegung des Bildbegriffes[16] im Mittelpunkt jedes Lösungs- und Erklärungsversuches stehen muß, wie dies auch schon die Entwicklungen, die die Wirkungsgeschichte des Bilderverbotes gezeitigt hat (s.u. Kap.5), widerspiegeln. Bei dieser Problemlage ist man geneigt, bei einer möglichst exakten Übersetzung des hebräischen Verbotstextes resp. bei einer semantischen Beschreibung der gewählten Lexeme Hilfe zu suchen. An dieser Stelle nun bricht aber die gerade vorgezeichnete Konstruktion in sich zusammen, denn die alttestamentliche Überlieferung ist gerade in puncto Lexemwahl bei dem, was durch das Verbot unterbunden werden soll, uneinheitlich. So reden die Texte von: אלהי כסף ואלהי זהב (Ex 2o,23); אלהי מסכה (Ex 34,17; Lev 19,4); פסל (Ex 2o,4; Deut 4,16.23.25; 5,8); אלילים (Lev 19,4; 26,1); פסל ומסכה (Deut 27,15), so daß deutlich wird, daß dieser Weg der semantischen Lexembeschreibung nicht die gewünschte inhaltliche Klarheit *alleine* bringen kann. Ist diesem Versuch in der Forschung auch immer wieder mehr oder weniger großes Gewicht beigemessen worden[17], so will doch beachtet sein, daß damit nur ein kleiner Bereich erfaßt ist; denn entweder läßt sich die Bedeutung des Lexemwechsels als Hinweis auf den generellen Charakter und die allumfassende Reichweite des Verbotes deu-

16) Vgl. zum Problem R.P. CARROLL, God, 56ff.; A. KRUYSWIJK, Beeld, 11-55.

17) Vgl. bes. C.R. NORTH, Essence, 151-154; A. KRUYSWIJK, Beeld, 6off. H. SCHÜNGEL-STRAUMANN, Dekalog, 85f.; W.H. SCHMIDT, Erwägungen, 2o6f.

ten oder als Hinweis auf *ein* inhaltsgleiches Verbot mit unterschiedlichen Formulierungen[18]. Eine Entscheidung für eine dieser beiden Möglichkeiten läßt sich anhand der Verbotstexte aber nicht treffen. Sie verlangt vielmehr eine Einbettung in den größeren Kontext alttestamentlicher Geschichte und Literatur.

Auf diesem Hintergrund der Gesamtüberlieferung des ATs hat die Forschung auch versucht, sich dem Problem von Bedeutung und Reichweite des Bilderverbotes zu nähern. Es ergeben sich dann Fragen nach dem Verhältnis von Bilderverbot zu den starken Anthropomorphismen in der Beschreibung Gottes und seiner Taten[19]; sodann, wie das Bilderverbot überhaupt zu der reichen Metaphorik des biblischen Hebräisch[2o] steht und auch, wie die häufig bezeugte vieldeutige Redeweise vom Schauen des Angesichtes Gottes[21] mit dem Verbot in Verbindung zu bringen ist.

Die textliche Erwähnung von Bildern wie der ehernen Schlange[22], des goldenen Kalbes[23] u.ä. oder auch von der künstle-

---

18) Explizit geht C. KONIKOFF, Commandment, 7 davon aus: "The interdiction of image-making appears, in versions of substantially the same content, but of divergent phraseology and detail, some ten odd times in Scripture." Dazu direkt entgegengesetzt äußert sich P. WELTEN, TRE VI, 517: "Aber auch an der Formulierung des Bilderverbotes selbst wird deutlich, daß sich dessen Verständnis im Lauf der Zeiten beträchtlich gewandelt hat." und implizit auch T. METTINGER, Veto, 22ff.

19) Diesem Aspekt geht besonders ausführlich A. KRUYSWIJK, Beeld, 164-184 nach, sowie S. DU TOIT, Aspects, 1o6-1o8; vgl. auch H.-W. BARTSCH, Bilderverbot, passim.

2o) So formuliert z.B. G.J. BOTTERWECK, Gott, 117: "Demgegenüber (= dem strengen Bildverbot) bezeugt das Alte Testament aber eine reich gefächerte und künstlerisch hochwertige Bildersprache. (...) Offensichtlich hat man in Israel einen essentiellen Unterschied zwischen dem gesprochenen Bild und dem geschaffenen (gemalten, gegossenen usw.) Bild gemacht."; vgl. R.P. CARROLL, God, 56ff.

21) Vgl. F. NÖTSCHER, Angesicht, passim; J. REINDL, Angesicht, passim; H.F. FUHS, Sehen, 272-281; W.H. SCHMIDT, Ausprägungen, 26f.

22) Vgl. dazu H. MANESCHG, Erzählung, passim (Lit.!).

23) Vgl. dazu im einzelnen 3.1.

rischen Ausgestaltung des Salomonischen Tempels und seiner Kultgeräte[24] wirft die Frage nach Reichweite und Anwendung des Verbotes nachdrücklich auf. Dies umso mehr, da die zahlreichen Ausgrabungen, vor allem der letzten Jahrzehnte in Israel, dieses Bild der altisraelitischen Religion und Kultur bestätigt haben[25].
In der jüngeren Forschung scheint nun ein Konsens darüber erreicht worden zu sein, daß sich das Bilderverbot auf konkrete, materiell hergestellte Skulpturen u.ä. bezieht, die als Kultobjekte fungieren, so daß einerseits kein allgemeines Kunstverbot im AT grundgelegt wird[26] und andererseits die von unserem Sprachgebrauch her vollzogene Kombination von plastischer Darstellung und geistiger Vorstellung beim Begriff Bild nicht im Blickfeld des Verbotes liegt. Damit werden dann der Bereich der kultischen Vergegenwärtigung Gottes durch Zeichen (-handlung) und Wort wie ebenso der Bereich der sprachlichen Metaphorik vom Bilderverbot gar nicht berührt[27]. Aber auch die Festlegung auf konkret-materielle Bilder läßt noch genügend Fragen offen; denn gerade die enge Verknüpfung von Fremdgötterverbot und Bilderverbot, wie sie

24) Zu den Dekorationen und der ornamentalen Ausgestaltung insgesamt sowie zu den einzelnen Gegenständen wie Lade, Keruben, Leuchter, Altäre, Säulen, ehernes Meer und ihrem Aussehen und ihrer Funktion vgl. Th.A. BUSINK, Tempel I, 257-352; J. OUELLETTE, Commandement, passim.

25) Vgl. P. WELTEN, TRE VI, 517f.; Ders., BRL^2, 99-111.119-122; K. GALLING, BRL^2, 111-119; A. REICHERT, BRL^2, 2o6-2o9; sowie exemplarisch vor allem die Diskussion um die Funde von Khirbet-el Qom und Kuntillet ^{c}ajrud: O. KEEL-M. KÜCHLER, Orte, 185.786f.; J.A. EMERTON, Light, passim; M. GILULA, Yahweh, passim; P. BECK, Drawings, passim. Unhaltbar ist die These von G. RINALDI, "L'aniconismo", der aufgrund des biblischen Bilderverbotes die auf archäologischen Fundobjekten aus Palästina zu findenden bildlichen Darstellungen zum Entscheidungskriterium für israelitische resp. nicht-israelitische Stücke machen möchte.

26) Vgl. J. GUTMANN, Commandment, 161f.; R.P. CARROLL, God, 52. Sehr vorsichtig vermutet P. WELTEN, TRE VI, 521: "Das die Selbstoffenbarung Jahwes schützende Bilderverbot dürfte wohl erst recht spät - ob wirklich schon vor dem Exil? - generell verstanden die Zurückhaltung im kunsthandwerklichen Bereich mit beeinflußt haben."

27) Vgl. W.H. SCHMIDT, Ausprägungen, 3of.; anders H.-W. BARTSCH, Bilderverbot, 15o-153.

das AT, besonders der Dekalog (s.u.3.7.), aufweist, ließ immer wieder die Diskussion darüber entstehen, ob das Bilderverbot JHWH-Bilder und/oder Fremdgötterbilder betreffe[28]. Die Erkenntnis, die die Einsicht in die altorientalische Ikonographie liefert, daß Israel keine eigene Bildtradition hat[29], macht darauf aufmerksam, daß die genannte Gegenüberstellung von JHWH- und Fremdgötterbildern eine falsche ist, da unter dem genannten ikonographischen Gesichtspunkt jedes JHWH-Bild als *fremdes* erscheinen muß[3o]. Dies wird letzlich auch durch die alttestamentlichen Texte bestätigt, die eine sprachliche Unterscheidung zwischen JHWH-Bildern und Fremdgötterbildern auch nirgends vollziehen.

Es bleibt nun weiterhin die Frage offen, wie sich das Bilderverbot zu bestimmten Kultobjekten, wie z.B. Ephod oder Lade[31], die unter dem Gesichtspunkt der Bildlosigkeit nie in Frage gestellt wurden, oder auch zu Ascheren und Masse-

---

28) Vgl. R.H. PFEIFFER, Images, passim; H.Th. OBBINK, Jahwebilder, passim; W. ZIMMERLI, Gebot, 241; H. GRAF REVENTLOW, Gebot, 42-44; A.S. VAN DER WOUDE, Gebod, 223f.; S. DU TOIT, Aspects, lo3f.; H. SCHÜNGEL-STRAUMANN, Dekalog, 81; W.H. SCHMIDT, Erwägungen, 2o6; J. ALONSO-DIAZ, Alcance, 317.319f.; R.P. CARROLL, God, 51; H. HAAG, Bild, 154; F. CRÜSEMANN, Bewahrung, 47.

29) Darauf hat O. KEEL, Jahwe-Visionen, 43 hingewiesen; F. CRÜSEMANN, Bewahrung, 95 Anm. lo9 kritisiert dies: "Sein (= KEELs) Versuch, die Entstehung des Bilderverbotes allein aus dem Fehlen einer 'genuin jahwistischen Ikonographie' zu erklären, ist interessant, setzt aber das Wesentliche bereits voraus." Jedoch greift diese Kritik nicht, da O. KEEL dies gerade nicht behauptet (vgl. Jahwe-Visionen, 44!), sondern auf die Voraussetzungen des Fehlens der israelitischen Bildtradition eingeht.

3o) Vgl. K.-H. BERNHARDT, Bilderverbot, 72.

31) Die sogenannte "Lade-Theologie" spielt im Kontext des Bilderverbots eine große Rolle, s.u. 4.2., sowie H.J. ZOBEL, ThWAT I, 391-4o4 (Lit.!); ebenso K.-H. BERNHARDT, Gott, bes. 144-151 und T. METTINGER, Veto, bes. 22f.

ben[32], die nicht in allen Schriften des ATs verurteilt werden, verhält. Ist in der bisherigen Forschung auch immer wieder diese unterschiedliche Beurteilung innerhalb des ATs in bezug auf solche Kultobjekte notiert worden[33], so ist doch bis heute ausgeblieben, dieses Phänomen exakter in den Problemkreis der Fragen nach dem Bilderverbot zu integrieren. Ganz besonders gilt dieser Mangel im Hinblick auf die Texte, die die Ablehnung resp. Vernichtungsvorschriften bezüglich fremder Kultobjekte formulieren[34] (vgl. z.B. Ex 23,24; 34,13; Deut 7,5; 12,3; 16,21; Ri 2,2; 6,25-32), da spätere Texte, wie z.B. Lev 26,1 (s.u.3.5.), gerade diese Kultobjekte mit dem Bilderverbot in Verbindung zu bringen scheinen[35].

Auf dem Hintergrund des oben Gesagten wird deutlich, daß die in der Forschung fast immer angenommene Einheitlichkeit des Bilderverbotes in dieser Form nicht vorausgesetzt werden kann. Die in der Forschung oft divergierenden Vorschläge zur Bedeutung des Bilderverbotes gründen alle in dieser einen (falschen) Voraussetzung einer einzigen Aussage aller Bilderverbotstexte; die unterschiedlichen Argumentationen betreffen dabei allein die Fragen nach Reichweite oder Anwendung des einen Verbotes.
Ist diese These einer inhaltlichen Einheit des Bilderverbotes einmal als unzureichend erkannt, so wird auch der zweite Problemkreis, der in der bisherigen Forschung diskutiert wurde, nämlich die Frage nach der Herkunft des Bilderverbotes, in einem anderen Licht erscheinen.

---

32) Vgl. W. ZIMMERLI, Bilderverbot, passim; zur Frage nach der Göttin Ašerah und dem gleichnamigen Kultobjekt vgl. J.A. EMERTON, Light, bes. 14-19; A. ANGERSTORFER, Ašerah, passim; U. WINTER, Frau, 551-56o; zu den Masseben s.u. 4.1./2. und bes. die in Kap. 3 Anm. 395 genannte Literatur.

33) Vgl. bes. W. ZIMMERLI, Bilderverbot, passim.

34) Vgl. bes. J. HALBE, Privilegrecht, 11o-119.

35) Vgl. den Hinweis von W. ZIMMERLI, Grundriß, 1o6.

1.3. Die Frage nach der Herkunft des Verbotes

Da das Bilderverbot immer als eines der Kernstücke der JHWH-Religion angesehen wurde, sind die Fragen nach den Anfängen der JHWH-Religion häufig mit einem Erklärungsversuch des Bilderverbotes verbunden worden, was natürlich auch für die umgekehrte Fragerichtung gilt (s.u.). Aus diesem Zusammenhang wird klar, daß zwei Grundtendenzen festzustellen sind: in der älteren Forschung wurde versucht, das Proprium der alttestamentlichen Religion auch über einen Erklärungsversuch des Bilderverbotes zu erfassen[36]; die jüngere Forschung hingegen zieht aus der genannten Erkenntnis häufig den Schluß, Zurückhaltung bei der Bestimmung von Herkunft und Begründung des Bilderverbotes zu üben[37]. Inneralttestamentlich liefert einzig Deut 4,9-28 eine ausführliche Begründung des Bilderverbotes, indem dort die Wortoffenbarung vom Sinai/Horeb dem Kultbild gegenübergestellt wird. Diese Begründung des Bilderverbotes wird aber in der neueren Forschung einhellig als späte Ausgestaltung des dekalogischen Bilderverbotes gewertet[38] (s.u.3.6.). Somit ist die Forschung darauf angewiesen, eine Erklärung für das Bilderverbot aus dem Gesamt der alttestamentlichen Religionsgeschichte zu finden. Die dazu vorgetragenen Erklärungsversuche lassen sich grob systematisieren, womit zugleich eine Eingrenzung des Problemfeldes geboten werden soll.

---

36) Vgl. den Forschungsüberblick bei K.-H. BERNHARDT, Gott, 69-1o1; sowie bei A. KRUYSWIJK, Beeld, 212-222; und auch bei C. KONIKOFF, Commandment, 9-16.

37) Vgl. K.-H. BERNHARDT, Bilderverbot, 73; W.H. SCHMIDT, Glaube, 78.

38) Vgl. H.D. PREUß, Deuteronomium, 84-9o (Lit.!); W. ZIMMERLI, Gebot, 247.

Besonders die ältere Forschung hat Deutungsvorschläge für das Bilderverbot vorgetragen, die als *"interne"* bezeichnet werden können, weil dort auf der Basis der These von der Besonderheit der israelitischen Religion gegenüber den Religionen der Nachbarvölker das Bilderverbot aus den internen Gegebenheiten der JHWH-Religion zu deuten versucht wurde[39]. Dabei tritt das als besonders gekennzeichnete Gottesbild sowie das damit korrespondierende Glaubensverständnis in den Vordergrund der Argumentation. So wird die Geistigkeit JHWHs oder der Einfluß der Transzendenzerfahrung der Israeliten[4o], oder auch der Hinweis auf die Gottesebenbildlichkeit des Menschen (s.u.Kap.5)[41] oft als Begründung für eine Ablehnung der Versinnbildlichung in der Darstellung angeführt. Gegen die Annahme eines solchen Dualismus von geistig und sinnlich, der letztlich Israel geistesgeschichtlich und kulturell seiner Umwelt entheben würde, sind jedoch starke Einwände erhoben worden[42].

39) Vgl. im einzelnen die in Anm. 36 genannten Forschungsüberblicke sowie W. ZIMMERLI, Gebot, 243ff.; J. FAUR, Idea, 1; H.D. PREUß, Verspottung, 19ff.; P. WELTEN, TRE VI, 52o.

4o) Vgl. G.v.RAD, ThWNT II, 378: "Daß dem mosaischen Bilderverbot ein sehr starker Glaube an die Geistigkeit des Wesens Jahwes zugrunde liegt, ist offensichtlich."; später äußert sich v.RAD jedoch wesentlich differenzierter (s.u. Anm. 43). Vgl. auch O. EIßFELDT, Gott, 271; H. und H.A. FRANKFORT, Juden, 246ff.; C.R. NORTH, Essence, 152; J. GUTMANN, Commandment, 163; H. SCHÜNGEL-STRAUMANN, Dekalog, 88f.; R. HOLTE, Gottessymbol, 3f.; R.P. CARROLL, God, 62 geht in diesem Rahmen sogar noch weiter: "(...) so the aniconic cult may be regarded as an advance towards rationality in Israelite religion."

41) Zur Verhältnisbestimmung vgl. O. LORETZ, Gottebenbildlichkeit, 1o6-1o9; R.P. CARROLL, God, 56; positiv vertreten diesen Ansatz bes. K. BARTH, Dogmatik III /1, 2o4-231; W. VISCHER, Bildnis, passim; vgl. auch E. ZENGER, Hört, 138; dagegen wendet sich besonders K.-H. BERNHARDT, Gott, 71f., der sich dort auch mit weiteren Vertretern dieser Position auseinandersetzt. Vorsichtiger wird die Verbindungslinie angedeutet von G.v.RAD, Theologie I, 231 Anm. 69; W.H. SCHMIDT, Glaube, 75, wobei beide betonen, daß das AT selbst die Verknüpfung nicht direkt herstellt , vgl. auch H. EISING, Bild, 47-53.

42) Vgl. W. ZIMMERLI, Gebot 244f.; Ders., Grundriß, 1o4; J. SCHREINER, Gebote, 79f.; H. GESE, Dekalog, 74.

Dem gleichen internen Begründungsmodell sind auch die Versuche zuzuordnen, die von der Besonderheit der JHWH-Offenbarung ihren Ausgang nehmen; so all jene, die die Bildlosigkeit von den geschichtlichen Taten, allen voran der Herausführung aus Ägypten, her begründen, da eben die Gottesbegegnung in der Geschichte und nicht im Bild stattfinde[43].

Diesem internen Begründungsmodell, das aus den Fakten der JHWH-Überlieferung das Bilderverbot zu begründen sucht, steht ein als *"extern"* zu bezeichnender Begründungstyp gegenüber, der von den Gegebenheiten der Umwelt Israels her eine Deutungsmöglichkeit für das Bilderverbot zu finden sucht. Hierbei steht das Verständnis von Bildern und der Umgang mit ihnen sowie ihre Verehrung im Vordergrund des wissenschaftlichen Interesses, da versucht wird, von der sachlichen Ausrichtung des Bilderverbotes, d.h. von seinem Gegenpol, dem Verbotenen, her, seine Intention zu eruieren[44].
Für das Verständnis des Bilderverbots heißt dies konkret,

---

43) Vgl. G.v.RAD, Theologie I, 231: "(...), daß das Bilderverbot zu der Verborgenheit gehört, in der sich Jahwes Offenbarung in Kultus und Geschichte vollzog."; demgegenüber betont W. ZIMMERLI, Gebot, 245 stärker die Folgen der Jahwe-Offenbarung in bezug zum Bilderverbot: "Vielmehr wird auch beim zweiten Gebot von einer Antastung der alleinigen Herrenrechte Jahwes geredet, die seine Eifersucht wecken kann.", und H. GESE, Dekalog, 74 hebt besonders die Personalität JHWHs hervor; ebenso P. WELTEN, TRE VI, 52o; vgl. auch H. HAAG, Bild, 155ff.

44) So vor allem K.-H. BERNHARDT, Gott, bes. 17-68; A. KRUYSWIJK, Beeld, bes. 11-5o; J. FAUR, Idea, 5-12, der dieses Gegenüber vor allem vom Faktum der Konsekration der Bilder her zu verstehen sucht (vgl. auch u. 2.2.2.1.); R.P. CARROLL, God, 55f.

daß JHWH durch das Verbot der Bemächtigung durch Kult und Magie mittels Götterbildern entzogen werden soll[45]. Die Hochkulturen des Alten Orients kennen zwar mantische Praktiken u.ä. beim Umgang mit Kultbildern wie auch Amuletten, jedoch wird dieser Aspekt in der Forschung teils überbewertet, denn eine wirkliche Identifikation von Gott und Bild findet in den Religionen des Alten Orients nirgends statt[46]. Stillschweigende - meist nicht weiter thematisierte - Voraussetzung des genannten Ansatzes ist eine religionsspezifische Differenz von Israel und seiner Umwelt, aus der heraus das Bilderverbot formuliert sein soll.

Diese genannte Voraussetzung einer spezifischen Differenz des religiösen Systems ist dann explizite Grundlage des dritten Begründungsmodells, das als kombinierter Typ (*"intern - extern"*) zu bezeichnen ist, da bei ihm das Phänomen der israelitischen Bildlosigkeit vergleichend in Beziehung gebracht wird zur altorientalischen Kultur- und Religionsgeschichte. Als Hinweis auf die mögliche Herkunft des Verbots dient dabei die Beobachtung, daß anikonische Kulte in den Randgebieten der altorientalischen Hochkulturen zu fin-

---

45) Vgl. K.-H. BERNHARDT, Gott, 1o6-1o9.153; R.P. CARROLL, God, 55; A. KRUYSWIJK, Beeld, 268f.; W.H. SCHMIDT, Glaube, 78f.; H.D. PREUß, Verspottung, 19. Der gleiche Gedanke steht hinter den Erklärungen, die in Parallele zum sogenannten Namenverbot (vgl. dazu H. SCHÜNGEL-STRAUMANN, Überlegungen, passim) das Bilderverbot als die Unverfügbarkeit JHWHs schützend deuten, vgl. K.-H. BERNHARDT, Gott, 153f. J. SCHREINER, Gebote, 82f.; R.P. CARROLL, God, 55; A.S. VAN DER WOUDE, Gebod, 227-23o.

46) Vgl. K.-H. BERNHARDT, Gott, 66-68 und W.H. SCHMIDT, Glaube, 79, der betont: "Das Bild wahrt eigentlich die Unverfügbarkeit der Gottheit; denn sie *transzendiert* ihr Bild."

den sind[47]. Fraglich bleibt bei diesem Hinweis jedoch, warum es in Israel gegenüber den vergleichbaren Erscheinungen zu solch großen Wirkungen dieses anikonischen Kultes kam resp. was den Anlaß gegeben hat, dies in Prohibitivform auszuformulieren und dann auch an herausragendster Stelle ins religiös-theologische System einzubringen[48].

Überblickt man die unterschiedlichen Erklärungsmodelle zur Herleitung des Bilderverbots, dann zeigt sich eine Gemeinsamkeit: Ausgangspunkt ist die Vorstellung von der inhaltlichen Einheitlichkeit des Bilderverbotes. Am Ende des vorausgehenden Abschnitts (s.o.1.2.) wurde diese Voraussetzung bereits in Frage gestellt, und ebenso zeigen die divergierenden Vorschläge zur Herkunft des Bilderverbots, daß eine konkretere Bezugnahme auf die einzelnen Texte des Bilderverbotes sowie deren Einbettung in den größeren Kontext vonnöten ist.

Auf diesem Hintergrund drängt sich auf, die als problematisch und unhaltbar erkannte Hypothese von der inhaltlichen Einheitlichkeit des alttestamentlichen Bilderverbotes aufzugeben, um dann unbelastet neue Erkenntnisse aus den jeweili-

---

47) Vgl. O. KEEL, Jahwe-Visionen, 44. In früherer Zeit hat es immer schon Deutungsvorschläge für das Bilderverbot gegeben, die auf dem Hintergrund der nomadischen Vorzeit Israels resp. des mosaischen Ursprungs (in der Wüste!) des Bilderverbotes diese Richtung eingeschlagen haben; am bekanntesten und am meisten zitiert ist wohl der Satz von H. GRESSMANN, Lade, 69 in diesem Zusammenhang: "Mose verehrte keine Bilder, nicht deshalb, weil er nicht durfte, sondern einfach deshalb, weil er keine hatte." Zur Kritik an K.-H. BERNHARDTs, Gott, 97 Zurückweisung dieser Annahme vgl. O. KEEL, Jahwe-Visionen, 4o Anm. 65. GRESSMANNs These wurde von S. MOWINCKEL, Jahwäkultus, aufgenommen und ausgebaut; wenn seine Schlußfolgerungen auch heute nicht mehr haltbar sind, so zeigt seine Arbeit doch einen ersten Ansatz für die Annahme einer wirklichen Entwicklung der Bildlosigkeit des altisraelitischen Kultus. Vgl. auch O. EIßFELDT, Gott, 269, der von einer "idealisierten Erinnerung an den bildlosen Kult der vorkanaanäischen Zeit Israels" spricht; vgl. J. GUTMANN, Commandment, 163 und auch die Hinweise von H. HAAG, Bild, passim auf vergleichbare Phänomene in der ägyptischen, iranischen und islamischen Religionsgeschichte.

48) O. KEEL, Jahwe-Visionen, 44 erwägt den starken Einfluß des Ausschließlichkeitsanspruchs JHWHs als ein Moment.

gen Texten und dem Bild, das die Archäologie vom Alten Israel liefert, zu gewinnen.

1.4. Konsequenzen für eine Untersuchung des Bilderverbots

Aus der vorangegangenen Darlegung der Problematik und der Übersicht zum gegenwärtigen Stand der Forschung ergibt sich, daß eine erneute Untersuchung des alttestamentlichen Bilderverbots vor allem bei der Untersuchung der Grundlage, d.h. den einzelnen Verbotstexten, anzusetzen hat. Die als fragwürdig erkannte Voraussetzung eines einzigen inhaltsgleichen Verbots durch alle divergierenden Formulierungen und Kontexte hindurch muß auf dieser Basis kritisch untersucht werden.

Auf diesem Hintergrund ist auch zu verstehen, daß im Titel der vorliegenden Arbeit sowie bereits in diesem ersten Kapitel dem Begriff *Bilderverbot* gegenüber der Bezeichnung *Zweites Gebot* der Vorzug gegeben wurde; denn Gegenstand der vorliegenden Arbeit ist die inhaltlich-thematische Zusammenfassung des Phänomens der geforderten Bildlosigkeit im AT. Die Bezeichnung *Zweites Gebot* ist in dem so abgesteckten Rahmen weniger günstig, da sie von einem literarischen Fixpunkt, nämlich dem Dekalog, ausgeht und folglich die anderen Verbotsformulierungen ipso facto - unter der genannten Voraussetzung einer inhaltlich gleichen Aussage - in ein Beziehungsgeflecht von zeitlicher und sachlicher Vor- und Nachordnung zu der Dekalogformulierung setzt.
In dem genannten Sinn, als sachliche Subsumierung des Gesamtbereichs, ist folglich in der vorliegenden Arbeit vom *Bilderverbot* die Rede und nicht im Sinne einer vorausgesetzten inhaltlichen Einheitlichkeit. Der Untertitel der Arbeit

(Seine Entstehung und seine Entwicklung im Alten Testament) soll diesen Unterschied unterstreichen und die nötige Offenheit zur Näherbestimmung der Einzelheiten anzeigen.

Aufgrund der archäologischen Ausgrabungsergebnisse der letzten Jahrzehnte in Israel sowie intensiver literarhistorischer Arbeit - vor allem im deut.-dtr. Literaturbereich - finden sich in der neueren Forschung immer wieder Ansätze für die These einer möglichen inneralttestamentlichen Entwicklung des Bilderverbots[49].
Divergiert dabei auch die Beurteilung des Entwicklungsprozesses - die einen gehen von einem alten, sich entwickelnden Phänomen der Bildlosigkeit aus, das erst spät seinen Niederschlag in einer Verbotsformulierung fand, die anderen setzen demgegenüber bei einem alten Verbot an, dessen Verständnis sich jedoch erheblich gewandelt habe -, so ist doch insgesamt das Faktum zu beobachten, die anstehenden, mit dem Bilderverbot verbundenen Probleme durch eine kritische historische Betrachtung zu lösen, die ihre Ergebnisse an den bekannten Fakten der Geschichte Israels messen läßt.
Der so abgesteckte Rahmen der Probleme läßt nun die Anforderungen, die sich an eine Untersuchung des Bilderverbotes stellen, deutlich erkennen.

---

49) Vgl. hierzu die Arbeit von W. ZIMMERLI, Bilderverbot, passim; O. KEEL, Jahwe-Visionen, bes. 37-45; T. METTINGER, Veto, passim; P. WELTEN, TRE VI, 517ff.; F.-L. HOSSFELD, Dekalog, bes. 268-273. Interessant, aber auf dem Hintergrund einer literarhistorischen Bewertung des ganzen Dekalogs in dieser Form nicht haltbar, ist die These von J. DUS, Gebot, passim, der die Herkunft des Bilderverbotes aus der Auseinandersetzung von Lade und Stierbild in Bethel vermutet. Er geht zwar von einer vorausgehenden bildlosen "Väterreligion" aus, nimmt aber an, daß das Bilderverbot erst "als das letzte Gebot auf dem Weg einer Novellierung" in den Dekalog gelangt sei.

Um das Phänomen der geforderten Bildlosigkeit im AT exakt erfassen zu können, ist es unabdinglich, die sprachlichen Voraussetzungen möglichst genau zu beschreiben. Im einzelnen heißt das, daß eine semantische Beschreibung der vorhandenen Lexeme am Anfang stehen muß, denn nur sie kann Aufschluß darüber geben, was mit den unterschiedlichen Formulierungen gemeint ist. Handelt es sich etwa um ein allgemeines Kunstverbot oder etwa um ein Verbot von JHWH-Darstellungen oder um irgendetwas anderes? Da die verschiedenen Verbotsformulierungen sowohl im Vokabular als auch in den syntaktischen Konstruktionen variieren, ist es nötig, diese sprachlichen Analysen auf synchroner Ebene durchzuführen, um nicht vorab semantische Entwicklungen aufgrund von vorausgesetzten Textdatierungen zu konstatieren. Dabei ist auch auf eine möglichst exakte Terminologie bei der Wahl von Übersetzungsäquivalenten zu achten, denn gerade im Deutschen umspannt der Begriff "*Bild*" im Laufe der Zeiten und auch in den unterschiedlichsten Sprachschichten ein sehr großes Bedeutungsfeld[50], so daß gerade durch eine unklare Begrifflichkeit Fehlinterpretationen Einzug halten können.
Sodann müssen jedoch die einzelnen Verbotsformulierungen jeweils von ihrem jetzigen Kontext her interpretiert werden. Erst bei diesem Untersuchungsschritt können die auf synchroner Ebene gewonnenen Ergebnisse der sprachlichen Analyse vollends ausgewertet und in ein diachrones Beziehungsgeflecht gebracht werden.
Auf der Basis von Begriffsanalysen und Kontextanalyse der jeweiligen Einzelstellen des Verbots besteht dann die Möglichkeit, ein "*Bild*" des Bilderverbots im AT zu zeichnen. Dazu notwendig vorausgesetzt werden muß aber, daß diese Auswertung verschiedenen Fakten Rechnung trägt, so einerseits

---

5o) Vgl. D. SCHLÜTER-W. HOGRELA, HWbPh I, 913-919; R. VOLP, TRE VI, 558; A.C. MOORE, Iconography, 26-32.

den Ergebnissen der vorausgegangenen Analyse, besonders der Zusammenschau der Untersuchung der Einzelbelege, andererseits aber auch den Ergebnissen biblischer Archäologie, Geschichte und Theologie. Eine derartige systematische Betrachtung vermag dann eine Entwicklungsgeschichte des Bilderverbots darzustellen.

2. KAPITEL

Synchrone Betrachtungen zur Bilderterminologie

2.1. Voraussetzungen einer Untersuchung der Terminologie des Bilderverbotes

Die im vorausgehenden Kapitel genannten Probleme im Zusammenhang mit den anstehenden Fragen nach dem Bilderverbot machen deutlich, daß einer semantischen Beschreibung der hebräischen Terminologie eine Klärung der oft unterschiedlich benutzten Begriffe Bild - Kultbild - Götterbild vorausgehen muß. Ein Blick auf die Aufgliederung des Stoffes in einigen für den anstehenden Bereich relevanten Lexika mag für das Problem sensibilisieren.
Im BRL^2 ist der Stoff in drei Artikeln - "Götterbild, männliches"[1]; "Götterbild, weibliches"[2]; "Göttergruppe"[3] - bearbeitet. Demgegenüber bietet das RLA sowohl einen Artikel "Götterdarstellungen in der Bildkunst"[4] als auch einen Artikel "Göttersymbole und -attribute"[5] und auch einen Artikel "Kultbild"[6]. Unter anderem mag diese Einteilung von kultur-

1) P. WELTEN, BRL^2, 99-111.

2) K. GALLING, BRL^2, 111-119.

3) P. WELTEN, BRL^2, 119-122.

4) R.M. BOEHMER, RLA III, 466-469.

5) B. HROUDA-J. KRECHER-U. SEIDL, RLA III, 483-498.

6) J. RENGER, A. Philologisch, RLA VI, 3o7-314; U. SEIDL, B. Archäologisch, RLA VI, 314-319.

geschichtlichen Besonderheiten Mesopotamiens mitbestimmt sein, da sich eine funktionale Überschneidung von Göttersymbol und Kultbild hier aufweisen läßt[7]. In ähnlicher Weise gibt die Einteilung des LexÄg bereits einen ersten inhaltlichen Hinweis auf religionsgeschichtliche und kulturelle Besonderheiten; hier findet sich neben den Artikeln "Götterbild"[8] und "Kultstatue"[9] ein Artikel "Götterbilder, volkstümlich verehrte"[10]. Unter einem Stichwort wird die gesamte Thematik in RGG^3: "Bilder und Bildverehrung"[11], TRE: "Bilder"[12], PWSuppl.: "Kultbild"[13] und RLV: "Götterbild"[14] behandelt. Diese Vielfältigkeit, wie sie diese Übersicht widerspiegelt, gilt es in bezug auf das Phänomen Bild insofern einzuengen, daß eine sachliche Systematisierung anhand einer differenzierten Begrifflichkeit möglich wird, die als Grundlage für die Erfassung der im Rahmen der Bilderverbotstexte begegnenden Lexeme nötig ist.

Die drei genannten Begriffe (Bild - Kultbild - Götterbild) lassen sich nun so gegeneinander abgrenzen, daß Bild als allgemeinster und damit zugleich als Oberbegriff zu fassen ist, wobei der vorliegende Kontext den Bedeutungsumfang des deutschen Begriffs auf das eingrenzt, was exakt als Gebilde zu bezeichnen ist[15]. Die beiden anderen Begriffe sind diesem zwar unterzuordnen, stehen selbst aber eher nebeneinander.

---

7) Vgl. B. HROUDA, Mobilier, 154.

8) D. WILDUNG, LexÄg II, 671f.

9) W. HELCK, LexÄg III, 859-863.

10) D. WILDUNG, LexÄg II, 672-674.

11) C.H. RATSCHOW-B. GEMSER-H.G. BECK-E. HERTZSCH, RGG^3 I, 1268-1276.

12) G. LANCZKOWSKI-P. WELTEN-J. MAIER-H.G. THÜMMEL, TRE VI, 515-531.

13) V. MÜLLER, PWSuppl. V, 471-486.

14) E. UNGER-G. ROEDER, RLV IV, 412-426.

15) Vgl. W. BRUGGER, PhWb, 49: "Wenn der Mensch eine formlose Masse ge-staltet u(nd) formt, entsteht ein Ge-bilde."

Geht man von Begriff Götterbild aus, dann stellt der Begriff Kultbild eine funktionale Konkretion dieses Begriffes dar. So definiert Müller dann auch: "Der Begriff K(ultbild) ist enger als der des Götterbildes; er umfaßt solche Götterbilder, die im Kult Verwendung finden bzw. denen ein Kult dargebracht wird. Der Begriff des Götterbildes umfaßt auch solche Bilder, die, negativ gefaßt, nicht mit einem Kult in unmittelbarer Beziehung stehen, sondern die lediglich die Wiedergabe einer Gottesvorstellung in bildlicher Form sind, also z.B. Weihebilder."[16]. Demgegenüber zeigt die Definition Rengers, daß der Begriff Kultbild auch - geht man nicht vom Begriff Götterbild aus - weiter gefaßt sein kann als dieser: "Als Kultbilder werden anthropomorphe, theriomorphe Repräsentationen oder gegenständliche Symbole (...) rundplastischer und halbplastischer Form verstanden, die entweder Objekt (Götterstatuen, -symbole, Statuen verstorbener Herrscher) oder aber Quasisubjekt (Beterstatuen, -statuetten) kultischer Handlungen waren."[17]. Aus der Zusammenschau dieser verschiedenen Vorgaben läßt sich die notwendige Festlegung der drei genannten Begriffe für den vorliegenden Zusammenhang wie folgt vornehmen:

> Der Begriff Bild ist als allgemeiner kunsttechnischer Begriff zu fassen; er erfaßt alle ikonographischen und funktionalen Möglichkeiten des Phänomens. Demgegenüber ist der Begriff Götterbild als inhaltlicher Sammelbegriff des theologischen Bereichs zu fassen, ohne daß dabei eine funktionale Determinierung mitgegeben ist. Diese funktionale Eingrenzung des

---

16) V. MÜLLER, PWSuppl V, 472; er setzt dann noch hiervon den Begriff der Götterdarstellungen ab. Vgl. die in die gleiche Richtung weisende Definition von D. WILDUNG, LexÄg II, 671.

17) J. RENGER, RLA VI, 3o7.

Bildbegriffes auf den kultischen Bereich stellt der Terminus Kultbild dar. Er ist jedoch nicht in einem einzigen inhaltlichen Bereich verankert, wie das beim Begriff Götterbild der Fall ist.

Es ist nun nicht zu erwarten, daß hinter der hebräischen Bilderterminologie eine entsprechende definitionsmäßige Unterscheidung zu finden ist. Vorab muß daher für eine sachgerechte Diskussion versucht werden, durch eine synchron orientierte Semantik[18] die Beschreibung der anstehenden hebräischen Lexeme im Rahmen des oben angegebenen Rasters zu erfassen.

Bei der Behandlung der alttestamentlichen Bilderterminologie bringt die Zusammenstellung resp. Abgrenzung der zu behandelnden Begriffe erste Schwierigkeiten, da im AT häufig Götzen- oder Götterbezeichnungen und Bildertermini promiscue gebraucht werden, so daß Eißfeldt bei seiner Einteilung der Götzenbenennungen auch eine Gruppe von Benennungen für Götzen aufführen kann, die die Götzen "mit ihren Bildern identifiziert und so als totes Material ausgeben"[19]. Dies hängt unter anderem damit zusammen, daß die Auseinandersetzung mit anderen Religionen im AT oft über deren Götterbilder geführt wird[2o]. Teilweise ist die Zuweisung einiger Begriffe zum Bereich der Bilderterminologie problematisch, da kultur- und religionsgeschichtliche Veränderungen einen starken Bedeutungswandel hervorgerufen haben, so z.B. bei den Begriffen אפוד und תרפים[21].
Versucht man das Gesamtfeld alttestamentlicher Bilderterminologie ein wenig abzustecken und zu systematisieren, dann legt die Vielschichtigkeit des Stoffes ein zweifaches (form-

18) Vgl. B. KEDAR, Semantik, 44ff.

19) O. EIßFELDT, Gott, 272.

2o) Ein Tatbestand, den auch H.-D. PREUß, Verspottung, bes. lo.279-285, für den Themenkreis der Religionsverspottung hervorhebt.

21) Vgl. K. SEYBOLD, THAT II, lo57f.; K. GALLING, BRL^2, 257; B. KEDAR, Semantik, 142.

kritisch-inhaltliches) Kriterienraster zur Einteilung nahe; daraus lassen sich sodann grob fünf Verwendungsbereiche ausmachen, die sich zwar nicht randscharf voneinander abgrenzen lassen, die aber in die Masse der Belege eine erste Untergliederung bringen.

Eine erste Gruppe von Texten läßt sich zusammenstellen aus Erzählungen mit Erwähnungen von Bildern, ohne daß dabei sogleich eine Bewertung dieser Bilder in den Mittelpunkt rückt.

Eine zweite Gruppe umfaßt Kultreformtexte, wie sie vor allem im DtrGW und ChrGW zu finden sind.

Eine dritte Gruppe erfaßt Texte, die die *Verehrung* von Bildern im Zentrum ihrer (polemischen) Kritik haben, so in DtJes, Jer lo und besonders der späten Weisheitsliteratur.

Eine vierte Gruppe von Texten mit Erwähnung von Bildern setzt sich zusammen aus der vornehmlich prophetischen Auseinandersetzung mit nichtisraelitischen Göttern und Kultpraktiken.

Die fünfte und letzte Gruppe erfaßt die eigentlichen Bilderverbotstexte (Ex 2o,4.23; 34,17; Lev 19,4; 26,1; Deut 4, 15ff.; 5,8; 27,15).

Im Rahmen der vorliegenden Arbeit soll nur die letztgenannte Gruppe der Bilderverbotstexte eingehend behandelt werden[22]. Bei einem Überblick über die Texte fällt sogleich auf, daß aus dem breiten Spektrum hebräischer Bilderterminologie nur wenige Begriffe hier Verwendung finden. Die vorkommenden Begriffe sind untereinander wieder sehr verschieden. Es können konkrete Begriffe aus anderen Wortfeldern sein, die erst durch ihren Kontext oder nähere Präzisierungen dem Bereich der Bilderterminologie zugeordnet werden (z.B. אלהים mit זהב, כסף, מסכה; אלילים; אבן mit משכית; מצבה), es können aber

22) Teilbereiche der anderen Gruppen finden sich ausführlich behandelt bei H.-D. HOFFMANN, Reform, passim und H.-D. PREUß, Verspottung, passim.

auch technische Bildbegriffe sein (פסל; מסכה; תמונה; תבנית; סמל). Für eine semantische Klärung der Bilderterminologie der Bilderverbotstexte sind aber nur die Begriffe פסל und מסכה relevant, denn die Reihe der zuvor genannten Begriffe bietet semantisch keine direkten Schwierigkeiten; das Verständnis der einzelnen Begriffe ist hierbei vom konkreten Einzeltext bestimmt[23]. In der Reihe der technischen Bildbegriffe treten die drei letzgenannten Begriffe hinter den beiden erstgenannten zurück, da sie in der Redeweise der Bilderverbotstexte immer nur als Zusatz zu פסל zur näheren Präzisierung begegnen.
Ganz besonders ist die Beobachtung festzuhalten, daß der allgemeinste hebr. Bildbegriff צלם[24] im Bereich des Bilderverbotes gar nicht vorkommt.
Die beiden für die Bilderverbotstexte relevanten Termini פסל und מסכה weisen sprachlich eine Besonderheit auf, da sie nicht nur alleine vorkommen, sondern auch in der Wendung פסל ומסכה zusammengestellt begegnen, so daß auch diesem Phänomen im weiteren ein besonderes Augenmerk gewidmet werden soll. Die folgenden Analysen zu פסל und מסכה erfassen mit insgesamt 84 Belegen[25] auch numerisch den größten Bereich der alttestamentlichen Bilderterminologie[26]. Der Gang der Untersuchung ist in einem Punkt von der vorliegenden Forschungsliteratur bestimmt. Bei der Beschreibung der Lexeme ist in traditioneller Weise eine Etymologie an den Anfang

23) Vgl. H. RINGGREN, ThWAT I, 3o1f.; H.-D. PREUß, ThWAT II, 3o6f.

24) Vgl. H. WILDBERGER, THAT II, 556-563; HAL, 963f. und das oben unter 1.3. Gesagte zum Verhältnis zu Gen 1,26.

25) Zum Zusammenhang von פסל/פסיל+ und zur Einbeziehung von נסך/נסיך s.u.

26) Demgegenüber z.B. צלם 17mal; עצבים (incl. עצב in Jes 48,5; Ps 139,24) 18mal; גלולים 48mal.

gestellt, ohne jedoch damit einen sachlichen oder gar methodischen Stellenwert anzeigen zu wollen, sondern sie ist als Ausgangspunkt gewählt, weil die Etymologie in der bisherigen Diskussion zum Thema einziger Aspekt der Bedeutungserklärung geblieben ist. Mehr oder weniger ausführlich gehen die vorliegenden Untersuchungen auf die Bedeutung der jeweils zugrundeliegenden Wurzeln ein[27], um daraus den besonderen Sinn der jeweiligen Begriffe zu klären und daraus dann die Intention und Aussage des sie gerade beschäftigenden Einzeltextes zu erhalten. Zu welch fraglichen Diskussionspunkten und Ergebnissen dieser Weg führt zeigt deutlich der Beitrag von North[28], der diesen Weg ausschließlich etymologischer Erklärung am konsequentesten eingeschlagen hat. Bei ihm und vielen anderen entstehen durch die von der Wurzelbedeutung her bestimmten Übersetzungen mit "Schnitzbilder - Gußbilder" Probleme, da in Konsequenz dieses Ansatzes Verbote mit unterschiedlicher Aussageabsicht nebeneinanderstehen[29]. Die zu diesen Problemen dann angebotenen Lösungen, die Texte der darin vorhandenen Terminologie entsprechend nach Herkunft oder Alter zu differenzieren, werden zwar den durch die etymologischen Klärungen eingegangenen Implikationen, nicht aber den Worten und ihrer alttestamentlichen Verwendung gerecht. So fragt Elliger zwar kritisch, "ob die Wörter (פסל/מסכה) überhaupt noch auf die Verschiedenheit des Materials und der Herstellungstechnik abheben und nicht unterschiedslos einfach 'Götzenbild' meinen"[3o], bleibt dann aber letztlich doch der sich aus diesem Unterschied ergebenden Diskussion verhaftet.

---

27) Vgl. z.B. K.-H. BERNHARDT, Gott, 31.113; A. KRUYSWIJK, Beeld, 6of. 78; H.-D. PREUß, Verspottung, Reg. s.v. פסל, פסיל, מסכה.

28) CH.R. NORTH, Essence, passim.

29) Die sich ergebenden Schwierigkeiten brauchen hier nicht im einzelnen aufgelistet zu werden, exemplarisch sei nur die häufige Diskussion um das Verbot von Holz- und/oder Metallbildern (Ex 2o,4 und 34,17) genannt, so z.B. bei F.-E. WILMS, Bundesbuch, 16of.

3o) K. ELLIGER, BK XI/1, 265.

Diese Beobachtungen konnten nun nicht nur das Problemfeld umschreiben, sondern auch auf die Notwendigkeit einer ausführlichen semantischen Klärung vor jeder weiteren Untersuchung hinweisen.

2.2. *Sprachliche Analysen*

2.2.1. פסל

2.2.1.1. *Etymologie*

Das Nomen פסל geht auf die Wurzel פסל 'behauen etc.'[31] zurück. Im AT findet sich das Verbum nur 6mal, und zwar im *qal* (Ex 34,1.4; Deut 1o,1.3; 1 Kön 5,32; Hab 2,18). Als Nominalbildung der Basis פסל geben die hebr. Wörterbücher פסל *pæsæl* und פסיל *pāsīl* an; dabei sind von der erschlossenen Grundform פסיל* nur Pluralformen belegt, von פסל hingegen nur Singularformen. Der nur einmal belegte Pl. abs. פסלים (Jer 5o, 38) wird in den Lexika meist als פסילים aufgeführt, wie fehlendes *jod* auch an anderen Stellen, die als Defektivschreibung aufgefaßt werden, der angenommenen Grundform entsprechend ergänzt wird. Eine genauere Untersuchung der belegten Formen kann aber zeigen, daß sich die im AT belegten Singular- und Pluralformen der Nominalbildung der Basis פסל gemeinsam auf eine einzige Grundform פסל* *pāsel* zurückführen lassen. Die lexikalische Aufspaltung in פסל und פסיל gibt somit nicht den ursprünglichen sprachlichen Befund wieder, sondern spiegelt die Gedanken der Masoreten und die daraus entstandene Tradition wider[32].

---

31) Vgl. GesK; HAL s.v.

32) Zu den alttestamentlich belegten Formen und ihrer Rückführung auf eine *qātel*-Form und im einzelnen zum Zusammenhang von פסל - פסיל vgl. C. DOHMEN, פסל, passim.

Im AT wird das Nomen פסל vielfach als Collectivum verwendet; ob die bei Collectiva häufig belegte *qitl*-Form - neben dem numerischen Plural - als gebrochener oder innerer Plural aufzufassen ist[33], kann aufgrund mangelnder Einzeluntersuchungen noch nicht entschieden werden[34]. Eine semantische Trennung der Singular- von den Pluralformen, wie sie von Floss vorgeschlagen wird - in dem Sinne, "daß der Singularbegriff פסל im AT immer dann gebraucht wird, wenn der mit dem Bild verbundene Aspekt der Anfertigung ausgedrückt werden soll"[35] und der "Pluralbegriff die Fremdgötterbilder meint"[36] -, ist nicht anzunehmen, da die ausschließliche Verwendung der Pluralformen für die außerisraelitischen Götterbilder nicht auf diese Bedeutungsunterscheidung hinweist, sondern vielmehr eine Bewertung der Götterverehrung in diesen Religionen darstellt[37].

Mit der Bedeutung 'behauen, schnitzen u.ä.' ist die Basis *psl* nur in nordwestsemitischen Sprachen belegt. Im Ugar. wird mit *psl* der "Handwerker, der sich mit Behauen, Schnitzen beschäftigt"[38], bezeichnet. Auch an den nicht ganz klaren Stellen KTU 1.5 VI 18; 1.6 I 2 liegt bei *psltm* eine Ableitung

---

33) Vgl. D. MICHEL, Grundlegung, 84 Anm. 4.

34) Vgl. S. MOSCATI (Hrsg.), Introduction Nr. 12.43-12.51.

35) J.P. FLOSS, Jahwe, 159.

36) J.P. Floss, Jahwe, 16o; ebenso läßt sich auch K. GALLINGS, Erwägungen, 12, Differenzierung im "Anbetungsbild" (פסל) und "das Behauen ... als neutraler Terminus" (פסיל) vom Textbefund her nicht halten.

37) Vgl. B. KEDAR, Semantik, 111: "Die Pluralform dient ebenfalls häufig als Ausdruck des dem Bezeichneten beigemessenen Affektionswert und nicht als Ausdruck einer Vielheit", wenn auch im vorliegenden Fall bei der Erwähnung von Götterbildern deren Vielzahl einen Grund der Abwertung darstellt.

38) WUS Nr. 224o; vgl. UT Nr. 2o73: "sculptor craftsman (...) while Heb. usage suggests 'sculptor' the Ug. contexts require a broader meaning to include makers of bows and arrows." An eine Bezeichnung für eine Berufsgruppe denken auch B. CUTLER-J. MACDONALD, Text, 21.

der vorliegenden Wurzel vor und nicht eine Ableitung von akkad. *pasālu* 'sich umkehren' im Sinne von 'Seitenlocken', wie dies Aistleitner[39] vermutet[4o]. In pun. und nabat. Inschriften finden sich sowohl Verbal- als auch Nominalbildungen[41] der Basis *psl*, die semantisch alle dem Bereich der Holz- und Steinbearbeitung ('behauen, schnitzen, schneiden') zuzurechnen sind. Zum gleichen Bedeutungsfeld gehören auch die Belege des syr. *psl*[42] und die des aram. *psl*, *psjlh* und *pslh*[43]. Demgegenüber finden sich in südwestsemitischen Sprachen keine Entsprechungen zu *psl*. Als mögliche ostsemitische Wurzelentsprechung bietet das Akkad. *pasālu*[44], *pašālu*[45] und aufgrund der Spirantisierung der dentalen Verschlußlaute[46] *patālu*[47] an[48]. Zu *pasālu* "sich um- , abkehren"[49] finden sich

39) WUS Nr. 2241.

4o) Vgl. A. CAQUOT-M. SZNYCER-A. HERDNER, Textes I, 251 Anm. i; T.L. FENTON, Ugaritica, 7o; J.C. DE MOOR, Rez. 1969, 227.

41) Vgl. im einzelnen die Belege im DISO, 231 s.v. פסל I/II; פסילה.

42) SyrDic, 452.

43) Z.B.: AP 3o,1o; 31,9; vgl. DISO, 231; K. BEYER, Texte, 669.

44) AHw, 838a.

45) AHw, 841b.

46) Auf das besonders aus dem Kanaan. und Aram. bekannte Phänomen ist heute zwar auch für das Akkad. hingewiesen, aber es fehlt bislang an eingehenden Einzeluntersuchungen zu diesem Problem, vgl. W. v. SODEN, Spirantisierung, passim; ders., GAG, § 29 + Ergänzungsheft, 4++; ders.-W. RÖLLIG, AkkSyll[3], XIXf.; S. MOSCATI (Hrsg.), Introduction, Nr. 8.15; K. TSERETELI, Frage, passim.

47) AHw, 847a.

48) Nicht in Frage kommt gemeinsemitisches *bšl* 'reif w., kochen', vgl. G. BERGSTRÄSSER, Einführung, 187. Auch die von J.A. KNUDTZON, EA II s.v. *pašālu* II aufgeführten Belege sind heute eindeutig *bašlu* zugeordnet, vgl. A.F. RAINEY, El Armarna, 67; AHw, 111f.; CAD B, 141a. In welcher Weise neuassyr. *basālu* (nach AHw, 11oa) mit nordwestsemit. *psl* in Verbindung zu bringen ist und welcher Art die von V.SODEN angedeutete Beziehung zu *bassil(a)tum* (AHw, 11ob; 1547b) ist und ob darüber hinaus von hierher eine Verbindung zu *pasālu/patālu* herzustellen ist, kann im Rahmen dieser Arbeit nicht diskutiert werden.

49) AHw, 838.

außer arab. *fšl* 'scheitern'[5o] keine Äquivalente in anderen semitischen Sprachen, und auch zu *pašālu* 'kriechen'[51] weisen die übrigen semitischen Sprachen keine entsprechenden Belege auf. Demgegenüber finden sich Entsprechungen zu *patālu* "drehen, wickeln" im gesamten semitischen Sprachraum, so im Südwestsemitischen, z.B. arab. *fatala* 'flechten, zusammenwikkeln'[52] und amhar. *fättälä* 'spinnen, drehen'[53]; und im Nordwestsemitischen z.B. *ptl* im Aram. und Syr. mit Bedeutungen, die den genannten entsprechen.
Um die Frage einer möglichen Verbindung zwischen den nordwestsemitischen und ostsemitischen Belegen der genannten Lexeme beantworten zu können, müßte vorab das Verhältnis der genannten akkad. Lexeme *pasālu, pašālu, patālu* untereinander geklärt werden. Es zeigt sich, daß alle drei semantisch dem gleichen Bedeutungsfeld des Drehens zugerechnet werden können. Die noch ausstehende Erklärung des Wechsels bzw. der Entwicklung der Sibilanten im Semitischen[54] läßt eine Klärung des phonetischen Problems an dieser Stelle nicht zu. Oberflächlich betrachtet scheinen die gemachten Beobachtungen für die anstehende Etymologie unbedeutend zu bleiben, da

---

5o) W. V.SODEN (Wörterbuch, 4oo und AHw, 838a) verweist auf diese Verbindung zu arab. *fašila* 'den Mut verlieren, feige, schwach s. etc.' (vgl. ArabWb, 638), wobei jedoch die mögliche Verbindung zwischen akkad. *pasālu* und *pašālu* (s. folgende Anm.) unberücksichtigt bleibt.

51) AHw, 841b. Eine genaue Durchsicht der dort angegebenen Belege läßt jedoch die Annahme einer Grundbedeutung '(sich) winden' gegenüber 'kriechen' als günstiger erscheinen.

52) ArabWb, 622.

53) AmharDic, 249a.

54) Außer der Frage nach dem Verhältnis der Sibilanten im Akkad. zueinander (vgl. GAG, § 3o) und der Beziehung dieser zu den Interdentalen (s.o. Anm. 46) tritt bei einem etymologischen Klärungsversuch das Problem dieser Laute im Nordwestsemitischen aufgrund der dort vollzogenen Lautverschiebung verstärkt auf, vgl. S. MOSCATI (Hrsg.), Introduction, bes. Nr. 8.11-8.37; G. GARBINI, Shift, passim; W. DIEM, Problem, passim; F.M. FALES, Correspondence, passim.

eine semantische Verbindungslinie zwischen dem Wortfeld des Drehens etc., wie es von den drei zur Diskussion stehenden akkad. Lexemen umschrieben wird, mit dem der Holz- oder Steinverarbeitung, wie es die nordwestsemitischen Belege aufweisen, nicht vorhanden zu sein scheint. Ein Blick im Sinne der vergleichend-semasiologischen Methode Eilers[55] auf das Äg. läßt eine Abhängigkeit der genannten nordwest- und ostsemitischen Lexeme jedoch erneut in Betracht kommen, da parallel zum innersemitischen Befund die äg. Homonyme *mḏḥ*[56] semantisch einen diesem vergleichbaren Befund aufweisen. *mḏḥ* bezeichnet sowohl das Umwickeln als auch die Tätigkeit der Holzbearbeitung[57], sowie in der Form *mḏḥ nšw.t* den Steinmetz[58]. So tritt die etymologische Rückführung der nordwestsemitischen Belege der Basis *psl* auf akkad. *pasālu/pašālu/patālu* in den Bereich des Möglichen, ohne daß jedoch gesagt werden kann, welche handwerkliche Tätigkeit bzw. welche damit in Zusammenhang stehende Vorstellung hinter dieser Ableitung steht. Möglich wäre, daß hier das plastische Herausarbeiten einer Form aus einem Werkstück im Gegensatz zum Formen oder Gießen u.ä. im Vordergrund steht, wobei natürlich spätere Bedeutungsüberschneidungen nicht auszuschließen sind.
Abschließend kann festgestellt werden, daß die Nominalbildung der Basis פסל[59] von der Wurzelbedeutung her etwas Be- bzw. Zurechtgehauenes bezeichnet; inwiefern diese etymologische Grundbedeutung aber für das Verständnis des alttestamentlichen Sprachgebrauchs relevant ist, ist fraglich, da die Begrenzung der Verwendung dieses allgemeinen Begriffs auf den

55) W. EILERS, Methode, passim.

56) WbÄS II, 19o.

57) Vgl. F. STEINMANN, Untersuchungen, 151.

58) WbÄS II, 19o.

59) Wenn nicht anders vermerkt, werden im folgenden der Einfachheit halber im Sinne der oben vorgelegten Erklärung unter dieser Bezeichnung die Singular- und Pluralformen subsumiert.

Bereich von Bildern bereits eine Bedeutungsverengung bedeutet, der es durch eine genauere Untersuchung der Verwendung des Begriffs im AT nachzugehen gilt.

2.2.1.2. Vorkommen und Verwendung

Aufgrund des oben beschriebenen Zusammenhangs der Sg.- und Pl.-Formen von פסל kommen insgesamt 54 Belege der Nominalform in Betracht, wovon jedoch 2 (Ri 3,19.26) nicht unbedingt dem Bereich der Bilderterminologie zuzurechnen sind, da הפסילים hier eine geographische Angabe darstellt, deren Bedeutung recht unterschiedlich gedeutet wird[60]. Außer in dem noch gesondert zu behandelnden Wortpaar פסל ומסכה (s.u. 2.2.3.) begegnet פסל in Cstr.-Verbindungen: 3mal als פסילי אלהים[61], sodann in der Verbindung פסל האשרה in 2 Kön 21,7, was im Paralleltext 2 Chr 33,7 פסל הסמל heißt; dem Wortpaar פסל ומסכה vergleichbar begegnet in Jes 48,5 noch die Wortverbindung פסלי ונסכי (s.u.2.2.2.4.).
Die Verwendung der Nominalbildung פסל ist thematisch breit gestreut, in allen fünf oben unter 2.1. zusammengestellten Verwendungsbereichen kommt der Terminus vor. Dieses Verwendungsspektrum läßt semantisch auf einen recht allgemeinen Bildbegriff schließen. Untersucht man die Verwendung des Begriffs anhand der benutzten Verben sowie der im direkten Kontext begegnenden Nomina und Verben, dann zeigt sich deutlich eine Eingrenzung einer allzu allgemein angesetzten Bedeutung. Alle Belege des Terminus bewegen sich inhaltlich eindeutig im "religiösen" Bereich; ein "profaner" Gebrauch, wie er

---

60) Vgl. die Zusammenstellung in HAL, 894.

61) Deut 7,25; 12,3: פסילי אלהיהם ; Jes 21,9: פסילי אלהיה.

sich z.B. bei צלם zeigt[62], ist im AT für פסל nicht auszumachen, wie es auch zu beachten gilt, daß es umgekehrt außerhalb des Hebr. bisher keinen Beleg für die Verwendung der Basis *psl* im Bereich der Bilderterminologie gibt[63]. Die vorkommenden Verben zeigen, daß der Begriff durch seine Verwendung semantisch innerhalb des religiösen Kontextes weiter eingeschränkt wird. Neben den häufig zu findenden Verben des Herstellens resp. des Zerstörens stehen meist in unmittelbarem Zusammenhang Verben, die die Verehrung der hergestellten Objekte beschreiben[64]. Eine semantische Trennung zwischen Fremdgötterbildern und von Israel selbst hergestellten Bildern[65] läßt sich anhand der vorkommenden Verben von den Texten her nicht halten, da einerseits im Kontext fast aller Stellen Herstellung und Verehrung erwähnt werden, andererseits Besonderheiten wie das Fehlen des Herstellungsvermerks bei Fremdgötterbildern von der Sache her verständlich sind. Betrachtet man nun den Bedeutungsumfang des anstehenden Begriffs anhand seines alttestamentlichen Verwendungsbereiches im Sinne der oben dargelegten Definitionen (2.1.), dann zeigt sich, daß die Bedeutung der Nominalbildung פסל gerade in dem Bereich zu finden ist, der teils vom Begriff Götterbild, teils vom Begriff Kultbild erfaßt wird, also quasi in der

---

62) Für צלם gilt umgekehrt, daß es jede Art von Darstellung bezeichnen kann und die Bedeutung 'Götterbild' bei צלם erst durch präzisierende Verbindungen wie צלמי מסכתם (Num 33,52), צלמי תעבתם (Ez 7,2o) oder durch inhaltliche Bezüge wie in 2 Kön 11,18 = 2 Chr 23,17 entsteht.

63) Zu den von K.H. BERNHARDT, Gott, 113 Anm. 6 in diesem Zusammenhang noch erwähnten ugar. Belegen von *pslm* s.o. 2.2.1.1.

64) Vgl. z.B. Ex 2o,4f.//Deut 5,8; Lev 26,1; Deut 4,16ff.; dabei muß beachtet werden, daß die Verben des Aufstellens/Bereitstellens (שים קום) in diesem Kontext wohl auch die kultische Verwendung der Objekte anzeigen, vgl. Lev 26,1; Deut 27,15; Ri 18,3o; 2 Kön 21,7; 2 Chr 33,7.

65) So von J.P. FLOSS, Jahwe, 157-161 entsprechend seiner lexikalisch-semantischen Trennung der Sg.- und Pl.-Formen vorgenommen.

Schnittfläche dieser beiden Begriffe. Da nun aber die funktionale Determination (kultischer Bereich) immer mitgegeben ist, die inhaltliche, ausschließliche Begrenzung auf *Götter*bilder jedoch nicht explizit mitgegeben ist und Texte wie Ex 2o,5 par. und Deut 4,16ff. sogar dagegen sprechen, ist es angebracht, die Bedeutung der Nominalbildung פסל im AT mit *"Kultbild"* zu umschreiben.
Im Rahmen dieses Verständnisses wird auch die genannte Verbindung פסילי אלהים verständlich; sie bezeichnet exakt die "Kultbilder der Götter". Ebenso ist in 2 Kön 21,7 ein Kultbild der Aschera gemeint, worauf auch der Standort im Tempel hinweist; in 2 Chr 33,7 wird dieses von Manasse errichtete Objekt פסל הסמל genannt und in 2 Chr 33,15 nur הסמל[66]. Bezieht man nun noch mit Jeremias[67] Nah 1,14 als Spruch gegen Manasse mit ein, dann kommt schließlich noch die Bezeichnung פסל ומסכה für dieses Bild hinzu. Läßt die wechselnde Begrifflichkeit auch noch einige Fragen offen, so bestätigt sie doch für den Terminus פסל den oben genannten Inhalt.

2.2.1.3. Bedeutung

Gegenüber der durch die etymologische Klärung erkannten Grundbedeutung der Nominalbildung von פסל, die ein plastisch gearbeitetes Gebilde meint, zeigt die alttestamentliche Verwendung des Wortes, daß dieser Aspekt bei der Wortbedeutung völlig zurückgetreten ist. Mit פסל ist im AT immer ein Kultbild gemeint, und der Art und Weise, wie dies hergestellt

---

66) Zur Etymologie und Bedeutung von סמל vgl. C. DOHMEN, סמל, passim.

67) Vgl. J. JEREMIAS, Kultprophetie, 22ff.; W. RUDOLPHs, KAT XIII/3, 159 Kritik daran ist nicht stichhaltig, da פסל ומסכה eben nicht zwei Bilder meint (s.u. 2.2.3.).

festen Verbindungen (s.u.2.2.2.2.) begegnenden Begriffs מסכה durch die genannten Bedeutungen häufig große Schwierigkeiten, die auch durch das von HAL zusätzlich gebotene ist, wird eigentlich kein Gewicht beigemessen, da dies das Wesen des Kultbildes nicht betrifft. Eine Ausnahme vom Gesagten bilden natürlich die gegen Bilder polemisierenden Texte, in denen interessanterweise die vom Etymon gegebene Grundbedeutung in dem Sinne als Konnotation wieder mit gehört werden will, daß das bezeichnete Kultbild hier zusätzlich als Machwerk des Menschen charakterisiert werden soll[68]. Der Frage der Bedeutungsentwicklung vom plastisch gearbeiteten Gebilde zum Kultbild kann erst im Anschluß an die Untersuchung des Wortpaares פסל ומסכה nachgegangen werden, da das Verhältnis des Wortpaares zu den Belegen von פסל allein für diese Bestimmung der Bedeutungsentwicklung wichtig ist (s.u. 2.2.3.2.).

2.2.2. מסכה

2.2.2.1. Etymologie

Das Nomen מסכה wird gewöhnlich als *maqtil*-Form des Verbs נסך 'gießen'[69] mit der Bedeutung "gegossenes (Gottes-)Bild"[7o] oder "Gußbild"[71] aufgefaßt. Diese Ableitung impliziert für das zugrundeliegende Verb נסך die Bedeutung 'Metall gießen', die jedoch im AT nicht sicher belegt ist; bei den in Frage kommenden Belegen Jes 4o,19; 44,1o kann die allgemeine Wendung נסך פסל auch andere Metallverarbeitungstechniken umschreiben. Außerdem bietet die Übersetzung des vorwiegend in

68) Die gleiche Bedeutung kommt der Wendung מעשה יד zur Bezeichnung von Bildern zu, vgl. P.R. ACKROYD, ThWAT III, 454f.

69) BLe, 492t resp. von נסך II 'flechten' s.u. 2.2.2.2.

7o) GesB, 44o.

71) HAL, 572f.

"Metallguß" nicht völlig behoben werden. Daß מסכה dem Bereich der Metallverarbeitung zuzurechnen ist, darauf weisen die die Herstellungsmaterialien und -arten beschreibenden Kontexte (z.B. Ex 32,2; Jes 3o,22; 4o,19; 44,9-17; Hos 13,2) und Parallelisierungen von אלהי מסכה (Ex 34,17) mit אלהי זהב (Ex 32,31) hin, so daß die Hypothesen Faurs[72], der מסכה mit נסך 'Libation' oder auch mit נסך II 'salben' in Verbindung bringen möchte und von daher an ein konsekriertes Bild denkt, keinerlei Beweiskraft besitzen. Der in zahlreichen semitischen Sprachen zu findenden Basis נסך ist kein einheitliches Bedeutungsfeld zuzuordnen. Es treten jedoch zwei Bedeutungsaspekte besonders hervor: zum einen das Opfern (Libation), zum anderen die Bearbeitung von Metall. Dieser letztgenannte Aspekt ist innerhalb des Semitischen eindeutig dem Kanaan. zuzuweisen und bei genauerer Analyse zeigt sich, daß für dieses im Kanaan. zu findende Vorkommen der gemeinsemit. Wurzel נסך im Bereich der Metallbearbeitung aufgrund von Etymologie und Verwendung die Bedeutung 'hämmern, schmieden' und nicht 'gießen' anzusetzen ist[73]. Somit kann מסכה von seinem Etymon her eine getriebene Arbeit oder Edelmetallplattierung u.ä. bezeichnen.

2.2.2.2. *Vorkommen und Verwendung*

Das Nomen מסכה ist im AT 28mal belegt; zur Bilderterminologie sind davon aber 25 Belege zu rechnen, da in Jes 25,7; 28,2o eine Ableitung von נסך II 'weben'[74] vorliegt, und in 2 Chr 28,2 ist מזבח anstelle von מסכות zu lesen[75]. In Jes

72) J. FAUR, Idea, passim.

73) Vgl. im einzelnen C. DOHMEN, Schmiedeterminus, passim.

74) Vgl. HAL, 573.664.

75) S liest hier *mdbh'* anstelle von מסכות; das anschließende לבעלים gegenüber dem bei Bildbegriffen ausschließlich belegten ל + Suffix der handelnden Person und der inhaltliche Kontext der VV.1-4 sprechen für diese Lesart.

3o,1, wo מסכה häufig mit 'Bündnis u.ä.' wiedergegeben wird, liegt in der sehr unterschiedlich erklärten figura etymologica נסך מסכה[76] eine Anspielung auf zwei mehrfach belegte, die Verbindung zu Fremdgöttern kennzeichnende Handlungen vor. Die Form der figura etymologica נסך מסכה erinnert an נסך נסך 'ein Trankopfer darbringen' als Zeichen der Fremdgötterverehrung (Jer 7,18; 19,13; 32,29; 44,17 u.ö.). Indem נסך nun durch das von der gleichen Wurzel abgeleitete מסכה ersetzt worden ist, stellt der Verfasser des Textes zusätzlich eine Assoziation zur Anfertigung eines Götterbildes her[77]; daß auch der vorausgehende Versteil ein solches Wortspiel enthält, zeigt die Zusammenschau der unterschiedlichen Deutungen des עשה עצה von Dahood[78] und Wildberger[79].

Zu beachten gilt es, daß das Nomen vorwiegend im Stat. abs. Sg. מסכה - der Pl. ist nur 4mal und die Cstr.-Form nur einmal belegt[8o] - und in festen Verbindungen vorkommt. Außer in dem noch gesondert zu behandelnden Wortpaar פסל ומסכה (s.u.2.2.3.) begegnet מסכה als Nomen rectum in Cstr.-Verbindungen: עגל מסכה (Ex 32,4.8; Deut 9,16; Neh 9,18); אלהי מסכה (Ex 34,17; Lev 19,4); צלמי מסכתם (Num 33,52). Die nur einmal belegte Verbindung אלהים אחרים ומסכות (1 Kön 14,9) scheint formal פסל ומסכה nachgebildet zu sein (s.u.2.2.3.). Beide Verbindungstypen, die Cstr.-Verbindung und die mit Kopula *waw*, können in gleicher Weise getrennt und ihre Bestandteile in einem Parallelismus einander gegenübergestellt wer-

76) Vgl. H. WILDBERGER, BK X/3, 1147f.

77) Vgl. auch נסך פסל in Jes 4o,19; 44,1o; die Nennung der רוח im Nachsatz (vgl. Jes 41,29; Jer 1o,14) und die Kennzeichnung durch סרר (Jes 3o,1; vgl. Hos 4,16f.) deuten auf die Hinwendung zu Fremdgöttern hin.

78) M. DAHOOD, *ᶜēṣāh*, passim.

79) H. WILDBERGER, BK X/3, 1147.1151f.

8o) מסכות: Num 33,52; 1 Kön 14,9; 2 Chr 34,3.4; מסכת: Jes 3o,22.

den[81].

Allein steht מסכה nur in Deut 9,12; 2 Kön 17,16 und Hos 13,2. Die erstgenannte Stelle formuliert - um eine allgemeine Qualifikation als schwere Sünde zu erreichen - mit עשו להם מסכה formal im Anschluß an des dekalogische Bilderverbot. Die Wahl des Bildterminus מסכה ist zur Einpassung in den Kontext von Deut 9 von dem dort begegnenden Begriff עגל מסכה her bestimmt. Aus dieser Cstr.-Verbindung ist bewußt das Nomen rectum genommen, da nur es in Parallele zu den Bilderverbotstexten eine Allgemeinheit beanspruchen kann, die über den engen Rahmen der Erzählung von Deut 9 hinausgeht.
2 Kön 17,16 ist formal in gleicher Weise wie Deut 9,12 vom dekalogischen Bilderverbot her geprägt (s.o.), bietet jedoch durch das nachgestellte שנים עגלים[82] eine appositionelle Näherbestimmung von מסכה.
In Hos 13,2 wird מסכה, das nur hier bei Hos vorkommt, in der gleichen Weise als Hinweis auf das dekalogische Bilderverbot wie in Deut 9,12 und 2 Kön 17,16 gebraucht und ist einer späteren Redaktion zuzuschreiben[83].

Zu den obengenannten Verbindungen finden sich auch einige Parallelformulierungen, die deutlich machen, daß es sich bei מסכה wohl vorwiegend um Goldschmiedearbeiten handelt. Anstelle von עגל מסכה findet sich in Ex 32,31 die Formulierung אלהי זהב und in 1 Kön 12,28; 2 Kön 1o,29; 2 Chr 13,8 werden die Stierbilder Jerobeams als עגלי (ה)זהב bezeich-

81) Vgl. Jes 3o,22; 42,17; Hab 2,18(?); Ps 1o6,19; in Ri 18,17.18 ist das Wortpaar פסל ומסכה vielleicht durch spätere Überarbeitungen getrennt worden, vgl. M. NOTH, Hintergrund, 136 Anm. 12.

82) Qere: שני. In Zusammenhang mit der These H. MOTZKIs, Beitrag, passim, läßt sich daran denken, daß der an dieser Stelle schwierige Text einer Überarbeitung, die den Plural einbringen will, zuzuschreiben ist.

83) S.u. Kap. 3, Anm. 243 zur Herkunft dieses Verses.

net[84].

Die Untersuchung der Verwendung von מסכה hat gezeigt, daß der Begriff alleine kein (Götter-)Bild beschreibt. Die wenigen Belege, wo מסכה allein steht, konnten anders erklärt werden, so daß deutlich wird, daß die Bedeutung von מסכה nur aus der Verwendung in den genannten Verbindungen zu erklären ist. Daraus ergibt sich, daß מסכה nur einen - wenn auch bedeutsamen - Aspekt eines Bildes bezeichnet, nämlich die wertvolle Ausstattung (s.u.2.2.2.3.).

Wie auch schon der Begriff פסל, so findet sich auch מסכה nicht im profanen Bereich, und eindeutige Belege aus dem Bereich der Bilderterminologie anderer semitischer Sprachen sind auch nicht zu finden[85].

2.2.2.3. Bedeutung

Der Terminus מסכה bezeichnet ursprünglich wie die meisten Begriffe aus dem Bereich alttestamentlicher Götterbildterminologie das Produkt einer handwerklichen Tätigkeit. In Zusammenschau von Etymologie und alttestamentlicher Verwendung ergibt sich, daß מסכה das Produkt einer Goldschmiedearbeit an einem Kult- oder Götterbild bezeichnet und nicht ein metallenes Bild selbst. Es kann sich dabei sowohl um Plattierungen oder ähnliches handeln, was direkt zur Herstellung des Bildkörpers nötig ist als auch um zusätzlichen Schmuck des Bildes in Form von Ketten oder Gewändern. Daß dieser Teil des Bildes eigens betont bzw. gegen ihn polemi-

---

84) Die in dieser pluralischen Form nur hier zu findende Wendung mag die genannte These H. MOTZKIs bestätigen, s.u. 3.1.2.

85) Lesung und Interpretation der beiden Belege KAI, 26A III 1.C IV 3 sind unsicher, vgl. DISO, 160 s.v.

siert wird, ist aufgrund der mit den Edelmetallen verbundenen magischen und mythischen Vorstellungen[86], die im Alten Orient ganz besonders in Verbindung mit den Götterbildern verbreitet waren, gut verständlich. Dies zeigt auch Hos 1o,5, wo diese Pracht der Ausschmückung des Stierbildes, als sein כבוד bezeichnet, Gegenstand des priesterlichen Jubels ist[87]. Daraus folgt, daß der Begriff durch seine spezifische Verwendung vom ursprünglichen Wortsinn her soweit eingeschränkt ist, daß er nur noch die Edelmetallarbeit oder den Schmuck der Kult- und Götterbilder umfaßt[88] und nicht alle Goldschmiedearbeiten in anderen Bereichen. Das obengenannte (s.2.2.2.2.) Wortspiel aus Jes 3o,1 macht deutlich, daß מסכה durch die Verbindung zu נסך einen despektierlichen Unterton erhalten kann, indem es dem Bereich der Fremdgötterverehrung zugeordnet wird, und umgekehrt kann נסך dann im Sinne von מסכה verwendet werden.

2.2.2.4. נסך

Das von der gleichen Wurzel wie מסכה abgeleitete Nomen נסך *(næsæk)*, das im AT gewöhnlich in der Bedeutung 'Libation' verwendet wird, findet sich an vier Stellen in der Bedeutung von מסכה (Jes 41,39; 48,5; Jer 1o,14 = 51,17); demgegenüber fehlt מסכה in diesem Textbereich (DtJes - Jer)[89]. Die im Wortspiel von Jes 3o,1 beobachtete Kennzeichnung und Bewertung als Fremdgötterverehrung kommt in diesen Texten,

---

86) Vgl. B. KEDAR-KOPFSTEIN, ThWAT II, 534-544; die Art. 'Gold' in LexÄg und RLA sowie E. HORNUNG. Der Eine, 122ff.

87) Vgl. H.W. WOLFF, BK XIV/1, 228; J. JEREMIAS, ATD XXIV/1, 13o.

88) Vielleicht spielt hier auch die aus dem alten Orient bekannte Vorstellung vom goldenen Leib der Götter herein, vgl. W. HELCK, LexÄg II 816.

89) In Jes 42,17 ist מסכה sekundär, vgl. K. ELLIGER, BK XI/1, z.St.

die נסך anstelle von מסכה verwenden, verstärkt zum Ausdruck. Für diese Parallelisierung von נסך und מסכה sprechen auch die Verbindungen von נסך, die den besprochenen Verbindungen von מסכה formal exakt entsprechen, wie פסלי ונסכי (Jes 48,5) oder die aufgespaltene und gegenübergestellte Wortverbindung in Jer 1o,14 = 51,17[9o]. In Dan 11,8 ist von der Basis נסך abgeleitetes נסיך *(nāsîk)* im Sinne von מסכה gebraucht, vielleicht um an dieser Stelle in der Wendung אלהיהם עם נסכיהם eine zusätzliche Assoziation zu נסיך 'Fürst' herzustellen. Insgesamt weisen die genannten Belege - abgesehen von dem ihnen innewohnenden abwertenden Aspekt - nicht über das zu מסכה Gesagte hinaus; vielmehr sind sie unter Berücksichtigung ihres speziellen Bedeutungsaspektes inhaltlich den מסכה-Belegen exakt zuzurechnen.

2.2.3. פסל ומסכה

2.2.3.1. Vorkommen und Verwendung

Das Wortpaar פסל ומסכה begegnet in dieser Form 5mal[91] im MT des AT; jedoch muß man wohl auch für Ri 18,17.18.2o(?) ursprünglich diese Verbindung, die hier erst sekundär getrennt resp. ausgelassen wurde, annehmen[92]. Hinzuzunehmen sind auch noch die beiden pluralischen Belege והפסלים והמסכות in 2 Chr 34,3.4 und aufgrund des unter 2.2.2.4. Gesagten noch פסלי ונסכי in Jes 48,5.
Die inhaltlichen und syntaktischen Bezüge - besonders in

9o) Geht man in Parallele zu פסל auch bei מסכה / נסך von einer kollektiven Verwendung aus, dann ergeben sich hier die Änderungvorschläge (BHK, BHS) in den Pl. נסכו .

91) Deut 27,15; Ri 17,3.4; 18,14; Nah 1,14.

92) Vgl. M. NOTH, Hintergrund, 136 Anm. 12.

Ri 17.18 - veranlaßten einige Forscher, in פסל ומסכה nur einen einzigen Gegenstand zu sehen, und mehrfach wurde dementsprechend das Wortpaar zum Hendiadyoin erklärt[93], das die Bedeutung hat: ein geschnitzter Kern mit metallener Plattierung. Gegenüber diesem weitverbreiteten Verständnis eines plastisch gearbeiteten (Holz-)Kerns mit metallenem Überzug möchte Noth es im Sinn eines "plastischen, und zwar aus Metall gegossenen Bildes"[94] verstehen. Abgesehen davon, daß auch technische Gründe für die erste Möglichkeit sprechen, stellt Noths Vorschlag beim Vergleich der von פסל und מסכה belegten Verbindungstypen (s.o.2.2.1.2. und 2.2.2.2.) vor die Frage, warum ein so verstandenes Hendiadyoin nur in der Verbindung פסל ומסכה zu finden ist; denn gemäß Noths Verständnis könnte man sich auch Verbindungen mit עגל oder אלהים als erstem Glied und מסכה - durch *waw*-explicativum angeschlossen - als zweitem Glied vorstellen. Bei beiden Begriffen sind jedoch nur Cstr.-Verbindungen belegt (s.u.2. 2.3.2.). Als Parallelformulierung könnte man einzig אלהים אחרים ומסכות in 1 Kön 14,9 heranziehen; diese Verbindung läßt sich aber anders besser erklären. An dieser Stelle scheint bewußt eine theologisch brisante Formulierung in freier Anlehnung an das besprochene Hendiadyoin gestaltet zu sein, indem das erste Glied durch אלהים אחרים - "ein dt/dtr Ausdruck im Zusammenhang der Exklusivitätsforderung der Jahweverehrung"[95] - ersetzt ist, das zweite Glied hingegen seine Verbindung zu einigen Bilderverbotsformulierungen (Ex 34,17; Lev 19,4; Deut 27,15) nicht leugnen kann. Mit dem Hendiadyoin gelang es dem Verfasser an dieser Stelle prägnant, Jerobeams Kultbilder als gegen das 1. und 2.

---

93) So z.B. Ch.R. NORTH, Essence, 154; M. NOTH, Hintergrund, 136; K. ELLIGER, BK XI/1, 74.

94) M. NOTH, Hintergrund, 136.

95) N. LOHFINK, These, 1o8; vgl. ausführlich J. HALBE, Privilegrecht, 119ff.

Dekaloggebot verstoßend auszuweisen. Demgegenüber mußte Noth gemäß seiner Annahme eines *waw* "im explikativen ('und zwar') oder steigernden ('sogar') Sinn"[96] מסכות hier als dtr. Erklärung ohne weiteren Informationswert[97] verstehen.

Somit bleibt der oben genannte Lösungsversuch für das Wortpaar פסל ומסכה der brauchbarste, wenn er auch teilweise differenziert werden muß. Man faßt den Terminus מסכה zu eng, wenn man ihn nur auf den metallenen Überzug eines plastisch gearbeiteten Kerns bezieht, da die altorientalischen Kultbilder nicht nur bei der Herstellung mit Gold oder Silber überzogen, sondern auch zusätzlich mit Schmuckstücken ausgestattet wurden[98]. Auf all diese Goldschmiedearbeiten ist der Begriff מסכה global zu beziehen, so daß das Hendiadyoin ursprünglich im Sinn einer plastisch gearbeiteten Darstellung samt den (für ein Kultbild notwendigen) Produkten der Goldschmiedekunst zu verstehen ist und in dieser Form das Kultbild bezeichnet. Diese beiden genannten Komponenten werden auch in außerbiblischen Texten, die die Herstellung von Götterbildern beschreiben, betont[99]. Dieses Hendiadyoin vermag aus stilistischen Gründen auch aufgespalten und seine Glieder dann in einem Parallelismus einander gegenüber gestellt zu werden[loo]. Das Wortpaar פסל ומסכה findet sich 5mal im AT[lol] in dieser Weise in einem Parallelismus aufge-

96) M. NOTH, BK IX/1, 3o9.

97) Vgl. M. NOTH, BK IX/1, 315.

98) Vgl. A.L. OPPENHEIM, Garments, passim; E. UNGER, RLV IV, 414f.; sowie die Beschreibungen in EA 14.

99) Vgl. im einzelnen die Zusammenstellung bei K. ELLIGER, BK XI/1, 75ff.

loo) Zu diesem Wechsel zwischen Hendiadyoin und Parallelismus in der ugar. und hebr. Literatur vgl. die Beispiele bei M. HELD, Notes, 37.

lol) Ob sich in dem den alten Versionen schon unklaren Text Jes 4o,19. 2o (vgl. K. ELLIGER, BK XI/1, 59-62) das Wortpaar oder auch beide Glieder getrennt befunden haben, wie es von einigen Auslegern rekonstruiert wird, läßt sich - K. ELLIGERs Zurückhaltung forderndem Rat folgend - nicht mehr entscheiden.

löst. Vergleichbar mit diesen Belegen aus Jes 3o,22; 42,17; Jer lo,14 = 51,17; Hab 2,18[lo2] ist das Nebeneinander von Wortpaar und Aufspaltung im Parallelismus bei der Bildbezeichnung עץ ואבן[lo3] oder auch die Aufspaltung von עגל מסכה in Ps lo6,19.

Ein besonders schönes Beispiel für die Auseinandersetzung mit den oben beschriebenen מסכה-Vorstellungen bietet der Parallelismus in Jes 3o,22a:

וטמאתם
את צפוי פסילי כספך
ואת אפדת מסכת זהבך

In diesem Parallelismus steht der Gedanke im Vordergrund, צפוי und אפוד des Kultbildes als kultisch unbrauchbar zu verwerfen (טמא), wobei die Frage offen bleibt, ob hier ein synonymer ("silberbeschlagene Kultbilder - goldüberzogenes Goldschmiedewerk") oder ein synthetischer ("der Überzug der silbernen Kultbilder - das Gewand des goldenen Überzugs") Parallelismus vorliegt. Im ersten Fall wäre das Wortpaar פסל ומסכה den obengenannten Beispielen vergleichbar aufgelöst, und auch die übrigen Glieder des Parallelismus entsprächen sich dann[lo4]; im anderen Fall müßte man an einen silbernen, mit Gold überzogenen Kern denken, der ein kostbares Gewand (אפוד) trägt[lo5]. Ungeachtet dieser Schwierigkeiten tritt die Absicht dieses Verses, der deutlich die mit

---

lo2) Im aktuellen Text Hab 2,18 ist der Parallelismus nicht deutlich; jedoch bietet das ומורה שקר in V.18aβ einige Schwierigkeiten, vgl. W. RUDOLPH, KAT XIII/3, 222.

lo3) Zum ersten vgl. Deut 4,28; 28,36.64; 29,16; Jes 37,19; Ez 2o,32; zum zweiten vgl. Jer 2,27; 3,9; Hab 2,19.

lo4) So faßt es in etwa H. WILDBERGER, BK X/3, z.St. auf.

lo5) Zum Wertverhältnis Gold-Silber im Alten Orient vgl. B. KEDAR-KOPFSTEIN, ThWAT II, 539f.; W.F. LEEMANS, RLA III, 512f. Zum vorgeschlagenen Verständnis vgl. auch Anm. 98.

den Edelmetallen verbundenen Vorstellungen kritisiert, indem er ihre Anhäufung in den Vordergrund stellt, klar hervor.

Die aufgewiesenen vielfältigen Belege des Hendiadyoin פסל ומסכה zeigen, daß dieser Verbindung in der Sprache des AT eine größere Bedeutung zukommt, als gemeinhin angenommen wird, so daß die Frage nach dem Verhältnis der Belege von selbständigem פסל und selbständigem מסכה zu diesem Hendiadyoin berechtigt ist.

2.2.3.2. *Das Verhältnis der Wortverbindungen zu den Belegen ihrer Bestandteile*

Außer in der Zusammenstellung als Hendiadyoin treten פסל und מסכה, wie oben unter 2.2.1. und 2.2.2. beschrieben, auch unabhängig voneinander auf; dabei finden sich beide Lexeme in anders gearteten Konstruktionen, was auf den Eigencharakter der beiden Lexeme hindeutet.

פסל tritt häufig im Stat. abs. alleine auf, oder es steht als Nomen regens in Cstr.-Verbindungen; in einer dem Wortpaar פסל ומסכה vergleichbaren Verbindung begegnet פסל jedoch mit einem anderen Wort nicht, abgesehen von den Stellen, die מסכה durch נסך ersetzen (s.o.2.2.2.4.). Ganz anders liegt der Befund bei מסכה. מסכה bildet zwar auch mit keinem anderen Nomen eine Verbindung, die dem Wortpaar פסל ומסכה entspricht[106], ist aber von einigen eigens zu erklärenden Ausnahmen (s.o.2.2.2.2.) abgesehen nicht als isolierter Einzelbegriff zu finden; statt dessen findet sich מסכה häufiger

106) Auf den besonderen Sinn von 1 Kön 14,9 wurde oben bereits hingewiesen.

als Nomen rectum in Cstr.-Verbindungen. Als Nomen regens zu מסכה begegnen עגל, אלהים und צלם. Dabei fällt auf, daß diese drei Begriffe an sich noch kein Götter- oder Kultbild bezeichnen, erst das Nomen rectum מסכה stellt diesen Bezug eindeutig her[1o7]. Damit wird das jeweilige Nomen regens aber nicht nur als "Gemachtes" klassifiziert, sondern vielmehr wird ihm durch das Nomen rectum מסכה die Qualität "wertvoll" zugesprochen. Wenn aber ein Götter- oder Kultbild eines seiner wesentlichen Charakteristika darin finden soll, daß es ein Produkt der Goldschmiedekunst ist, dann kann dabei sicher nicht die Herstellungstechnik im Vordergrund stehen, denn diesbezügliche Unterschiede werden durch den Begriff מסכה gerade nicht erfaßt, sondern es wird deutlich, daß mit diesem Begriff auf die mit den Edelmetallen im Alten Orient verbundenen mythischen und magischen Vorstellungen abgehoben wird.
Dieser Zusammenhang erklärt auch die wechselnden Konstruktionsmöglichkeiten von מסכה, denn mit Begriffen, die semantisch selbst nicht dem Bereich der Götterbildterminologie zuzuordnen sind, ist einzig die oben beschriebene Cstr.-Verbindung mit מסכה als Nomen rectum sinnvoll; mit einem Begriff wie פסל, der dem genannten Wortfeld schon zugehört, ist die Bildung eines Wortpaares als Hendiadyoin sinnvoll.

Von hierher läßt sich auch eine Erklärung für die unter 2.2.1.3. beschriebene Bedeutung der isolierten Einzelvorkommen von פסל finden. Es ist durchaus möglich, daß פסל als erstes Glied des Wortpaares פסל ומסכה die Bedeutung des Gesamtausdrucks aufgesogen hat[1o8] und somit - quasi ellip-

1o7) Vgl. hier und im folgenden die Parallelformulierungen mit זהב in Ex 2o,23; 32,31; 1 Kön 12,28; 2 Kön 1o,29; 2 Chr 13,8.

1o8) Einen Parallelbefund weist z.B. das Wortpaar תהו ובהו auf, da auch hier der erste Begriff - anders als der zweite - häufig alleine begegnet, wobei zu vermuten ist, daß er semantisch den Gesamtausdruck vertritt.

tisch - alleine in der Bedeutung (wertvolles) Kultbild fungieren kann. Für das hier dargelegte Verständnis spricht auch über die je eigene Konstruktion von פסל und מסכה hinaus die Tatsache, daß die den beiden Begriffen von ihrem Etymon her innewohnende Grundbedeutung (plastisch darstellen und schmieden), die sich, wie oben unter 2.2.1.1. und 2.2.2.1. gezeigt, in der konkret anzutreffenden Verwendung nicht mehr zeigt, ihren Sinn sehr wohl noch in dem Hendiadyoin פסל ומסכה hat. In diesem Hendiadyoin wird mit zwei die Produkte handwerklicher Tätigkeit beschreibenden Begriffen das Wesentliche des ganzen gemeinten Gegenstandes beschrieben. Dem auf diese Art und Weise durch das Hendiadyoin beschriebenen Kultbild wohnt natürlich noch keinerlei Wertung inne, was sich deutlich in der Geschichte von Michas Kultbild in Ri 17.18 zeigt. Über das Alter dieses Wortpaares oder über literarische Abhängigkeiten seiner Belege (Ri 17,18; Deut 27,15; Nah 1,14) ist damit noch kein Urteil gefällt.

Gegenüber den immer wiederkehrenden Versuchen, aufgrund von Begriffsgleichheit oder -ungleichheit zeitliche oder literarische Beziehungen vorschnell zu konstatieren[1o9], scheint es den gemachten Beobachtungen sachgerechter, an einen Sprachgebrauch für פסל ומסכה zu denken, der weit verbreitet und breit gestreut ist, und der die Phänomene des Wechsels von Wortpaar und isolierten Einzelbelegen, wie sie oben beschrieben wurden, abdeckt. Die Hypothese eines solchen weitläufigen Sprachgebrauchs, von dem im AT nur die Ausläufer zu fassen sind, läßt aber nicht nur die Belege in alten und

---

1o9) Vgl. z.B. J.C. KIM, Verhältnis, der aufgrund einer in פסל , פסיל , מסכה, עצבים u.a. streng getrennte Terminologie nicht nur fragliche zeitliche und sachliche Zuweisungen vornimmt (bes. 18-22.135-138), sondern auch aufgrund einer Unterscheidung in Holzbild und Schnitzbild einen Entwicklungsprozeß innerhalb der alttestamentlichen Prophetie zu rekonstruieren versucht (2off.).

jungen Texten des AT unproblematisch werden, sondern auch die beschriebenen Variationsmöglichkeiten in den Konstruktionen.

Die semantische Klärung der Terminologie auf synchroner Ebene bietet nun zwei Lösungsmöglichkeiten an: zum einen die ursprüngliche Unabhängigkeit der beiden isolierten Termini פסל und מסכה, diese sind dann erst nachträglich in einem Hendiadyoin zusammengestellt worden, zum anderen die Ursprünglichkeit des Hendiadyoins, das dann später auch aufgelöst wurde, so daß seine Bestandteile dann auch isoliert voneinander konstruiert werden konnten. Zwischen beiden Möglichkeiten läßt sich auf der synchronen sprachlichen Ebene keine Entscheidung treffen, und eine diachrone Betrachtung hilft bei der relativ geringen Zahl von Belegen auch nicht weiter. Trotzdem ist eine Entscheidung für die zweite Möglichkeit - Ursprünglichkeit des Hendiadyoins - zu treffen, da das sachliche Argument den Ausschlag zu geben vermag; denn die beiden Begriffen von ihrem Etymon her vorgegebene konkrete handwerkliche Grundbedeutung - plastisch darstellen und schmieden - hat, wie oben gezeigt, in der Zusammenstellung der beiden Termini als Hendiadyoin gerade einen sehr guten Sinn, was sich für die Verwendung der isolierten Begriffe nicht sagen läßt. Die alttestamentlichen Verwendungs- und Konstruktionsweisen (s.o.) stützen diese These ab.

2.3. Ergebnis

Die Untersuchung der beiden für die Bilderverbotstexte relevanten Lexeme פסל und מסכה sowie des daraus gebildeten Wortpaares פסל ומסכה hat neben Einzelergebnissen zu den beiden Lexemen ergeben, daß die Verwendung der Termini פסל und מסכה im Bereich der Bilderterminologie auf das Hendiadyoin פסל ומסכה zurückzuführen ist, so daß die Belege der getrennten Einzeltermini von diesem Hendiadyoin her zu verstehen sind. Die Rückführung gilt für den semantischen und syntaktischen, nicht aber für den literarischen Bereich[110]. Die den beiden Begriffen innewohnende Wurzelbedeutung, die auf handwerkliche Tätigkeit zurückgeht, trägt somit für das Verständnis der Stellen, an denen der eine oder andere Begriff vorkommt, nichts bei. Sie hat ihren Sinn nur in dem Hendiadyoin, das ein Kultbild durch seine beiden Merkmale, plastische Arbeit mit wertvoller Ausschmückung, beschreibt. Das erste Glied der Verbindung, פסל, hat dann die Gesamtbedeutung des Ausdrucks 'Kultbild', quasi pars-pro-toto an sich gezogen; das zweite Glied, מסכה, hingegen hat die mit der Ausschmückung verbundenen Vorstellungen auf neue Wortverbindungen, die auch Kult- oder Götterbilder bezeichnen, übertragen.

Auf dieser Grundlage eröffnen sich für die oben (2.1.) genannten Probleme neue Perspektiven. Die synchrone Untersuchung der Terminologie hat gezeigt, daß sich die abweichenden Formulierungen der Bilderverbotstexte nicht nach Herstellungs- oder Materialarten scheiden und gegeneinander stellen lassen[111], so daß es nötig ist, die Besonderheiten einzelner Formulierungen von den vorhandenen kontextuellen Bezügen und dem Verhältnis zum gesamtsprachlichen Befund her, wie ihn die obige Untersuchung beschrieben hat, zu bestimmen.

---

110) Es ist folglich daraus keine Abhängigkeit oder Vor-, resp. Nachordnung alttestamentlicher Belegstellen abzuleiten. Die konkreten Realisationsmöglichkeiten dieses sprachlichen Befundes sind nicht zeitgebunden, so daß Stellenzuweisungen auf der Basis dieses terminologischen Rasters nicht möglich sind.

111) Vgl. z.B. A. CHOLEWINSKI, Heiligkeitsgesetz, 264ff.; W. ZIMMERLI, Gebot, 243f.; K.-H. BERNHARDT, Gott, 100f.

3. KAPITEL

Analysen der relevanten Texte zum Bilderverbot

Vorbemerkung

In Aufnahme der Konsequenzen, die im 1. Kapitel aus der Problemlage des Bilderverbots gezogen wurden, sollen im folgenden isolierte Einzelanalysen zu den verschiedenen Bilderverbotstexten durchgeführt werden. Zu den eigentlichen Verbotstexten in Prohibitivform ist noch die Paränese von Deut 4 hinzugezogen worden, da dieser Text "ein theologisches Exposê über diesen Gegenstand" (G.v.Rad, Theologie I, 229) bietet und von daher in der Frage nach Sinn und Bedeutung des Bilderverbotes immer eine zentrale Stelle eingenommen hat.
Die Reihenfolge der behandelten Texte ist durch die Abfolge der Texte im AT gegeben; abgesehen von Ex 32 (s.u.) weicht nur die Einordnung der beiden *Dekalogfassungen unter Deut 5 hiervon ab, was aus der Vorgabe anderer Untersuchungen zum Verhältnis beider Fassungen (s.u.3.7.) resultiert.*
Allen behandelten Texten vorangestellt ist eine ausführliche Analyse von Ex 32. Dies hat zwei Gründe: zum einen stellt der Text eine "Beispielerzählung für die Übertretung des zweiten Gebotes" (W.H.Schmidt, Ausprägungen, 25) dar, so daß seine Einbeziehung in eine Untersuchung der Verbotstexte gerechtfertigt ist; zum anderen bietet die Analyse von Einzelversen im Pentateuch, wie sie die Thematik vorgibt, große Schwierigkeiten, so daß die mit größerer Sicherheit durch-

zuführende Analyse eines Gesamttextes ein mögliches Raster liefern kann für sachliche Parallelbeobachtungen in anderen Texten.
Mit der letztgenannten Schwierigkeit eng verbunden ist die notwendige Angabe einer Pentateuchhypothese. Ohne diese ist eine Analyse von Texten aus Zentralbereichen des Pentateuchs (Gesetzeskorpora, Sinai-, Horebtheophanie) gar nicht möglich. Ihr Fehlen führt dazu, daß die Eigentümlichkeiten der Texte gar nicht wahrgenommen resp. nicht ernst genommen werden und so eine Interpretation der Endgestalt der Texte vorgelegt wird (so vor allem bei R.W.L.Moberly, At the Mountain of God). Den vorliegenden Untersuchungen liegt das klassische Modell der "Neueren Urkundenhypothese" (J/ E/JE - Dt/DtrGw.- P/R^{P}) zugrunde. Es ist dabei öfters bewußt im großen Rahmen dieser "Quellen" bei der Zuweisung von Texten verblieben worden, um die literarhistorische Wahrscheinlichkeit für Entstehung oder Redaktion der Texte aufzeigen zu können; die Notwendigkeit weiterer exakter literarischer Differenzierung besonders für den Spätbereich alttestamentlicher Literatur (z.B. im dtr. Bereich sowie in der Verhältnisbestimmung von Dtr. und P) wird dabei als Aufgabe weiterer Arbeit erkannt.
Es obliegt weiteren Forschungen, die hier auf dieser Basis gewonnenen Ergebnisse in einer Situation, die gekennzeichnet zu sein scheint von einem "Umbruch in der Pentateuchkritik" (E.Otto, VuF 22, 1977), im Widerstreit der Modelle auf ihren Ertrag für unser Bild vom AT zu prüfen.

3.1. Ex 32

Eine immens bedeutsame Rolle spielt die Erzählung Ex 32 im Gesamtaufriß des Exodusberichtes. Die Darstellung der Sünde resp. des Bundesbruchs Israels hat nicht erst das Interesse der Exegeten durch Jahrhunderte auf sich gezogen; es scheint, daß bereits in allen Phasen der Entstehung des Pentateuchs die biblischen Verfasser sich diesem Erzählstück besonders gewidmet haben. Die folgenden Analysen zu Ex 32 verzichten auf ein Referat der bisherigen Forschung und auf einzelne Beschreibungen und Nachweise vorgetragener Deutungen, da diese jetzt in der materialreichen Arbeit zur Forschungs- und Auslegungsgeschichte zum "Goldenen Kalb" von Hahn[1] gut zugänglich vorliegen.

In einem ersten Durchgang sollen die zahlreichen text- und literarkritischen Beobachtungen erst einmal aufgelistet werden, um sie dann in einem zweiten Durchgang für die Rekonstruktion der Textgenese von Ex 32 im einzelnen auswerten zu können.

---

1) J. HAHN, Kalb, passim. Das Fehlen konsequenter Textanalysen führt bei der Fülle der herangezogenen Sekundärliteratur zu dem literaturgeschichtlich für einen exponierten Text der Sinaitheophanie höchst fragwürdigen Ergebnis, daß keine der von ihm in Ex 32 angenommenen Schichten einer der alten Pentateuchquellen zuzuordnen sei.
Die bisher unveröffentlichte Arbeit von CH. LAMBERT, Le veau d'or. Etude critique et historique du chap. 32 du Livre de l'Exode, Paris III, 1982, war mir nicht zugänglich.

3.1.1. Literarkritische und textkritische Beobachtungen

V.1: Die redundante Nennung des Subj. העם in V.1bα fällt auf. Die literarkritische Relevanz der Beobachtung hängt aber vom Verständnis der Wendung ויקהל העם על אהרן und ihrer inhaltlichen Zuweisung zum Kontext der Erzählung ab[2]. קהל על wird im AT immer in adversativem Sinn "gegen jmd."[3] im Gegensatz zu קהל אל "um/zu jmd." gebraucht. Valentin, der davon ausgeht, daß die zu beobachtende Abschwächung von Aarons aktiver Beteiligung eine aaronidische Priesterschaft voraussetzt, die bestrebt war, ihren Ahnherrn zu entlasten, wertet den genannten Befund dementsprechend als späte proaaronidische Interpolation[4].

Der Numeruswechsel beim folgenden Verb (ויאמרו) ist oft, besonders mit Blick auf dieselbe Form in VV.4b.8b einer Bearbeitung zugeschrieben worden[5], jedoch ist vorab zwischen V.1b und V.4b und auch V.8b zu trennen, denn in V.1 steht ויאמרו in einer Folge von Verben, in der der Numeruswechsel bei einem Kollektivum wie עם keine Schwierigkeiten bietet[6]; anders in V.4b, denn dort ändert sich durch den Numeruswechsel das Subj., ohne er-

2) Vgl. z.B. die Zurückhaltung E. ZENGERs, Sinaitheophanie, 79f., der sie "ohne weiteres" nicht literarkritisch auswerten will.

3) Ex 32,1; Num 16,3; 17,7; 2o,2 (קהל ni.); Num 16,19 (קהל hi.); in Ez 38,7 steht אל in der Bedeutung von על ; zum Problem אל/על bei Ez vgl. W. ZIMMERLI, BK XIII/1,6 und in Jer 26,9 ist der Variante על gegenüber אל der Vorzug zu geben, vgl. G. WANKE, Untersuchungen, 88.

4) H. VALENTIN, Aaron, 217 Anm. 1 und 219, zu seiner Rekonstruktion des Textes s.u.

5) Vgl. u.a. W. RUDOLPH, Elohist, 49.

6) Vgl. GesK, § 145g; so auch E. ZENGER, Sinaitheophanie, 8of. mit Hinweis auf Ex 24,3.

neut genannt zu werden; wieder anders liegt der Fall in V.8b, wo nur Pl. möglich ist, da der ganze V.8 pluralisch formuliert ist ohne Aaron überhaupt zu erwähnen.

Die Formulierung אלהים אשר ילכו in der Forderung des Volkes bietet grammatisch die Möglichkeit pluralischer wie singularischer Übersetzung[7]. Problematisch wird dies erst im Hinblick auf die Akklamation des Volkes in V.4b, da der hier durch das Demonstrativum אלה angezeigte Pl. nicht mehr zu dem hergestellten Objekt von V.4a paßt[8], so daß einige Gelehrte für diese Formulierung (VV.4.8.23) einen ursprünglichen Sg. ansetzen.

V.2-3: Der Wechsel von פרק *pi.* in V.2 zu *hitp.* in V.3 stellt keinen Bruch dar, sondern ist sachlich bedingt, da V.3 mit *hitp.* situationsgerecht reflexiv[9] formuliert ist (nehmt ab - sie nahmen sich ab).
Das Nebeneinander von נשיכם בניכם ובנתיכם (V.2) und כל העם (V.3) ist literarkritisch irrelevant[lo].

V.4: Der erste Halbvers enthält eine Reihe von klassischen Schwierigkeiten der Auslegung von Ex 32. Es tauchen Fragen nach

7) Vgl. GesK, § 145i.

8) S.u. zu V.4.

9) Vgl. GesK, § 54; HAL, 916a.

lo) Vgl. E. ZENGER, Sinaitheophanie, 8o. Die Reihe der in der Erzählung vom Ausleihen des Schmucks der Ägypter in Ex 3,22 erwähnten Frauen, Söhne und Töchter ist vielleicht von Ex 32,2 her übernommen worden; zur Einordnung (R^P) und Verknüpfungstechnik von Ex 3,21f. vgl. P. WEIMAR, Berufung, 347ff.
Zum Abnehmen des Schmucks vgl. W. ZIMMERLI, Spendung, 518-522, sowie zur erneuten Aufforderung vom Ablegen des Schmucks in Ex 33,5f. vgl. ebd.; L. PERLITT, Sinai, 3o9.

- dem Akk.-Obj. zu ויקח
- der Bedeutung von צרר/צור
- dem Bezugswort zum Suffix der 3.Sg.m. bei את
- der Bedeutung des (ב)חרט
- dem Bezugswort des Suffixes der 3.Sg.m. am Verb עשה

auf. Die erstgenannten Schwierigkeiten erscheinen in einem anderen Licht, wenn man die Struktur der Erzählung zwischen den beiden Reden V.2 und V.4b genau betrachtet. Fünf Verben *(wajjiqtol)* beschreiben knapp den Fortgang der Handlung.

ויתפרקו כל העם	V.3a
ויביאו אל אהרן	V.3b
ויקח מידם	V.4aα'
ויצר אתו בחרט	V.4aα"
ויעשהו עגל מסכה	V.4aβ

Der Subjektwechsel zwischen V.3 und V.4 ist problemlos, da das neue Subj. (Aaron) am Ende von V.3 erwähnt wird; durch das Suffix des 3.Pl.m. in V.4aα' sind beide Verse darüber hinaus eng verknüpft.
An der Sache vorbei geht es, wenn häufig das Fehlen des Obj. in V.4aα' moniert wird, da bei dieser Beurteilung übersehen wird, daß das Obj. bereits in V.3b fehlt. Daß das Obj. in V.3b vom Zusammenhang her klar ist, spricht nicht für eine Trennung zwischen V.3b und V.4aα', sondern im Gegenteil für die notwendige Zusammenschau der Satzreihe. Die Auslassung des pronominalen Obj. besonders nach בוא *hi.* und לקח ist im Hebr. keine Besonderheit[11], so daß in den beiden Versteilen

11) Vgl. GesK, § 117f.

(VV.3b.4aα') das gleiche, vorher genannte Obj., nämlich נזמי הזהב zu ergänzen ist. Der Folgesatz führt nun durch das Suffix bei את ein neues Objekt ein, ohne daß auf den ersten Blick klar wird, welches gemeint ist. Die gesonderte Einführung des Obj. macht deutlich, daß es nicht mit dem bisherigen (V.3a genannten, VV.3b.4aα' vorausgesetzten) Obj. identisch ist, was die Numerusdifferenz (Pl. in V.3a - Sg.-Suffix in V.4aα") unterstreicht; da es aber nicht explizit genannt, sondern nur durch suffigalen Rückbezug aufgegriffen wird, kann es von dem bisherigen Obj. nicht völlig verschieden sein, nimmt man keinen Ausfall von Worten an, wofür die narrative Struktur des Textes keinen Anhaltspunkt liefert. Somit bleibt als einzige grammatische und sachliche Lösung des Problems übrig, זהב als Obj. von V.4aα" anzunehmen[12]. Dies hatten zwar bisher auch schon die meisten Exegeten angenommen, für die weitere Analyse gilt jedoch festzuhalten, daß es bis V.4aα' um die Ohrringe, ab V.4aα" aber ganz anders nur noch um das Material (Gold) geht.
Von hierher gilt es, die bisherigen Deutungsvorschläge der Phrase ויצר אתו בחרט erneut einer kritischen Prüfung zu unterziehen. Mit Hahn[13] lassen sich die Vorschläge, ausgehend von der Deutung des Nomens חרט, in drei Gruppen zusammenstellen: 1. die "Werkzeug"-Interpretation ("er bildete/formte es mit einem Griffel/Meißel"), 2. die "Gußform"-Interpretation ("er goß/schmolz es (sie) in eine(r) Form"), 3. die "Beutel"-Inter-

12) Vgl. auch die von E. ZENGER, Sinaitheophanie, 247 Anm. 89 genannte Parallele in Ri 8,26f. mit der gleichen Numerusdifferenz.

13) F. HAHN, Kalb, 148-155, dort sind die einzelnen Interpretationen auch im einzelnen referiert und diskutiert.

pretation ("er sammelte sie in einem Beutel").
Die einzelnen Deutungen müssen sich aber an zwei Fakten des Textes messen lassen. Zum einen hat der Versteil - wie oben gezeigt - deutlich das Gold an sich im Auge, so daß ein Arbeitsgang, das Einschmelzen des Schmucks, bereits als geschehen vorausgesetzt wird[14]; zum anderen ist die Frage nach der Funktion von *wajjiqtol*[15] in V.4aβ zu beantworten. Hier gilt zu klären, ob *wajjiqtol* in V.4aβ wie üblich Progreß anzeigt; dann liegen in VV.4aα".4aβ zwei Arbeitsgänge vor, von denen V.4aβ dann die eigentliche Herstellung des Gegenstandes beschreibt, oder ob *wajjiqtol* hier ohne Progreß[16] zur vorherigen Aussage von V.4aα" zu konstatieren ist, weil *(w=)x-qatal* nicht möglich war.
Aus diesen beiden Punkten, die bisher kaum Beachtung fanden, da die Lösung des Problems häufig *allein* auf der Wortebene durch lexikalische Bemühungen gesucht wurde, ergibt sich, daß all jene Interpretationen, die in V.4aα" die Ohrringe vom Sinn ergänzen müssen, fehlgehen; dies gilt besonders für die "Beutel"-Interpretation (er sammelte sie in einem Beutel) und teilweise auch für die "Gußform"-Interpretation (er schmolz sie in einer Form ein). Bei der "Werkzeug"-Interpretation sind entweder zwei aufeinanderfolgende

---

14) So auch in der bereits genannten Parallele Ri 8,26f.

15) Vgl. W. GROß, Otto Rössler, bes. 62-65; H. SCHWEITZER, Grammatik, 252-254 beschreibt zwar sehr exakt die "Verbfunktionen" in den VV. 1-3, für sein Urteil bezüglich der VV.5-6 ("Prinzipiell neue Probleme bieten die folgenden Verse nicht." 254) gibt es hingegen keine Anhaltspunkte im Text.

16) Vgl. W. GROß, Verbform, bes. 163f.

Handlungen anzunehmen (Progreß durch *wajjiqtol* in V.4aβ), oder V.4aβ ist als appositionelle Näherbestimmung von V.4aα" aufzufassen. Gegen die erste Möglichkeit sprechen gewichtige stilistische Gründe. Zum einen wäre die Aufteilung des Herstellungsberichtes auf zwei Sätze in dem vorliegenden knappen Erzählgerüst störend[17], zum anderen wäre die erste Handlung mit einem sehr speziellen Verb (צור), die zweite mit einem "Allerweltswort" (עשה) ausgedrückt. Dieses Problem haben viele Exegeten zu beseitigen versucht, indem sie עשה in ihren Übersetzungen unbegründet mit passenden spezielleren Vokabeln wie "gießen u.ä." wiedergegeben haben. Gegen die zweite Möglichkeit, V.4aβ hebt (ohne Progreß bei *wajjiqtol*) das Fertigungsprodukt eigens hervor, spricht, daß gerade in diesem Fall - Objektbetonung - *x-qatal* möglich und viel sinnvoller und besser gewesen wäre. Eine Lösung des Problems läßt sich nach all dem nur finden, wenn man die syntaktische Parallelität von V.4aβ zu V.4aα" (Verb mit zwei Obj.[18]) ernst nimmt und von daher V.4aβ als Dublette erklärt, zumal V.4aβ anders betrachtet auch ohne V.4aα" den Anschluß an V.4aα' bilden und die Handlung zu Ende bringen könnte. Die Allgemeinheit seiner Formulierung spricht aber gegen seine Ursprünglichkeit gegenüber V.4aα". Somit ist der Abschluß der Handlung in V.4aα" zu suchen. Unter dieser Bedingung wird die Erklärung des seltenen und sehr speziellen Vokabulars (צור

---

17) Vgl. schon A. DILLMANN, KeH, 336; B.S. CHILDS, Exodus, 556.

18) Daß das 1. Obj. in V.4aβ als Objektsuffix am Verbum erscheint und nicht mit Akk.-Partikel את wie in V.4aα", hängt wohl damit zusammen, daß das 2. Obj. in diesem Versteil zwei Worte umfaßt und die Parallelität von V.4aα" und V.4aβ bis in den Satzumfang (3 Worte) hinein gewahrt werden sollte.

und חרט) der Phrase auch etwas einfacher. Wenn auch die Bedeutung des Verbums צור[19] nicht ganz klar ist, so zeigt seine Verwendung im AT doch deutlich, daß es im Kontext von Metallbearbeitung vorkommt[2o]. Für das Nomen חרט läßt sich zurückgreifen auf die in mehreren semitischen Sprachen belegte Basis חרט[21], die in Zusammenhang mit Metall wohl das Ziselieren meint, so daß im vorliegenden Fall einfach an eine Edelmetallarbeit zu denken ist, wie parallel hierzu ein Derivat von חרט in einer pun. Inschrift von Donner-Röllig auch in dieser Richtung als "Skulptur oder Edelmetallarbeit"[22] gedeutet wird. Der zur Diskussion stehende Satz hat nun folgenden Sinn: dann arbeitete/schmiedete er es (das Gold) aus als[23] Ziseliertes (Skulptur/plastisches Gebilde). Rückschließend wird nun auch der durch אתו in V.4aα" angezeigte Objektwechsel von Ohrringen zu Gold verständlich. Der sekundäre Zusatz V.4aβ hebt demgegenüber in seiner Parallele auf das Produkt, das goldene Kalb, ab: er machte es zum edelmetallenen Kalb[24].

---

19) Im atl. Hebr. begegnen mehrere homonyme Wurzeln צור resp. צרר. Die zur Diskussion stehende Basis wird in HAL, 952b und GesB, 679a unter צור III geführt.

2o) Vgl. 1 Kön 7,15; 2 Kön 12,11; dazu paßt auch die Rekapitulation der Handlung in V.24 s.u.

21) Vgl. HAL, 338b-339a.

22) KAI II,99 zu Nr. 8o,2.

23) *bet*-essentiae vgl. GesK, § 119i; parallel hierzu ist die Konstruktion von "עשה ב Gen 1,26 zu sehen, vgl. W. GROß, Gottebenbildlichkeit, 252f.

24) Vgl. zur Konstruktion Ex 3o,25: ועשית אתו שמן משחת קדש - Mache es zum ... vgl. GesK, § 117ii.

In der zweiten Vershälfte stört gleich zu Beginn der Numeruswechsel beim Verb ohne ausdrückliche Nennung eines neuen Subj., zumal der folgende Ausruf besser in den Mund Aarons passen würde. Der Blick auf den Pl. von V.1b oder V.8b hilft hier auch nicht weiter (s.o.), zumal dieser Halbvers insgesamt die thematische logische Kohärenz stört. Der pluralische Ausruf (אלה!) paßt ganz und gar nicht an dieser Stelle zu dem einen hergestellten Gegenstand. Aber auch unter inhaltlich-logischem Gesichtspunkt sperrt sich die Akklamation gegen den Kontext, da die Forderung des Volkes nach einem Führergott für den weiteren Weg (הלך PK! V.1b) logisch zu der Begründung, das Ausbleiben des bisherigen Führers (עלה SK! V.1b) Mose, paßt, nicht aber zu der Akklamation (V.4b), die quasi den neu hergestellten Gott rückwirkend (עלה SK! V.4b) einsetzt. Der Hinweis, daß von Anfang an auf die Formel von dem Gott des Exodus angezielt sei[25], hat keinen Rückhalt im Text, da V.1 unabhängig vom Exodusthema einen in sich logischen Begründungszusammenhang mit הלך PK und עלה SK aufbaut. Des weiteren ist der Akklamationsruf an dieser Stelle, vor dem Bau des Altares und dem eigentlichen Kultakt, wenig sinnvoll[26], und die Selbstanrede Israels verwundert[27].

25) So versucht H. VALENTIN, Aaron, 225 die Schwierigkeit zu beseitigen.

26) Darauf hat bes. E. ZENGER, Sinaitheophanie, 80f. hingewiesen, der Einwand H. VALENTINs, Aaron, 225 dagegen überzeugt nicht, da in seinem Vergleichstext 1 Kön 12,28ff. auf den Präsentationsruf Jerobeams kein Kultakt folgt, sondern die eigentliche Aufstellung der Kälber; das Opfer vor dem Kalb folgt dort erst später und wird im Zusammenhang anderer Kultfrevel berichtet.

27) Die gleiche Anrede in V.8b hilft auch nicht weiter, es scheint vielmehr formelhafter Gebrauch vorzuliegen, der sich in V.8, da dort summarisch nur vom Volk gesprochen wird, zwar besser einpaßt, da hier - anders als in V.4b - die Selbstanrede das einzige Problem ist.

V.5: Der Vers bietet einige stilistische und syntaktische Schwierigkeiten. Die erneute Nennung Aarons nach dem Ausruf des Volkes ist zwar verständlich, das objektlose Verb (וירא) am Anfang fällt aber auf, wenn es grammatikalisch auch keine Schwierigkeiten bietet[28]. Die häufig vorgetragenen, weitausholenden Vorschläge zur sinngemäßen Ergänzung des Obj. (er sah es mit Lust/er sah die freudige Zustimmung des Volkes etc.) greifen aber alle zu weit über den Text hinaus; demgegenüber ist es ratsam, beim normalen Gebrauch dieser Konstruktion im Hebr. zu bleiben[29], d.h. es ist ein deutsches "es" im Sinne von: er sah das zuvor Berichtete, zu ergänzen, so daß nun recht deutlich zwischen dem Volk und seinem Tun und Aaron und dessen (folgendem) Tun differenziert werden soll.

Das folgende Satzstück schließt sich thematisch sinnvoll an den Abschluß der Handlung von V.4a, die Herstellung des geforderten Führungsgottes, an, zumal das Suffix von לפניו dann auch ein passendes Bezugswort hat, was durch den pluralisch formulierten Akklamationsruf (V.4b) zumindest problematischer ist.

Der folgende V.5b fällt durch seine erneute Nennung des Handlungssubj., Aaron, auf. Die Nennung zum Anlaß zu nehmen, in V.5aα das Subj. von אהרן in העם und davon abhängig in V.4b von Pl. in Sg. zu ändern, wie es Valentin vorschlägt[3o], ist eine

28) Vgl. GesK, §117f.

29) Auslassung des Obj. da, "wo es aus dem Zusammenhang der Rede leicht ergänzt werden kann", GesK, § 117f.

3o) H. VALENTIN, Aaron, 228f.

Konstruktion, die nur neue Probleme schafft (s. o.), sich in die Gesamtgenese des Textes nur mit weiteren Konstruktionen einpaßt[31] und darüber hinaus methodisch fragwürdig ist[32].

V.6: Ohne Nennung eines neuen Subj. beginnt V.6 im Pl. Es will jedoch beachtet sein, daß hier nicht wie in den vorhergehenden Versen das Volk Subj. der pluralischen Verbform ist, sondern daß durch die Zeitangabe ממחרת erzählerisch ein neuer Anfang gesetzt wird, so daß nun alle bisher genannten Personen, also Aaron und das Volk, zusammen gemeint sind[33].

Des weiteren fällt die im AT sonst nicht mehr vorkommende Verbindung von נגש *hi.*[34] mit שלמים auf, die für das Verständnis von שלמים interessant ist[35].

Die zweite Vershälfte wechselt wieder in den Sg. mit neuem Subj. (העם), führt dann aber in V.6bβ wieder pluralisch weiter[36], so daß in V.6 deutlich unterschieden wird zwischen der Handlung des Volkes samt Aaron (V.6a) und der Handlung des

---

31) H. VALENTIN, Aaron, 267ff.

32) H. VALENTIN wendet häufiger die gängigen literarkritischen Kriterien zur Feststellung von Brüchen im Text an; methodisch fragwürdig ist dann aber, so Erkanntes bei der Rekonstruktion des Textes zu tilgen oder zu ändern, da diese "Methode" jeglicher theoretischer Grundlage zur Textgenese und -tradition entbehrt.

33) Der Sg. bei den ersten vier Verben in V.6 in der LXX erweist sich demgegenüber als Vereinfachung, da sie Aaron, den Priester, als Handlungssubj. voraussetzt, damit zwar den syntaktischen Anschluß an das Vorherige glättet, dabei aber den (zeitlich gegebenen) Neuansatz übergeht.

34) נגש hi. "opfern" steht ansonsten absolut oder mit Nennung der Opfermaterie: Lev 2,8; 8,14; Ri 6,19; Am 5,25; Mal 1,7f.11; 2,12; 3,3.

35) S.u. zu Anm. 1o4.

36) Zur Konstruktion vgl. GesK, § 145g.

Volkes allein (V.6b). Der Inhalt dieser Handlung des Volkes ist häufig diskutiert worden, da das verwendete Verbum צחק im AT nicht sehr häufig vorkommt. Der Kontext bietet keinen Anhaltspunkt dafür, die Bedeutung von צחק hier soweit vom sonstigen Sprachgebrauch[37] zu entfernen, daß man an Ausschweifung oder Orgien denken müßte; vielmehr ist gerade im Hinblick auf die מחלת von V.19a ein einfaches "scherzen, belustigen" anzusetzen, das die nach dem Kultakt beginnenden[38] Festfreuden beschreibt.

VV.7-14: Mit V.7 wechselt abrupt die Szene, es beginnt eine Unterredung JHWHs mit Mose, die bis V.14 reicht. Der Szenenwechsel, wechselnder Sprachgebrauch, Rückverweise, Konkurrenz zum Fortgang der Erzählung und Funktion des Dialogs (vorausgehende Deutung) lassen den Abschnitt (VV.7-14) als spätere Erweiterung erkennen. Den eigenständigen Charakter des Abschnitts zeigt auch schon die Parascheneinteilung des MT - Petucha zwischen VV.6-7 und VV.14-15 - an[39].

Innerhalb des Abschnitts fällt besonders V.9 auf, da in der JHWH-Rede eine erneute Redeeinleitung (V.9a) steht und V.loa mit ועתה wiederum einen Neuansatz in der Rede darstellt. Der in der LXX fehlende Vers begegnet aber in dieser Form in der Parallelerzählung Deut 9f. in 9,13; hier in Deut

---

37) Vgl. HAL, 955b.

38) Vgl. J.M. SASSON, Worship, passim; zu קום als "eine Art Hilfsverbum" das den Beginn einer neuen Handlung anzeigt, vgl. S. AMSLER, THAT II, 638.

39) Zu Alter und Funktion der Parascheneinteilung vgl. J.M. OESCH, Petucha, passim.

9f. paßt sich die Szene (Ex 32,7-14) auch in die Erzählstruktur ein[4o].

V.15: Gleich zu Beginn von V.15 fällt die Kombination zweier aufeinanderfolgender Verben (פנה + ירד)[41] auf, wobei das ויפן inhaltlich gut an die eingeschobene Szene (VV.7-14) zur Überleitung anschließt.

Im übrigen Vers wechseln die Tafelbezeichnungen לחת העדת (V.15aβ) und לחת כתבים (V.15b), zudem ist stilistisch in V.15b (ebenso in V.16) eine Inklusion zu beachten[42].

V.16: Nach der schon relativ langen Beschreibung der Tafeln in V.15aβ.b folgt in V.16 eine weitausholende Fortführung der Tafelbeschreibung, die in dem bisher beobachteten knappen narrativen Stil befremdlich wirkt (s. auch zu V.15).

VV.17-18: Die beiden Verse stellen ein in sich geschlossenes Stück dar. Die thematisch-logische und stilistische Kohärenz mit dem vorausgehenden und nachfolgenden Text wird durch sie jedoch erheblich gestört. Zuerst fällt die poetische Form von V.18 auf (s.u.3.1.2.), dann taucht in V.17 der bisher (und auch im Folgenden) nicht erwähnte Josua auf, und schließlich nimmt dieses Stück V.19 vorweg,

4o) Zu Einzelheiten von VV.7-14 s.u. 3.1.3.

41) Diese Konstruktion, פנה + 2. Verb, begegnet: Ex 1o,6; 32,15; Num 14,25; 21,33; Deut 1,7.24; 2.1.8; 3,1; 9,15: 1o,5; Jos 22,4; Ri 18,21.26; 2o,45.47; 1 Kön 1o,13; 2 Kön 5,12; im einzelnen s.u. Anm. 11o.

42) Vgl. F.-L. HOSSFELD, Dekalog, 146 Anm. 523.

da dieser Vers Mose erst beim Herankommen an das Lager erkennen läßt, was sich ereignet hat. Valentins Vorschlag[43], Josua durch einen anonymen Diener zu ersetzen, ist wenig überzeugend und hilft auch nicht weiter, da die singularische Fortführung in V.19 dagegen spricht, und seine zusätzliche Erläuterung[44], daß durch die VV.17-18 die Spannung gesteigert werde, vermag die textimmanenten Schwierigkeiten nicht zu beseitigen, da sie nur auf die inhaltliche Funktion des Textstücks abhebt.

V.19: Der vorliegenden Satzreihe der Form *wa=j^{e}hi* + Konjunktion + Verb / *wajjiqtol* + Obj. (= 1. syndetischer Nachsatz) *wajjiqtol* + Obj. (= 2. syndetischer Nachsatz) fehlt jegliches explizite Subj. Läßt man die VV.17-18 einmal außer Betracht (s.o.), dann findet sich erst wieder in V.15aα das nötige explizite Subj. Mose, so daß dieser Versteil sich als abhängiger Subjektsatz der vorliegenden Satzreihe erweist[45]. Der Anschluß des zweiteiligen Obj. in V.19aβ ist schwerfällig, da der erste Teil (עגל) mit Artikel (= Rückbezug) und Akkusativpartikel את, der zweite Teil (מחלת) undeterminiert nur mit der Kopula *waw* angeschlossen ist. Die Sperrigkeit des Ausdrucks ist auch schon von Syr. und LXX bemerkt und durch entsprechende Ergänzungen beim zweiten Glied geglättet worden.

---

43) H. VALENTIN, Aaron, 238.

44) Ebd.

45) Zu diesen Konstruktionen mit *wa = j^{e}hi* vgl. G. VANONI, Fügung, 79f.

Das masoretische Qere (מידו) in V.19bα stellt vielleicht eine Änderung der allgemein gehaltenen Wendung ("aus der Hand werfen") aufgrund der Vorstellung von zwei Tafeln, wobei sich jede in einer Hand befinden soll, dar (vgl. V.15aβ; s.u. Anm. 219).
Die einfache Tafelbeziehung durch determiniertes הלחת (vgl. VV.15-16) verlangt nach einem entsprechenden Rückbezug[46].

V.2o: Unvermittelt setzt V.2o nach der expliziten Ortsangabe תחת ההר[47] am Ende des vorausgehenden Verses, die sich wohl auf einen Standort noch außerhalb des Lagers bezieht, einen neuen, im Lager liegenden Standort des Mose voraus. Neben der nur in V.2obβ in dieser Erzählung begegnenden Bezeichnung בני ישראל (auch kommt ישראל alleine im vorliegenden Text nur zweimal in dem Akklamationsruf [VV.4.8.] vor) fällt besonders die explizite Nennung des Handlungssubj. - durch den Relativsatz אשר עשו - auf. Zu beachten ist dabei ferner, daß hier in V.2o, wie auch in V.8, das Volk, abweichend von V.4, wo es Aaron ist, Subj. des Tuns ist.

V.22: Schwierigkeiten bietet nur der כי-Satz V.22bβ. Der kurze Satz unterbricht mit seiner besonderen Betonung des Subj. (העם) durch das Pronomen (הוא) den direkten Anschluß des Volkszitats (V.23) an die Nennung des Volks (V.22bα), da er in seiner

46) Vgl. F.-L. HOSSFELD, Dekalog, 146 Anm. 522.

47) Die gleiche Angabe findet sich noch in 24,4; demgegenüber haben Sam, Syr und Targ hier die gleiche Angabe wie in 19,17; zur Bedeutung s.u. Exkurs 1.

pointierten Form ("daß im Bösen *es* ist") der folgenden Rede deutend im Sinne einer vorausgehenden Schuldzuweisung an das Volk vorgreift[48]. Diese Schwierigkeiten hat die LXX bereits durch ihr τὸ ὅρμημα τοῦ λαοῦ τούτου zu beseitigen versucht.

Des weiteren ist das ברע vielumstritten, und oftmals wurde es im Anschluß an die Lesart des Sam. in פרע (vgl. V.25) geändert. Demgegenüber gilt aber festzuhalten, daß eine entsprechende Form bereits in V.17 (ברעה)[49] vorliegt. Eine Lösung läßt sich somit wohl erst auf der Ebene der Redaktionskritik in der Zusammenschau von V.22bβ mit VV.17.25 finden.

V.23: Die kleinen Abweichungen im Zitat gegenüber V.1b - ל statt אל und ohne קום[5o] - sind wohl stilistisch bedingt (s. V.24).

V.24: Der Vers rekapituliert das Geschehen der VV.2-4. Probleme wirft dabei nur die zweite Vershälfte auf. Es stört die Nahdeixis הזה nach der Zerstörung des Kalbes in V.2o, man würde vielmehr die Ferndeixis ההוא erwarten, oder aber man muß das הזה als despektierliche Charakterisierung verstehen, mit der Aaron sich von ihm distanzieren will[51].

---

48) Vgl. die gleiche Satzstruktur in V.25aβ.

49) Mit Qere ist hier wohl ברעו zu lesen, s.u. zu V.25.

5o) Daß die Hervorhebung des Imp. durch das "Hilfsverbum" (vgl. S. AMSLER, THAT II, 638) קום in der Rekapitulation entfällt, ist verständlich.

51) So H. VALENTIN, Aaron, 246.

Die letztgenannte Möglichkeit greift aber schon in die schwierige inhaltliche Frage nach dem Gesamtverständnis von V.24b. Die bisherigen Deutungen gehen alle davon aus, daß der Sinn des Satzes sei: das Kalb entstand mehr oder minder von selbst. Sodann wenden sie sich ausschließlich der Person des Aaron zu[52] und fragen, ob es sich um Naivität, Lüge oder Charakterschwäche u.ä. handelt. Bei genauerer Untersuchung stellt man aber fest, daß im ganzen AT die Wendung שלך באש nicht mehr vorkommt. Semantisch paßt sich die Wendung auch nur schwer in den Kontext ein, da man nach den sonst im AT begegnenden Vorstellungen, wie sie beispielsweise Wendungen wie נתן באש oder שלח באש anzeigen, bei שלך באש wohl auch eher an Vernichtung denkt. Bei der Suche nach einer Lösung des Problems kann das Ugar. weiterhelfen. Hier bedeutet *šlḥ* D "verflüssigen, schmelzen von Metall"[53]. Setzt man diese Bedeutung für שלך[54] im vorliegenden Text an, dann wird der Vers recht gut verständlich und gibt vielleicht sogar schon einen Hinweis seiner Provenienz.
Betrachtet man den ganzen Vers genauer, dann wird deutlich, daß V.24b ohne V.24bβ eine erzähltech-

52) Auch die etwas anders gelagerte Deutung S.E. LOEWENSTAMMs, Making, passim, geht von dieser Voraussetzung aus. Sein Hinweis auf Midraschtexte zur Entstehung von Hl. Zelt und Tempel gehen aber an der Sache vorbei, da sie mit einem theologisch stärker vorbelasteten Thema - eher den Bemühungen um die Inspirationslehre vergleichbar - ringen.

53) Vgl. M. DIETRICH-O. LORETZ, Kunstwerke, 58f.

54) Der Wechsel zwischen *ḥ* und *k* bietet phonologisch dabei keine Schwierigkeiten; vgl. K. TSERETELI, Frage, passim; E.E. KNUDSEN, Spirantization, 15of. Es könnte sich um eine Dialektvariante handeln oder aber auch um eine spätere Änderung im vorliegenden Text durch einen Bearbeiter - anderer regionaler Herkunft? -, der dieses Wort nicht mehr kannte und die negative Konnotation des üblichen hebr. שלך באש ausmerzen wollte.

nisch interessante Rekapitulation darstellt, da in V.24 gerade die beiden Momente der Handlung erzählt werden, die zu Beginn zwischen den Einzelhandlungen vorausgesetzt wurden, zum einen der Hinweis auf das durch den Schmuck angezielte Gold, zum anderen das Einschmelzen des Goldes, so daß im Bogenschlag nach vorne der Bericht Aarons gerade mit V.24bα einen sinnvollen Abschluß findet; denn mit V.24bβ würde Aaron dem Mose gerade das mitteilen, was dieser selbst kennt und was seine Reaktion hervorgerufen hat, nämlich das Produkt dieser Arbeit, das Kalb.

V.25: Neben der Frage nach der semantischen Füllung der Basis פרע[55] steht das Problem der logischen Doppelung durch die beiden כי-Sätze, die zudem syntaktische Schwierigkeiten in diesem Vers aufwerfen. Beide sind von dem Hauptsatz וירא משה את העם abhängig, wobei der erste כי-Satz (V.25aβ) komplizierter ist, da das Obj. des Hauptsatzes in ihm als - durch הוא betontes - Subj. fungieren muß[56]; demgegenüber schließt sich der zweite כי-Satz (V.25bα) einfacher an den Hauptsatz an (wenn man einmal V.25aβ in Parallele zu V.25bα sieht), da er ein eigenes Subj. hat und sich durch das Suffix am Verbum[57] an das Obj. des Hauptsatzes eng anschließt. Mit modalem כי bekommt der Satz dann auch einen Sinn: Mose sah das Volk, wie Aaron es hatte abschweifen lassen[58]. Zieht man

55) Vgl. HAL, 912b-913b.

56) Dies zeigen auch deutlich die Umstellungsversuche H. VALENTINs, Aaron, 248f.

57) Zur seltenen Suffixform vgl. GesK, § 58g.

58) Vgl. Ex 5,4.

den ganzen V.25 nicht, wie viele Exegeten, gleich zum folgenden Levitenabschnitt, wofür es außer dem Abschluß V.25bβ (s.u.) keinen Grund gibt[59], dann kann man in ihm wohl die von Vielen vermißte Antwort Mose auf die Darlegung Aarons finden. Gerade ohne den sperrigen V.25aβ[60] ergibt sich eine inhaltlich schlüssige Beurteilung der Situation durch Mose. Er erkennt das Zusammenspiel von Volk und Aaron und, daß dieser seine notwendige "Führungsvertretung" auf Drängen des Volkes aufgegeben hat.

Sowohl durch seine logische Einbettung in den Kontext als auch durch die unklare Wortbedeutung des Hapaxlegomenon שמצה bietet V.25bβ große Schwierigkeiten. Zum einen läßt der Erzählzusammenhang nicht erkennen, wer mit den קמים gemeint ist, zum anderen pendeln die Deutungsvorschläge für שמצה - ausgehend von שמץ "flüstern" - vornehmlich zwischen "Freude" und "Schande", wobei hinter fast allen Nuancen der Interpretationen die Wiedergabe der LXX durch ἐπίχαρμα[61] steht. Blickt man vom folgenden Abschnitt (VV.26-29) her auf den Abschluß von V.25, dann läßt sich für das Hapaxlegomenon שמצה eine Lösung finden, die dem inhaltlichen Zusammenhang etwas besser gerecht wird als die bisherigen Vorschläge. Vielleicht verbirgt sich hinter שמצה der Š-Stamm eines Verbs מצה. Die entsprechende Basis findet sich im Akkad. im Š-Stamm in der Bedeutung "entsprechen

59) Auch G. SCHMITTs, Ursprung, 581, Hinweis auf ein mögliches Wortspiel zwischen פער und פרע hilft wenig bei der exakten Zuweisung des Verses resp. einzelner Versteile.

60) Vgl. schon das zu dem parallel konstruierten V.22bβ Gesagte.

61) Zu den Abweichungen innerhalb der alten Versionen vgl. im einzelnen J. HAHN, Kalb, 66.

lassen"[62], so daß an der vorliegenden Stelle hinter der Wendung V.25bβ die Bedeutung stehen könnte, daß Aaron das Volk hat abschweifen lassen zur Gleichstellung mit seinen Feinden. Auf diesem Hintergrund beschreibt der folgende Abschnitt (VV.26-29) den Gegenzug der Leviten für die Exklusivität JHWHs. Trotz dieser möglichen inhaltlichen Verbindung bleibt die Anknüpfung von V.25bβ aufgrund des Pl.-Suffixes in בקמיהם nach dem Sg.-Suffix in V.25bα zwar möglich, aber schwerfällig.

VV.25-35: Vorab sind diese Verse erst einmal unter inhaltlichem Gesichtspunkt zusammen zu betrachten, da in ihnen die thematisch-logische Kohärenz der Erzählung mehrfach gestört ist. Der Levitenabschnitt (VV.26-29) stellt bereits eine Bestrafung des Volkes dar; darauf folgt dann in V.30a aber erst die Straftatbestandsmitteilung durch Mose an das Volk und in V.30b die Erklärung des Mose bezüglich seiner beabsichtigten Intervention bei JHWH. Auf die Mitteilung des Geschehenen an JHWH (V.31) folgt dann die Fürbitte des Mose, auf deren Inhalt die folgende JHWH-Rede in ihrem ersten Teil unvollständig eingeht, da sie nur einen Grundsatz formuliert, nicht aber auf die von Mose aufgestellte Alternative eingeht; in ihrem zweiten Teil (V.34) nimmt sie auch keinen Bezug mehr darauf, sondern schließt mit Aufforderung (V.34aα), Zuspruch (V.34aβ) und Drohung (V.34b) an. Abschließend bringt V.35 dann schon quasi die Ausführungsmitteilung der Androhung des vorausgehenden Verses.

---

62) AHw, 622b.

VV.26-29: Abgesehen von der divergierenden Zuordnung des V.25 wird der Levitenpassus ansonsten von fast allen Exegeten als einheitliches Stück betrachtet. Problematisch ist nur seine Beziehung zum Kontext und damit die Frage seiner Herkunft resp. der Quellenzuweisung[63].

V.3o: Der Vers beginnt im "Vorsatz" mit *wa=j^e hi* + Circumstant der Zeit[64]. Nach dem darauffolgenden Satz wird durch ועתה in V.3ob zur Konsequenz übergeleitet. Schwierigkeiten bietet in V.3ob die Kombination von אולי + Kohortativ, was selbst die Grammatiker[65] zur Bevorzugung der Leseart des Sam. (אכפר) veranlaßt hat. Völlig singulär ist darüberhinaus die Konstruktion von כפר בעד mit Bezug auf die Tat (חטאתכם), da an allen anderen Stellen im AT immer der Bezug zur Person bei כפר בעד hergestellt ist[66]. Man wird den Gegebenheiten von V.3oaβ wohl am besten gerecht, wenn man in dem Kohortativ den Rest des alten Finalis erkennt und V.3obβ somit - wie auch im Ugar. belegt - als asyndetischen Finalsatz[67] auffaßt, so daß zu übersetzen ist: und nun will ich hinaufsteigen zu JHWH, so daß ich vielleicht Sühne erwirke für eure Verschuldung[68].

63) Vgl. A.H.J. GUNNEWEG, Leviten, 29-37; H. VALENTIN, Aaron, 248-255; G. SCHMITT, Ursprung, passim; D. KELLERMANN, ThWAT IV, 5o9f.

64) Vgl. G. VANONI, Fügung, 79-82.

65) Vgl. z.B. GesK, § 1o8h.

66) Lev 9,7 (bis); 16,6.11.17; Ez 45,17; 2 Chr 3o,18 (zur problematischen Versabtrennung an dieser Stelle vgl. GesK, § 13o Anm. 1); insgesamt vgl. B. LANG, ThWAT IV, 3o5.

67) Vgl. R. MEYER, Grammatik, § 1oo, 4b.117,1.

68) Zur Differenzierung von חטאה (= Tat) und חטאת (= bei Gott vorhandener Tatbestand) in Ex 32 vgl. K. KOCH, ThWAT II, 861.

V.31: Der letzte Teil der zweiten Vershälfte wirft einige Fragen auf. Wie auch schon parallel zu V.4aβ (s.o.) diskutiert, stellt sich auch hier in V.31bβ die Frage nach der Funktion von *wajjiqtol*. Wenn *wajjiqtol* als Progreßform aufzufassen ist, dann hieße das, daß zwei Dinge (große Sünde und goldener Gott) berichtet werden; wenn V.31bβ demgegenüber, wie es die meisten Übersetzungen vorauszusetzen scheinen, die große Sünde näher spezifizieren soll, dann bleibt fraglich, warum *wajjiqtol* und nicht *x-qatal* gewählt wurde. Gegenüber dem eigentlichen Herstellungsbericht von V.4 fällt des weiteren der Wechsel des Handlungssubj. - dort Aaron, hier das Volk (wie auch schon in VV.8.2o) - und der zusätzliche dativus commodi להם auf (vgl. V.8). Aus dem Rahmen der bisherigen Erzählung fällt die nur hier begegnende Bezeichnung des Bildes mit אלהי זהב; sie ist - wenn überhaupt - nur von der Forderung von V.1 her gedeckt, wobei jedoch nach der Konkretisierung von אלהים (V.1) zu עגל מסכה (V.4) hin dieser Rückbezug unwahrscheinlich wird, da er einen wenig sinnvollen Rückfall ins Allgemeine darstellen würde.

V.32: Das ועתה zu Beginn des Verses leitet innerhalb der Moserede einen neuen Gedanken ein, der jedoch in der ersten Vershälfte nicht zu Ende geführt wird, da dem Bedingungssatz (V.32a) der Nachsatz zu fehlen scheint. Die Aposiopese ist hier stilistisch gut zu verstehen[69], da sie die Alternative des Mose besonders stark heraus-

69) Vgl. GesK, § 167a.

streicht, indem die zweite Möglichkeit gegenüber dem Gewünschten besonders klar und umfangreich formuliert wird.

V.33: In besonders betonter Form fällt מי als Pronomen indefinitum[70] in der Konstruktion מי אשר auf (vgl. 2 Sam 2o,11; ähnlich Deut 2o,5ff; Ri 1o,18).

V.34: Der Vers beginnt wieder (vgl. VV.1oa.3ob.32a) mit ועתה[71], wodurch der Wechsel des Gedankens hier angezeigt wird. Schwierigkeiten bietet die Konstruktion נחה אל אשר דברתי, da נחה im AT nur noch einmal (Ps 1o7,3o) mit אל, ansonsten immer mit ב resp. absolut konstruiert zu finden ist. Nach Ausweis von BHK und BHS findet sich verschiedentlich eine Glättung der Konstruktion אל אשר durch ein zusätzliches המקום, wobei hinter dieser Ergänzung vielleicht der Text von Ex 23,2o steht, zumal der Rückverweis über die Erzählung von Ex 32 hinausweist. Der Rest des Verses zerfällt syntaktisch in zwei Teile, von denen der erste (V.34aβ) sich grammatisch und inhaltlich (Asyndese zwischen Rückverweis und Interjektion הנה; Erwähnung eines מלאך) vom Kontext abhebt. Eine Fortsetzung des הנה-Satzes ist durch den syndetisch angeschlossenen verkürzten Nebensatz (Zeitangabe mit Inf. und nachfolgendem *w*^{e}*qatal*[72]) von V.34b nicht gegeben, so daß deutlich wird, daß sowohl der Rückverweis als auch der הנה-Satz, dieser besonders durch seine fehlende syntaktische Verankerung, den Zusammenhang von V.34 stören.

7o) Vgl. GesK, § 137c.

71) Zur syntaktischen Verknüpfung vgl. bes. H.A. BRONGERS, Bemerkungen, passim.

72) Vgl. R. MEYER, Grammatik, § 1o1, 6b. Ähnlich auch Zeph 1,8f.; Jer 9,24.

V.35: Abgesehen von der schon erwähnten inhaltlichen Spannung zum vorausgehenden Text bietet die Konstruktion der zweiten Vershälfte Schwierigkeiten, da die Anfertigung doppelt - einmal vom Volk und einmal von Aaron - berichtet wird. Es gilt dabei, die vorliegende Doppelung der Handlungssubj. auf dem Hintergrund des beobachteten Wechsels der Handlungssubj. (vgl. VV.4.8.2o.31) zu beurteilen. Indem V.35bβ Aaron nennt, greift dieser Vers gerade auf das in diesem Zusammenhang erstgenannte und eigentliche Handlungssubj. von V.4 zurück, wobei darüberhinaus durch die Mitteilung des Schlages JHWHs gegen das Volk - und nicht gegen Aaron - der anfängliche Geschehenszusammenhang von Volk und Aaron wieder aufgegriffen wird. Demgegenüber paßt das אשר עשו von V.35bα entsprechend zu den VV.8.2o.31.

Viele Exegeten streichen V.35bβ aus inhaltlichen Gründen (Polemik gegen Aaron u.ä.[73]) weg; dabei muß jedoch beachtet werden, daß gerade V.35bβ sich problemlos an das vorausgehende Nomen anschließt. Demgegenüber ist die Konstruktion des ersten אשר-Satzes wesentlich schwieriger, und es scheint günstiger - will man die Doppelung meiden - , den ersten אשר-Satz (אשר עשו את) als Interpolation zu erklären.

---

73) Vgl. z.B. H. VALENTIN, Aaron, 265.

3.1.2. Zur Textgenese

Die Fülle der oben genannten Beobachtungen macht schon deutlich, daß der vorliegende Text keine in sich geschlossene Einheit bildet. Im Folgenden gilt es, die gemachten Beobachtungen im Hinblick auf die Entstehung bzw. Schichtung des Textes auszuwerten. Die Ergebnisse dieses Arbeitsschrittes seien der Einfachheit halber vorab summarisch genannt und als strukturierter Text dargeboten (s.u.), um sie dann im einzelnen darzustellen und zu belegen.

Den Grundtext bildet eine kurze geschlossene Erzählung. Sie umfaßt die Verse 1a.b^{+} (ohne העם und mit folgendem אל statt על).2-4aα.5aβ.6a.bβ.15aα^{+} (ohne ויפן).19aα.aβ^{+} (ohne את העגל und folgende Kopula).bα^{+} (nur bis משה).21.22a.bα.23.24a.bα. 25aα.bα.3o.31a.bα.33a.34aα^{+} (ohne ועתה und ohne den Rückverweis אל אשר דברתי לך).b. Diese Grundschicht wurde dreimal bearbeitet bzw. ergänzt.
Durch die erste Bearbeitung kommen folgende Stücke zum Grundtext hinzu: VV.4aβ.19aβ^{+}.bα^{+} (jeweils die obengenannten Stücke).b.24bβ.35a.b^{+} (ohne אשר עשו את).
Die zweite Bearbeitung umfaßt die VV.4b.7-14.15aα^{+} (nur ויפן).2o.31bβ.34aα^{+} (von אל ab).
Der dritten und letzten Bearbeitung ist folgendes zuzuschreiben: VV.1bα^{+} (העם und Änderung von אל in על).5aα.b. 6bα.15aβ.b.16-18.22bβ.25aβ.bβ.26-29.32.33b.34aα^{+} (nur ועתה).34aβ.35bα^{+} (אשר עשו את).

R^P	Dtr	JE	JE-Vorlage	
			וירא העם כי בשש משה לרדת מן ההר ויקהל	1
העם על			(אל)	
			אהרן ויאמרו אליו קום עשה לנו אלהים אשר ילכו לפנינו כי זה משה האיש אשר העלנו מארץ מצרים לא ידענו מה היה לו	
			ויאמר אלהם אהרן פרקו נזמי הזהב אשר באזני נשיכם בניכם ובנתיכם והביאו אלי	2
			ויתפרקו כל העם את נזמי הזהב אשר באזניהם ויביאו אל אהרן	3
			ויקח מידם ויצר אתו בחרט	4
		ויעשהו עגל מסכה		
	ויאמרו אלה אלהיך ישראל אשר העלוך מארץ מצרים			
וירא אהרן				5
			ויבן מזבח לפניו	
ויקרא אהרן ויאמר חג ליהוה מחר				
			וישכימו ממחרת ויעלו עלת ויגשו שלמים	6
וישב העם לאכל ושתו				
			ויקמו לצחק	
	וידבר יהוה אל משה לך רד כי שחת עמך אשר העלית מארץ מצרים			7
	סרו מהר מן הדרך אשר צויתם עשו להם עגל מסכה וישתחוו לו ויזבחו לו ויאמרו אלה אלהיך ישראל אשר העלוך מארץ מצרים			8

R^P	Dtr	JE	JE-Vorlage	
	ויאמר יהוה אל משה ראיתי את העם הזה והנה עם קשה ערף הוא			9
	ועתה הניחה לי ויחר אפי בהם ואכלם ואעשה אותך לגוי גדול			10
	ויחל משה את פני יהוה אלהיו ויאמר למה יהוה יחרה אפך בעמך אשר הוצאת מארץ מצרים בכח גדול וביד חזקה			11
	למה יאמרו מצרים לאמר ברעה הוציאם להרג אתם בהרים ולכלתם מעל פני האדמה שוב מחרון אפך והנחם על הרעה לעמך			12
	זכר לאברהם ליצחק ולישראל עבדיך אשר נשבעת להם בך ותדבר אלהם ארבה את זרעכם ככוכבי השמים וכל הארץ הזאת אשר אמרתי אתן לזרעכם ונחלו לעלם			13
	וינחם יהוה על הרעה אשר דבר לעשות לעמו			14
	ויפן			15
			וירד משה מן ההר	
ושני לחת העדת בידו לחת כתבים משני עבריהם מזה ומזה הם כתבים				
והלחת מעשה אלהים המה והמכתב מכתב אלהים הוא חרות על הלחת				16
וישמע יהושע את קול העם ברעה ויאמר אל משה קול				17

R^P	Dtr	JE	JE-Vorlage	
מלחמה במחנה				
ויאמר				18
אין קול ענות גבורה				
ואין קול ענות חלושה				
קול ענות אנכי שמע				
			ויהי כאשר קרב אל המחנה	19
			וירא	
		את העגל ו		
			מחלת ויחר אף משה	
		וישלך מידו את הלחת וישבר		
		אתם תחת ההר		
	ויקח את העגל אשר עשו			20
	וישרף באש ויטחן עד			
	אשר דק ויזר על פני			
	המים וישק את בני ישראל			
			ויאמר משה אל אהרן מה	21
			עשה לך העם הזה כי הבאת	
			עליו חטאה גדלה	
			ויאמר אהרן אל יחר אף	22
			אדני אתה ידעת את העם	
כי ברע הוא				
			ויאמרו לי עשה לנו אלהים	23
			אשר ילכו לפנינו כי זה	
			משה האיש אשר העלנו	
			מארץ מצרים לא ידענו מה	
			היה לו	
			ואמר להם למי זהב התפרקו	24
			ויתנו לי ואשלכהו באש	
		ויצא העגל הזה		
			וירא משה את העם	25
כי פרע הוא				
			כי פרעה אהרן	
לשמצה בקמיהם				
ויעמד משה בשער המחנה				26

R^P	Dtr	JE	JE-Vorlage	
ויאמר מי ליהוה אלי				
ויאספו אליו כל בני לוי				
ויאמר להם כה אמר יהוה				27
אלהי ישראל שימו איש				
חרבו על ירכו עברו ושובו				
משער לשער במחנה והרגו				
איש את אחיו ואיש את				
רעהו ואיש את קרבו				
ויעשו בני לוי כדבר משה				28
ויפל מן העם ביום ההוא				
כשלשת אלפי איש				
ויאמר משה מלאו ידכם				29
היום ליהוה כי איש בבנו				
ובאחיו ולתת עליכם היום				
ברכה				
			ויהי ממחרת ויאמר משה אל	30
			העם אתם חטאתם חטאה גדלה	
			ועתה אעלה אל יהוה אולי	
			אכפרה בעד חטאתכם	
			וישב משה אל יהוה ויאמר	31
			אנא חטא העם הזה חטאה	
			גדלה	
	ויעשו להם אלהי זהב			
ועתה אם תשא חטאתם ואם				32
אין מחני נא מספרך אשר				
כתבת				
			ויאמר יהוה אל משה	33
מי אשר חטא לי אמחנו				
מספרי				
ועתה				34
			לך נחה את העם	
	אל אשר דברתי לך			
הנה מלאכי ילך לפניך				
			וביום פקדי ופקדתי	

R^P	Dtr	JE	JE-Vorlage	
			עליהם חטאתם	
		ויגף יהוה את העם על		35
אשר עשו את				
		העגל אשר עשה אהרן		

	JE-Vorlage	*JE*	*Dtr*	R^P
1	Und das Volk sah, daß Mose zögerte, von dem Berg herabzusteigen, und es versammelte sich (bei)			
				das Volk gegen
	Aaron. Und sie sagten zu ihm: "Auf, mach uns Götter, die vor uns herziehen werden, denn dieser Mose, der uns aus dem Land Ägypten herausgeführt hat, wir wissen nicht was mit ihm ist."			
2	Und Aaron sprach zu ihnen: "Reißt die goldenen Ringe, die an den Ohren eurer Frauen, eurer Söhne und eurer Töchter sind, ab und bringt sie zu mir."			
3	Und es riß sich das ganze Volk die goldenen Ringe, die an ihren Ohren waren, ab und sie brachten sie zu Aaron.			
4	Und er nahm sie aus ihrer Hand und bearbeitete es zu einem plastischen Gebilde			
		und er machte es zu einem edelmetallenen Kalb		
			und sie sagten: "dies sind deine Götter Israel, die dich aus dem Land Ägypten geführt haben."	
5				Und Aaron sah es
	und er baute einen Altar vor ihm			
				Und Aaron rief und sagte: "Ein Fest für JHWH ist morgen."
6	Und sie erhoben sich am anderen Morgen und opferten Brandopfer und opferten *š*^{e}*lamîn*			
				und das Volk setzte sich, zu essen und zu trinken
	und sie begannen, sich zu belustigen			

	JE-Vorlage	*JE*	*Dtr*	R^P
7			Und JHWH sprach zu Mose: "Geh, steig hinab, denn gefrevelt hat dein Volk, das du aus dem Land Ägypten herausgeführt hast.	
8			Sie sind bald von dem Weg, den ich ihnen geboten hatte, abgewichen, sie haben sich ein edelmetallenes Kalb gemacht und sie haben es verehrt und ihm geopfert und sie sagten: 'Dies sind deine Götter Israel, die dich aus dem Land Ägypten herausgeführt haben.'"	
9			Und JHWH sprach zu Mose: "Ich habe dieses Volk gesehen und siehe ein Volk mit steifem Nacken ist es.	
1o			Und nun laß mich, daß mein Zorn gegen sie entbrenne und ich sie vernichte, aber dich werde ich zu einem großen Volk machen."	
11			Und Mose besänftigte das Angesicht JHWHs, seines Gottes, und sagte: "Warum, JHWH, soll dein Zorn entbrennen gegen dein Volk, das du herausgeführt hast aus dem Land Ägypten mit großer Kraft und mit starker Hand?	
12			Warum sollen die Ägypter sagen: 'In böser Absicht hat er sie herausgeführt, um sie umzubringen in den Bergen, um sie vom Angesicht des Erdbodens zu vernichten.' Laß ab vom Entflammen deines Zornes und laß dich das Böse gegen dein Volk gereuen.	
13			Gedenke des Abraham, des Isaak und des Israel, deiner Knechte, denen du bei dir selbst zugeschworen hast und zu ihnen gesagt: 'Ich will euere Nachkommen zahlreich machen wie die Sterne des Himmels und dieses ganze Land, von dem ich gesagt habe, ich gebe es euren Nachkommen in Ewigkeit zu eigen.'"	
14			Und JHWH ließ sich das Böse gereuen, das er seinem Volk anzutuen angesagt hatte.	
15			Und es wandte sich um	
	und es stieg hinab vom Berg Mose			
				und die zwei Tafeln des Zeugnisses in seiner Hand, Tafeln von beiden Seiten beschrieben. Von dieser und jener waren sie beschrieben.
16				Und die Tafeln waren Werk Gottes und die Schrift war Schrift Gottes, eingegraben in die Tafeln.

	JE-Vorlage	*JE*	*Dtr*	R^P
17				Und Josua hörte die Stimme des Volkes bei seiner Schlechtigkeit und er sagte zu Mose: "Kriegslärm ist im Lager."
18				Und er sagte: "Das ist kein Geräusch von Siegeslärm, kein Geräusch vom Geschrei Unterlegener, das Geräusch von Ausschweifung höre ich."
19	Und es geschah, als er sich dem Lager näherte, da sah er			
		das Kalb und		
	Tänze. Und der Zorn des Mose entbrannte.			
		Und er warf die Tafeln aus seiner Hand, und er zerbrach sie unterhalb des Berges.		
2o			Und er nahm das Kalb, das sie gemacht hatten, und er verbrannte es im Feuer, und er zermalmte es zu Pulver, und er streute es auf das Wasser, und er gab es den Söhnen Israels zu trinken.	
21	Und Mose sprach zu Aaron: "Was hat dir dieses Volk getan, daß du eine so große Schuld über es gebracht hast?"			
22	Und Aaron sprach: "Nicht entflamme der Zorn meines Herrn, du kennst das Volk			
				wie es im Bösen ist.
23	Sie sagten zu mir: "Mach uns Götter, die vor uns herziehen werden, denn dieser Mose, der uns aus dem Land Ägypten herausgeführt hat, wir wissen nicht was mit ihm ist."			
24	Und ich sprach zu ihnen: "Wer Gold hat, reiße es ab." Und sie gaben es mir und ich goß es im Feuer			
		und heraus kam dieses Kalb.		

	JE-Vorlage	*JE*	*Dtr*	*R^P*
25	Und Mose sah das Volk			
				wie es ausschweifend war
	wie Aaron es hat ausschweifen lassen			
				zur Gleichstellung unter seinen Feinden.
26				Und Mose stand im Tor des Lagers, und er sagte: "Wer für JHWH ist, zu mir." Und es versammelten sich bei ihm alle Leviten
27				Und er sagte zu ihnen: "So spricht JHWH, der Gott Israels, gürte jeder sich sein Schwert an die Hüfte. Geht hin und her von Tor zu Tor im Lager und jeder töte seinen Bruder, seinen Nächsten und seinen Verwandten."
28				Und die Leviten taten wie Mose gesagt hatte, und es fielen vom Volk an diesem Tag dreitausend Mann.
29				Und Mose sprach: "Füllet eure Hand heute für JHWH, weil jeder gegen seinen Sohn und gegen seinen Bruder war und um euch heute Segen zu geben.
3o	Und am anderen Morgen sprach Mose zum Volk: "Ihr habt eine große Sünde getan, und nun will ich hinaufsteigen zu JHWH, so daß ich vielleicht Sühne erwirke für eure Verschuldung."			
31	Und Mose kehrte zurück zu JHWH und er sprach: "Ach, dieses Volk hat eine große Sünde begangen			
			und sie haben sich goldene Götter gemacht.	
32				Und nun entweder vergibst du ihre Schuld, oder wenn nicht, tilge mich doch aus deinem Buch, das du geschrieben hast."
33	Und JHWH sprach zu Mose:			
				Wer gegen mich sündigt, den werde ich aus meinem Buch tilgen

	JE-Vorlage	*JE*	*Dtr*	*R*^P^
34				und nun
	geh, führe das Volk			
			wohin ich dir gesagt habe	
				siehe mein Bote wird vor dir hergehen
	und am Tag meiner Heimsuchung, da werde ich heimsuchen an ihnen ihre Schuld."			
35		Und JHWH schlug das Volk für		
				das, daß sie gemacht hatten
		das Kalb, das Aaron gemacht hatte.		

Die erste Unterbrechung im Textfluß stellt die Wiederholung des העם in V.1b dar. "Ohne weiteres" ist dies - mit Zenger[74] - literarkritisch nicht auszuwerten. Als weitere Beobachtung kommt jedoch hinzu, daß die Wendung קהל על nur noch in Num 16,3.19; 17,7; 2o,2 vorkommt[75]. Diese Stellen sind wohl P zuzuordnen[76], und Coats[77] hat darauf hingewiesen, daß die vorliegende Wendung Bestandteil des "Murrmotives" ist. Damit ist die Basis zur literarkritischen Auswertbarkeit und redaktionskritischen Zuweisung der infragestehenden Formulierung breiter geworden. Zur Rekonstruktion des Grundtextes, den ganzen ersten Satz in V.1b als "Interpolation (von seiten der aaronidischen Priester)"[78] zu streichen, ist aber zum einen unnötig, zum anderen wirft es nur neue Probleme auf, da dies notwendigerweise eine Änderung des folgenden אליו in אהרן אל nach sich zieht[79]. Das Problem löst sich eleganter, wenn man mit einer einfachen Änderung eines ursprünglichen אל in על und einer Hinzufügung von העם rechnet, so daß die Grundschicht in neutralem Sinn formuliert: es versammelte sich bei Aaron. Eine priesterliche Bearbeitung hat dann durch das zusätzliche העם und die Änderung in על die aktive Rolle des Volkes und die mehr passive des Aaron bei den folgenden Angelegenheiten gleich zu Beginn betonen wollen.

Die grammatikalischen, syntaktischen und semantischen Schwierigkeiten von V.4 wurden bereits ausführlich diskutiert (s.o.3.1.1.); dabei hat sich V.4aβ als sekundär erwiesen. Durch die Hinzufügung wird das Hergestellte näher als Kalb beschrieben.

---

74) E. ZENGER, Sinaitheophanie, 79.

75) S.o. Anm. 3.

76) Vgl. M. NOTH, ATD VII, 11o.112.115.128.

77) G.W. COATS, Rebellion, 23.118.

78) H. VALENTIN, Aaron, 219.

79) Vgl. H. VALENTIN, Aaron, 276 Anm. 2.

Von den 35 alttestamentlichen Belegen von עגל entfallen 19[80] auf die Bezeichnung als Kultbild. Abgesehen von einer leicht - aber unwesentlich - wechselnden Terminologie ((ה)עגל; עגל מסכה; עגלי זהב) fällt auf, daß die Bezeichnung außer im Sinai/Horeb-Kontext (Ex 32; Deut 9f.; Ps lo6; Neh 9,18) nur noch in bezug zum Stierkult des Nordreiches (1 Kön 12,28.32; 2 Kön lo,29; 17,16; 2 Chr 11,15; 13,8; Hos 8,5.6; lo,5; 13,2) begegnet. Nur die Belege des DtrGW und davon abhängig die beiden Belege aus 2 Chr formulieren dabei im Pl.[81]. Diese Plurale sind einer besonderen Tendenz der dtr. Geschichtsschreibung zuzuschreiben[82]. Es spricht somit einiges dafür, daß alle Belege von עגל als Kultbild im Zusammenhang mit dem von Jerobeam I in Bethel (wieder-)errichteten Stierkult stehen[83], wofür auch der nachfolgende V.4b spricht (s. u.).

Damit wird nun auch der Sinn der Erwähnung (V.4aβ) deutlich; das in der Grundschicht vorkommende "neutrale" Gebilde (חרט) wird durch die Ergänzung auf ein konkret vorhandenes Kultbild hin gedeutet, wodurch die ursprüngliche Erzählung in eine andere Richtung gewendet wird (s.u.). Die Frage nach der Herkunft dieser Ergänzung ist aber erst in Zusammenschau mit V.4b zu beantworten.

Die oben unter 3.1.1. genannten Probleme von V.4b lassen sich nicht textimmanent lösen; denn unabhängig von der Änderung des Akklamationsrufes (Verb im Pl.) in einen Präsentationsruf (Verb im Sg.) und einer möglichen singularischen

---

8o) Sachlich kommt noch עגלות von Hos lo,5 hinzu, wobei entweder ein Abstraktpl. "Kalbzeug", so z.B. W. RUDOLPH, KAT XIII/1, 195 oder eine Änderung in den Sg., so z.B. H.W. WOLFF, BK XIV/1, 222 anzusetzen ist.

81) Hos 13,2 erweist sich auch aus anderen Gründen, s.u. Anm. 243.249 als Nachtrag; zu Hos lo,5 vgl. die vorausgehende Anm.

82) Vgl. bes. H. MOTZKI, Beitrag, bes. 474ff.; vgl. weiter unten zu V.4b.

83) Vgl. zur Sache Exkurs 2, zur Erwähnung von Dan s.u. 3.1.4.3.

Übersetzung des pluralisch formulierten Ausrufes[84] bleibt die Störung der logischen Kohärenz in bezug zum Argumentationszusammenhang von V.1 bestehen. Im AT kommt die vorliegende Formel nur Ex 32,4.8; 1 Kön 12,28[85] und Neh 9,18 vor, wobei die letztgenannte Stelle durch ihre singularische Formulierung[86] זה אלהיך אשר העלך ממצרים zeigt, daß der Pl. hier als störend empfunden wurde. In Ex 32,8 paßt sich der Pl. von אמר zwar in den Kontext besser ein als in V.4b, es bleiben jedoch Gründe für die Annahme[87], daß in VV.4.8 formelhafter Gebrauch vorliegt. Besonders von V.8 ausgehend muß beachtet werden, daß im Paralleltext Deut 9f der Ausruf gar nicht vorkommt[88], so daß deutlich wird, daß V.4b und V.8 einer einzigen Redaktionsstufe angehören, die in Verbindung zu 1 Kön 12,28 steht. Unabhängig von der Frage, die im Rahmen dieser Arbeit nicht geklärt werden kann, nach der Ursprünglichkeit der Formel in 1 Kön 12,28, ist deutlich, daß das Beziehungsverhältnis zwischen 1 Kön 12,28 und Ex 32 von jenem Text zu diesem hergestellt wurde, denn dort paßt sich der pluralische Ausruf der Errichtung von zwei Kälbern an. Wenn auch für die These Motzkis[89], daß die Errichtung eines zweiten Stieres in Dan eine dtr. Fiktion sei[9o], vieles spricht, so ist seine Rekonstruktion ursprünglicher Singularformen in Ex 32 abzulehnen, da ein so stark in den Text eingreifender Redaktor sicherlich dann auch entsprechend in zwei Kälber hätte ändern können. Demgegenüber scheint es sinnvoller, an eine Übertragung der Formel nach Ex 32 zwecks Verknüpfung der Texte zu denken.

84) Vgl. dazu im einzelnen J. HAHN, Kalb, 3o5-311.

85) Hier הנה statt אלה.

86) So L, andere Handschriften bieten bei den letzten beiden Worten die Ex 32 und 1 Kön entsprechende Form, vgl. BHK/BHS.

87) S.o. Anm. 27.

88) Vgl. dazu u. 3.1.3.

89) H. MOTZKI, Beitrag, passim.

9o) Vgl. dazu u. 3.1.4.3.

Damit wird nun auch klar, daß V.4b nicht der gleichen Redaktionsstufe angehört wie V.4aβ, vielmehr setzt jener diesen voraus; denn, wie gezeigt, bringt V.4aβ gerade den einen Bethel-Stier in die Geschichte ein, so daß V.4b auf der inhaltlichen Ebene anschließt und die Verbindung zum DtrGW herstellt.

Versucht man der Schwierigkeiten von V.5aα nicht voreilig durch Konjekturen oder weit über den Text hinausgehende Interpretationen Herr zu werden (s.o.3.1.1.), dann wird klar, daß dieser Versteil ganz einfach zum Handlungssubj. Aaron zurückführt. Indem der Nennung Aarons ein zusätzliches Verb (וירא) vorangestellt wird, statt Aaron einfach hinter ויבן einzusetzen, wird er und seine Handlung ganz besonders vom Vorausgehenden abgesetzt. Daraus läßt sich zum einen folgern, daß V.5aα später ist als V.4b, zum anderen, daß hinter V.5aα wohl das gleiche Interesse steht wie hinter der in V.1b erkannten Redaktion.
Valentins auf Textänderung basierende Konstruktionen[91] haben auch im vorliegenden Fall kein Fundament. Wenn nämlich die Änderung vom Pl. in den Sg. bei אמר in V.4b resp. die Auslassung oder Umstellung[92] des Subj. in V.5aα eine weitere Änderung von אהרן in העם in V.5aα nach sich zieht, so daß damit das Volk Subj. des Altarbaus wird, dann muß dem gegenübergestellt werden, daß bei vergleichbaren Situationen[93] immer der Altarbau Sache der Hauptperson ist, die Opfer aber Sache der Gemeinschaft sind (vgl. Ex 24,4f.; Jos 8,3of.; 1 Sam 14,22ff.). Für die Klärung der VV.5-6 wird diese Beobachtung noch bedeutsam sein.

---

91) H. VALENTIN, Aaron, 229.

92) Auch dies wird von H. VALENTIN, Aaron, 276 Anm. 6, noch zusätzlich erwogen.

93) Der von H. VALENTIN, Aaron, 228 genannte Text Ri 21,4 paßt gerade nicht hierher, da in ihm immer nur vom Volk insgesamt geredet wird; zur Unterscheidung der Stellen vgl. S. WAGNER, ThWAT I, 699f.

Nach der Einordnung und Erklärung der VV.4aβ-5aα steht der Annahme, daß die folgende Altarbaunotiz den Grundtext wiederaufnimmt, nichts mehr im Wege, zumal sich das Stück syntaktisch und stilistisch gut an V.4aα anschließt. Die der Altarbaunotiz folgende Ausrufung eines JHWH-Festes ist in der Forschung oft Anlaß gewesen, hier resp. in den VV.1-6 den Kern einer ursprünglichen JHWH-Festerzählung zu finden. Auch Kedar-Kopfstein scheint diesen Vers für sehr alt zu halten, wenn er in ihm einen Hinweis auf die Ausgestaltung eines חג sieht, bei dem der obige Ruf "der gebräuchliche Auftakt zum Beginn der Festweihen gewesen sein"[94] mag. Demgegenüber ist aber festzuhalten, daß nach den bisherigen Beobachtungen zu V.5 die erneute Nennung von Aaron zumindest aufmerken lassen muß und die Wortverbindung חג ליהוה gerade nicht alt ist.

Vorab zu trennen ist dabei zwischen der Wendung חג יהוה (Ex 1o,9; Lev 23,39; Ri 21,19; Hos 9,5)[95] und חג ליהוה. Daß die letztgenannte Verbindung für die erstgenannte eintritt[96], ist zumindest fraglich, wenn man die Stellen beachtet, bei denen ein durch Namen näher bezeichnetes Fest als ליהוה deklariert wird (Lev 23,6.34; Deut 16,1o) und hinzunimmt, daß diese durch den Dativ angezeigte Zuweisung durchaus in der Tradition eines Festes wechseln kann[97]. Von hier her legt sich nahe, bei der Bezeichnung חג ליהוה anders als bei חג יהוה an ein JHWH besonders geweihtes Fest zu denken[98]. Alle Belege der anstehenden Verbindung חג ליהוה sind

---

94) B. KEDAR-KOPFSTEIN, ThWAT II, 739.

95) Vgl. dazu B. KEDAR-KOPFSTEIN, ThWAT II, 735; H.W. WOLFF, BK XIII/1, 2oo.

96) Vgl. B. KEDAR-KOPFSTEIN, ThWAT II, 735.

97) Vgl. z.B. für das Laubhüttenfest Deut 16,13 לך ; 16,14 חגך ; Ps 81,4 חגנו und Lev 23,34; Num 29,12 ליהוה , oder für das Wochenfest Ex 34,22 לך und Deut 16,1o ליהוה. Vgl. zu 1 Kön 12,33 auch u. 3.1.4.4.

98) Es wäre gerade anhand wechselnder Zuweisungen noch zu erwägen, ob sich eine Unterscheidung von "Volksfest" und "Kultfest" einführen ließe, dies setzt aber eine nähere Untersuchung der jeweiligen Festbestimmungen, Opfer und Abgaben voraus, die in diesem Rahmen hier nicht geleistet werden kann.

nun später priesterlicher Hand zuzuweisen (Ex 12,14[99]; 13,6[loo]; Lev 23,41[lol]; Num 29,12[lo2]), so daß es naheliegt, die Beobachtungen dieses Versteils, und zwar die genannte Wortverbindung mit dem sonst für die großen Wallfahrtsfeste üblichen Terminus חג sowie der Gebrauch von קרא zur Bezeichnung der Ausrufung eines besonderen Tages resp. Termins[lo3], dahingehend zu deuten, daß hier wiederum eine priesterliche Redaktion anzutreffen ist, die durch die Ausrufung des JHWH-Festes Aaron zumindest eine positive Absicht in diesem Geschehensablauf zuschreiben will.

Das מהר beim Ausruf von V.5 ist wohl von V.6aα her bedingt; hier hat die Zeitangabe ממחרת, wie oben unter 3.1.1. beschrieben, zusammen mit dem Pl. bei den Verbformen einen besonderen Sinn, da sie erzählerisch einen neuen Anfang setzen, indem nach den Handlungen Aarons im Grundtext jetzt alle zusammen handeln.
Gegenüber späterer Opferterminologie erweist sich die im AT singuläre Verbindung von נגש *hi.* mit שלמים als alt, da sich in ihr noch deutlich die von Gerleman[lo4] aufgewiesene ursprüngliche Bedeutung der שלמים als allein zu opfernde Fettstücke zeigt, zumal dazu auch paßt, daß die Gemeinschaft und nicht Aaron als Priester diese Opfer darbringt (s.o.).

---

99) Vgl. R. SCHMITT, Exodus, 2o.79-86; E. OTTO, Fest, 98.

loo) Für die Spätdatierung gegen E. OTTO, Fest, 97 vgl. B.N. WAMBACQ, Maṣṣôt, passim; und auch J. VAN SETERS, Place, bes. 175f., wenn auch mit anderen "Vorzeichen".

lol) Zu diesem Nachtrag vgl. W. KORNFELD, NEB, Levitikus, 95; E. OTTO, Fest, lol.

lo2) M. NOTH, ATD VII, 19o-193; E. OTTO, Fest, lol.

lo3) Vgl. C.J. LABUSCHAGNE, THAT II, 669; E. KUTSCH, מקרא, passim; K. ELLIGER, HAT 4/1, 313.

lo4) G. GERLEMAN, THAT II, 932; zur Herleitung der שלמים-Opfer aus dem kanaan. Raum vgl. B. JANOWSKI, Erwägungen, passim.

Bis hierher ist die Fortsetzung der Grundschicht problemlos, erst durch das neue Subj. von V.6b und den Sg. zu Beginn wird dieser Faden unterbrochen. Auch Valentin hat hier in V.6b die Aaron-freundliche Bearbeitung am Werk gesehen[1o5]. Seine Erklärungsversuche (wiederum Änderung von Sg. und Pl.) befriedigen jedoch nicht, da ein derart arbeitender Redaktor wohl auch die Verbformen in V.6bβ dann geändert hätte. Es scheint somit angebrachter, V.6bα als Interpolation zu erklären. Die Grundschicht hätte dann einfach die zum Kultakt wohl normal hinzugehörige Belustigung[1o6] im Anschluß an die Opfer erwähnt, wobei durch קום nur der Beginn der Handlung beschrieben wird[1o7]. Die Ergänzung hat vom konkreten Verständnis ausgehend hier den dazugehörigen Oppositionsbegriff ישב vorangestellt und damit ganz deutlich zwischen dem Kultakt und dem folgenden Fest getrennt, wobei Aaron somit nur Mitglied der gemeinsamen Handlung, d.h. des Kultes war, der nach der Ergänzung von V.5b JHWH-Kult blieb. Der Pl. in V.6bβ bietet nach dieser Interpolation keine Schwierigkeiten[1o8].

Der folgende Abschnitt, VV.7-14, stellt ein eigenständiges Stück dar. Er steht in engem Verhältnis zu dem Paralleltext Deut 9f., so daß Untersuchung und Zuweisung dieser Verse die Bestimmung des Verhältnisses beider Texte zueinander voraussetzt, was Gegenstand eines eigenen Abschnittes ist[1o9].

Einen gewissen ersten Anhaltspunkt für die Ansetzung zumindest des Einbaus der VV.7-14 in den vorliegenden Kontext

---

1o5) Vgl. H. VALENTIN, Aaron, 231.

1o6) Vgl. G. GERLEMAN, THAT II, 931.

1o7) Vgl. S. AMSLER, THAT II, 638.

1o8) Vgl. schon die Konstruktion in V.1 und das dazu unter 3.1.1. Gesagte.

1o9) S.u. 3.1.3.

bietet der Anfang von V.15, da die Konstruktion von zwei direkt aufeinanderfolgenden Verben mit פנה an erster Stelle den Schwerpunkt ihrer Verwendung wohl im dtr. Literaturbereich hat[11o]; da das erste Verb sachlich von VV.7-14, das zweite von V.1a her bestimmt ist, liegt es nahe, das erste Verb der Redaktionsschicht zuzuweisen, die VV.7-14 eingebracht hat und in dem verbleibenden Rest von V.15aα die Fortsetzung der Grundschicht zu sehen.
Syntaktische Beobachtungen[111] hatten nun erwiesen, daß dieser Satz seine (und damit der Grundschicht) Fortsetzung erst in V.19 hat. Daß in dem dazwischenliegenden Stück spätere Redaktionen anzutreffen sind, ergibt sich auch aus anderen Gründen. Aufgrund einer eingehenden Untersuchung der Tafelbezeichnungen im AT hat Hossfeld die priesterliche Herkunft der VV.15aβ-16 wahrscheinlich machen können[112].

Die durch die VV.17-18 hervorgerufenen Störungen, wie sie oben beschrieben wurden, lassen sich durch ein Ausscheiden der Nennung Josuas[113] in keiner Weise beheben. Der sekundäre Charakter dieser beiden Verse ist fast einhellig in der Forschung betont worden, es divergiert nur ihre Zuweisung. Die Erwähnung Josuas hilft hier aber weiter. Im Exodusbericht begegnet er noch festverwurzelt in dem Bericht vom Krieg mit Amalek (Ex 17,8-16)[114], wo er, wie später in Jos auch, als Kriegsmann auftaucht; weniger fest verankert ist seine Erwähnung in Ex 33,11 (vgl. auch Num 11,28; 13,16;

11o) Vgl. die in Anm. 41 genannten Belege; zur Einordnung von Ex 1o,6 vgl. P. WEIMAR, Berufung, 278 Anm. 98; zu Num 14,25; 21,33 vgl. M. NOTH, ATD VII, 96f.152.

111) S.o. 3.1.1. zu V.19.

112) F.-L. HOSSFELD, Dekalog, 146f. Anm. 523.

113) So H. VALENTIN, Aaron, 238, der statt dessen einen anonymen Diener voraussetzt, vgl. dagegen aber J. HAHN, Kalb, 121f.

114) Vgl. hierzu im einzelnen E. ZENGER, Israel, 76-113.

14,6.3o.38) und in Ex 24,13 beim Aufstieg auf den Gottesberg, was schon die singularische Fortsetzung von V.13b deutlich zeigt. Betrachtet man gerade die letztgenannte Stelle in Zusammenhang mit der vorliegenden[115], dann wird deutlich, daß Josua durch diese beiden Notizen als auf dem Berg anwesend geschildert wird, obwohl er dort oben nirgends mehr erwähnt wird. Daraus folgt, daß diese Schilderung nur von Ex 32 her ihren Sinn erhalten kann, indem Josua auf diese Weise aus der Beteiligung an der entscheidenden Sünde Israels herausgehalten wird, was für den Nachfolger des Mose von nicht zu unterschätzender Bedeutung ist. Auch inhaltlich paßt sich das Gespräch dieser Sicht ein, da es die Personen treffend charakterisiert: Josua als den Kriegsmann, Mose als den geistbegabten Führer[116]. Die so angelegte großflächige Verflechtung ist wohl am ehesten dem priesterlichen Pentateuchredaktor zuzuweisen, zumal die Prophetencharakterisierung des Mose[117], die Stellung des Josua und dessen Verhältnis zu Mose[118] ihm auch an anderen Stellen wichtig sind.

Als weiteres Argument für diese Zuweisung kommt eine Verknüpfung innerhalb des vorliegenden Textes (Ex 32) über die Wurzeln ברע und פרע hinzu. Diese Kette beginnt mit ברעה in V.17a, geht über כי ברע הוא in V.22bβ und כי פרע הוא in V.25aβ zu פרעה in V.25bα. Die oben angeführten syntaktischen Beobachtungen haben den sekundären Charakter der beiden כי-Sätze erkennen lassen, und da hinter ihnen deutlich das Interesse steht, die Schuld des Volkes hervorzuheben, um Aaron zu entlasten, können sie wohl der bereits mehrfach erkannten priesterlichen Redaktion zugeschrieben werden. Daraus folgt,

115) Zur Verbindung der Texte vgl. W.H. SCHMIDT, Exodus, 82.

116) Zum Mosebild im AT sowie zur Prophetencharakterisierung des Mose L. PERLITT, Mose, passim.

117) Vgl. P. WEIMAR, Berufung, 252ff.

118) Vgl. Deut 34,9-12, dazu W.H. SCHMIDT, Exodus, 1o6, bes. Anm. 153.

daß auch das Herstellen der aufgezeigten Verknüpfung auf das Konto dieser Redaktion geht, womit sich aber gleich die Frage nach dem Sinn dieser Verknüpfung aufdrängt.
Schmitt[119] hat nun für die Herkunft der in Ex 32,25bβ-29 (nach der oben gemachten Abgrenzung) stehenden Levitenregel darauf hingewiesen, daß dieser Abschnitt ursprünglich in Zusammenhang mit der Baal-Peor-Erzählung gestanden hat, und er weist sogar darauf hin: "In dem 'zuchtlos gewordenen' פרע könnte ein Wortspiel mit Peor פער stecken."[12o].
Dieser Hinweis ist weit über Schmitts Erklärung zur Levitenregel[121] hin bedeutsam für das Verständnis von Ex 32, wenn man beachtet, daß schon in hoseanischer Tradition die Kombination von Kalbverehrung und Baal-Peor-Geschichte[122] in der Form begegnet, daß die Baal-Peor-Geschichte als Negativmuster für die Verehrung des Bethel-Kalbs diente[123]. Es ist schwer, die Baal-Peor-Tradition exakt zu beschreiben, da das Kernstück (Num 25) mehrfach überarbeitet wurde. Aus den verschiedenen Erwähnungen lassen sich aber zumindest einige Momente herauskristallisieren. So wird deutlich, daß es um die Übertretung von Sexualtabus[124], die als Abfall von JHWH qualifiziert werden, im Zusammenhang von Kriegsgeschehen geht (vgl. Num 25; 31,13ff.; Deut 4,3; Jos 22,17; Hos 9,1o).

---

119) G. SCHMITT, Ursprung, passim.

12o) G. SCHMITT, Ursprung, 581.

121) G. SCHMITT, Ursprung, 581 führt für die Einsetzung in Ex 32 an, daß man das levitische Priestertum am Sinai eingesetzt wissen wollte, vgl. aber auch 3.1.4.4.

122) Wenn Hos 9,1o auch nicht mehr zum hoseanischen Grundbestand zu rechnen ist, vgl. H.W. WOLFF, BK XIV/1, 211, so ist die genannte Verbindung doch auch öfter anzutreffen, vgl. H.W. WOLFF, BK XIV/1, 124f.; H. UTZSCHNEIDER, Hosea, 121-125.172-177.

123) Vgl. H. UTZSCHNEIDER, Hosea, 123.

124) Es kann sich dabei um kanaanäische Fruchtbarkeitskulte handeln, vgl. H.W. WOLFF, BK XIV/1, 124f.; J. JEREMIAS, ATD XXIV/1, 122, oder vielleicht eher um das Problem von Verkehr oder Heirat mit Kriegsgefangenen.

Geht man von hieraus der Verknüpfungskette in Ex 32 nochmals nach, dann erkennt man, daß ein Wortspiel nicht nur am Ende der Kette (פער-פרע), sondern auch an ihrem Anfang steht, denn zur ersten Wurzel ברע paßt, daß zu Beginn des genannten Komplexes in Num Bileam als בן בעור (Num 22,5 u.ö.) begegnet.

Der oft gestellten Frage nach dem Mose-Spruch in V.18[125] tun sich durch die bisherigen Darlegungen neue Lösungsmöglichkeiten auf, denn der sachliche Hintergrund des Spruches weist Parallelen zur beschriebenen Baal-Peor-Tradition auf. Die entscheidende Schwierigkeit liegt im Verständnis von V.18bα. Jüngst haben Mittmann und Delcor neue Lösungsvorschläge für dieses Problem vorgelegt[126]. Am Anfang der Überlegungen Mittmanns steht das auch schon von Noth genannte Problem, daß dem ענות in V.18bα gemäß der Parallelität zu V.18aα.aβ das qualifizierende Nomen fehlt. Auf der Suche nach diesem Wort stößt Mittmann auf die syntaktischen Schwierigkeiten in V.19aβ und glaubt, hier die Lösung gefunden zu haben, indem er vermutet, daß das מחלת in V.19 das in V.18 vermißte Wort sei und daß dieses nach Ausfall, marginal oder interlinear nachgetragen, versehentlich falsch einbezogen wurde. So schlüssig dies auf den ersten Blick scheint, so fraglich wird es bei genauerer Betrachtung.
Mittmann selbst betont die poetische Form des Stücks; gera-

---

125) Vgl. M. NOTH, ATD V, 2o5: "In den Moseworten von V.18, die poetische Form haben und einen fest geprägten Spruch darzustellen scheinen, dessen ursprünglicher 'Sitz im Leben' jedoch dunkel ist, fehlt im überlieferten Text das entscheidende Wort."

126) S. MITTMANN, Reigentänze, passim; M. DELCOR, allusion, passim. Die hier vorgelegte Analyse zum Gesamttext von Ex 32 läßt M. DELCORs Vorschlag aufgrund seiner Beurteilung der Bezüge in Ex 32 fraglich werden und die folgende Kritik an MITTMANN trifft größtenteils auch für die weitläufige Erklärung DELCORs ("j'entends le bruit d'un hourrah en l'honneur de ^{c}Anath") zu.

de diese wird aber durch seine Konstruktion zerstört, denn das Stück ist nach dem System reiner Wortmetrik[127] aufgebaut (4/4/4), und auch die Kolometrie des Textes[128] (15/16/14) zeigt, daß hier kein zusätzliches Wort zu ergänzen ist. Daraus folgt, daß die Lösung des Problems *im* vorliegenden Text, d.h. im Verständnis des Wortes ענות liegen muß. Gerade das Homonymie-Problem der verschiedenen Wurzeln ענה macht dem Erklärer natürlich Schwierigkeiten, bietet andererseits aber den Reiz der Sprache durch Wortspiele, besonders in Sprüchen und Sentenzen, wofür das AT zahllose Beispiele bereit hält. Die masoretische Punktation unterscheidet gerade zwischen ענות in V.18aα.aβ und bα, was Mittmann zwar sieht, was aber bei seiner Lösung nicht zum Tragen kommt. Die Wurzel ענה II[129] greift im *pi.* auch den Bereich sexuellen Verhaltens mit negativer Konnotation ('vergewaltigen, mißbrauchen') auf, so daß der Inf. abs. *pi.*[13o] hier seinen Sinn hat. Seine semantische Singularität spricht nicht dagegen, sondern ist durch das Wortspiel - Wechsel zwischen den beiden homonymen Wurzeln - des Spruches bedingt. Dieses Nebeneinander von Krieg und illegitimem Geschlechtsverkehr paßt gut zur Baal-Peor-Episode, so daß in Zusammenschau mit den übrigen Beobachtungen geschlossen werden kann, daß nicht nur die Levitenregel, sondern auch dieser Mose-Spruch ursprünglich im Zusammenhang mit der Baal-Peor-Geschichte erzählt wurden. Für ihre Kombination mit der Kalbverehrung lag eine bereits vorhandene Tradition vor.
Da das Beziehungsgeflecht im vorliegenden Text (Ex 32) durch

---

127) Vgl. aus den zahlreichen Arbeiten S. SEGERTs dazu z.B. Vorarbeiten, passim.

128) Vgl. O. LORETZ, Analyse, passim.

129) Vgl. HAL, 8o7b.

13o) Beispiele für diese abweichende Form des Inf. abs. finden sich bei GesK, § 75n.

die zusätzliche Kombination mit Josua (V.17) und das pro-aaronidische Interesse (VV.22bβ.25aβ und die Levitenregel!) wesentlich komplexer ist und einen Gesamtaufriß des Pentateuchs und der dadurch bedingten Beziehung zum DtrGW voraussetzt, ist sein Einbau in den Text von Ex 32 wohl dem hier schon mehrfach erkannten priesterlichen Pentateuchredaktor zuzuschreiben.

In V.19 ist, wie bereits gezeigt wurde, die Fortsetzung des Grundtextes zu finden. Die genannten syntaktischen Schwierigkeiten in V.19aβ lassen sich aber nicht nur durch Ausscheiden des מחלת[131] lösen, sondern noch besser, wenn man über den engen Rahmen des einen Verses hinaus auf die Gesamtschichtung des Kapitels blickt, und im Zusammenhang mit dem genannten Problem der Einbeziehung der עגל-Notiz in V.4aβ und V.24bβ liegt es nahe und ist günstiger, das את העגל samt der folgenden Kopula als Interpolation zu erklären. Daß das Obj. מחלת im Grundtext undeterminiert stand, ist wohl verständlich, da es das Geschehen von V.6bβ zusammenfassend beschreibt. Daß nur מחלת hier erwähnt werden, paßt sachlich[132] und erzähltechnisch[133] in den Zusammenhang, denn Mose sieht bei seinem Kommen quasi das Endprodukt, das Fest, und der dann folgende Dialog entfaltet die Sache von hierher rückwärts, von der Wirkung zur Ursache.

Schwieriger in der Zuweisung ist der folgende Satz vom Zerbrechen der Tafeln, denn er setzt einerseits durch das determinierte הלחת die Erwähnung von Tafeln voraus, andererseits hebt er gegenüber V.19aα קרב אל המחנה einen besonderen Ort תחת ההר hervor. Bezieht man הלחת auf die in Ex 32

---

131) So S. MITTMANN, Reigentänze, bes. 43; s.o.

132) Vgl. die bei S. MITTMANN, Reigentänze, 42 Anm. 3 aufgeführten Parallelstellen.

133) Vgl. das unter 3.1.1. zu V.24 Gesagte.

erwähnten Tafeln, dann ist nach der oben gemachten Zuweisung von VV.15-16 der vorliegende Vers R^P zuzuweisen. Dies hätte aufgrund der komplexen Tafelvorstellung im Exodusbericht[134] aber Konsequenzen für die Zuordnung anderer Stellen, besonders 34,1, aber auch 24,12; 31,18, die bei der so entstandenen Spätansetzung in den genannten Texten neue Schwierigkeiten entstehen lassen, so daß es angemessener und günstiger erscheint, die Nennung der Tafeln aus V.19b auf 31,18 zurückzubeziehen.

Damit ist aber noch kein sicheres Kriterium für die Schichtenzuweisung in Ex 32 gewonnen. Versucht man weiter einzugrenzen, dann zeigt sich, daß V.2o zumindest die Zerstörung der Tafeln vorauszusetzen scheint. V.2o, der sein Pendant in Deut 9,21 hat und im einzelnen im Rahmen des Vergleiches von Ex 32 und Deut 9f. im folgenden Abschnitt zu besprechen ist, setzt nach der Ortsangabe von V.19b jetzt stillschweigend einen völlig anderen Ort, und zwar innerhalb des Lagers beim Kalb, voraus.

In Zusammenhang mit dem erwähnten הזה von V.24, das nach allen bisherigen Beobachtungen einer ersten Erweiterung der Grundschicht zuzurechnen ist, ist V.2o wohl erst dieser Redaktionsstufe nachzuordnen. Er scheint assoziativ an dieser Stelle an das Zerstören der Tafeln angeschlossen zu sein. Damit verbleibt für die Zuordnung des Satzes von der Zerstörung der Tafeln nur noch ein enger Raum, der die Grundschicht und deren erste Erweiterung einschließt. Eine exaktere Zuweisung innerhalb des abgesteckten Rahmens ist an dieser Stelle nicht mehr möglich; dies setzt eine Gesamtbetrachtung der einzelnen Schichten mit ihren Verbindungen zu den jeweiligen Pentateuchschichten voraus, was aber erst am Ende dieses Abschnitts resp. vollständig erst in Abschnitt 3.1.4. geboten werden kann.

---

134) Zu dieser Problematik vgl. L. PERLITT, Bundestheologie, bes. 2o3-2o7.

Die Unterbrechung der mit V.21 wieder weiterlaufenden Grundschicht in VV.22bβ.24bβ.25aβ.26bβ-29 wurde bereits unter 3.1.1. besprochen. Als Fortsetzung der Grundschicht scheint V.3oaα insofern problematisch zu sein, als nicht sogleich ersichtlich wird, warum zwischen der Feststellung (וירא V.25aα) und der Mitteilung (ויאמר V.3oaβ) ein größerer Zeitraum liegen sollte, wie er durch das ממחרת entsteht. Gegenüber den häufig vorgetragenen Erklärungen, daß das ממחרת von der Zeitangabe ביום ההוא V.28 her bestimmt sei resp. durch das Einsetzen der Levitenregel nötig geworden wäre, ist zu beachten, daß der gleiche Terminus bereits in V.6 begegnet. Geht man davon aus, daß das ממחרת in VV.6.3o zum Grundtext gehört - es gibt weder syntaktische noch semantische Gründe dagegen -, dann wird recht deutlich, daß die Erzählung durch diese beiden Angaben in ein Drei-Tage-Schema gebracht wird.

Barth hat dieses Drei-Tage-Schema vor allem anhand von Am 4,4-5 und Hos 6,1-2 sowie Texten der Sinaitheophanie untersucht und hat die häufig geäußerte Vermutung, daß dieses Schema eine kurze Frist bezeichnen wolle, zurückgewiesen und stattdessen das charakteristische Formelement dieses Schemas als "neuer Anfang am dritten Tag" beschrieben[135]. Als Herkunft und Hintergrund des Schemas vermutet er eine Liturgie der Bundeserneuerung im Nordreich des 8.Jh.v.Chr., die ihren Höhepunkt am dritten Tage hatte. Ist der Aufweis einer kultischen Bedeutung des dritten Tages auch fraglich, da es an konkreten Hinweisen dazu fehlt, so ist doch das von Barth beschriebene Formelement bedeutsam. Durch dieses Schema erhält die Erzählung eine Gliederung (1. Tag: Vorbereitung; 2.Tag: Fest und Rückkehr des Mose; 3.Tag: Mose bei

135) Vgl. C. BARTH. Theophanie, passim. Mit E. ZENGER, Sinaitheophanie, 55ff.166ff. sind Ex 19,1o.11a.12a.14.15.16.17. jedoch E und nicht J (C. BARTH, Theophanie, 529) zuzuweisen.

JHWH), die die Aussageabsicht des Textes deutlich hervortreten läßt. Nicht die Herstellung des Stierbildes steht im Mittelpunkt, sondern die Reaktion JHWHs auf den Abfall des Volkes, wodurch der oben aufgewiesene sekundäre Charakter der Herstellungsnotiz von V.4bβ zusätzlich bestätigt wird. Die Geschichte vom Abfall des Volkes erscheint somit in Parallele resp. als Gegenstück zur elohistischen Sinaitheophanie, der auch eine 3-Tage-Dramaturgie zugrundeliegt (Ex 19,11.16), wie sie sich *indirekt* auch in der jahwistischen Sinaitheophanie (Ex 19,2; 24,4f.; 34,2.4) findet.

Die Moserede knüpft in ihrem ersten Teil (V.3oaβ) an V.21 an; in ihrem zweiten Teil tauchen einige Besonderheiten auf. So begegnet die Konstruktion עלה אל יהוה nur sechsmal im AT (Ex 19,24; 24,1; 32,3o; Ri 21,5 (bis).8); hinzurechnen kann man noch zwei Belege, in denen JHWH in direkter Rede durch Suffix erwähnt wird (Ex 24,12; Deut 1o,1). Steht diese samt vergleichbaren Wendungen (עלה אל ההר/אל האלהים u.ä.) im Exodusbericht in einem theologisch bedeutsamen Wechselverhältnis vom Hinaufsteigen des Mose zu JHWH und seinem Hinabsteigen zum Volk, so fällt im vorliegenden Fall (Ex 32,3o) auf, daß es zu diesem Hinaufsteigen zu JHWH keine Notiz vom Herabsteigen mehr gibt, wenn man nicht das ועתה לך V.34 als solche wertet. Vielmehr begegnet in Ex 34,1 sogar eine erneute Notiz vom Hinaufsteigen.
Daß von der Pentateuchredaktion, für deren Mosedarstellung diese "Positionsangaben" gerade wichtig waren, eine solche Notiz übersehen worden wäre, läßt sich nur schwer vorstellen. Es liegt da schon näher, ein von den übrigen im Zusammenhang mit der Sinai/Horeb-Theophanie begegnenden Erwähnungen unterschiedenes Verständnis anzunehmen. Die Wendung עלה אל kann durchaus als Akt der Hinwendung zu JHWH im Sinne eines (kultischen) Anrufens gemeint sein (vgl. Deut 17,8;

Ri 21,5.8; 1 Sam 1o,3), was durch die Verwendung von עלה als Wallfahrtsterminus (vgl. Ex 34,24; Jer 31,6; Ps 122,4 u.ö.) bestätigt wird.
Obwohl die Wendung כפר בעד sonst nur noch in Texten priesterlicher Provenienz begegnet[136], sprechen Singularität der Verwendung und syntaktische Verknüpfung (s.o.3.1.1.) gegen diese Zuweisung, so daß davon auszugehen ist, daß der Grundtext hier bruchlos weiterläuft. Gestört wird er nach den oben genannten Beobachtungen erst wieder in V.31bβ.

Die syntaktische Anknüpfung, die Erweiterung mit dem Dativus commodi und die neue Bezeichnung (אלהי זהב) des hergestellten Gegenstandes zeigen die Besonderheit von V.31bβ im Kontext von Ex 32 deutlich an. Könnte man auf den ersten Blick auch geneigt sein, diese Beobachtungen von der Formulierung von V.1b her und als Bezug zu diesem zu deuten, so wird bei genauerer Untersuchung doch deutlich, daß der Wechsel des Handlungssubj. zwischen VV.1-4 und V.31bβ und auch die vergleichbare Formulierung מסכה (עגל) in Deut 9,12-16 gegen diese Verbindung sprechen. Die genannten Beobachtungen lassen sich vielmehr als Hinweis auf die Herkunft von V.31bβ deuten, denn die Formulierung bezieht sich auf die Eingangsformulierung des Bundesbuches Ex 32,23 zurück und will durch diesen Bezug eine klare theologische Beurteilung einbringen. Da die Einarbeitung des Bundesbuches in den Pentateuch einer dtr. Redaktion zuzuschreiben ist[137], ist auch V.31bβ erst in diesem Stadium anzusetzen. Daß im Gegensatz zu

136) Vgl. Anm. 66, sowie B. JANOWSKI, Sühne, 142-145, der jedoch aufgrund der herausgelösten Untersuchung der Einheit (!) der VV.3o-34 zu recht fraglichen Zuweisungen und Schlüssen ("Teil eines einheitlichen jehowistischen? Erzählzusammenhangs, der literarisch von Ex 32,4b.7-14 vorausgesetzt wird" 142f.) in bezug auf die sogenannte Interzession des Mose kommt.

137) Vgl. E. ZENGER, Sinaitheophanie, 165; P. WEIMAR, Untersuchungen, 169.

Ex 2o,23 nicht von אלהי כסף ואלהי זהב oder zusammengefaßt von אלהי מסכה (Ex 34,17; vgl. auch Deut 9,12), sondern nur von אלהי זהב gesprochen wird, hängt wohl mit der ausschließlichen Erwähnung von Gold in Ex 32,2-3.24 zusammen.

Der Versuch, die VV.32-33 einer Schicht zuzuordnen, wirft vorab inhaltliche Fragen auf; zum einen, um was für ein Buch es sich handelt, zum anderen, welchen Sinn resp. welche Funktion diese sogenannte Fürbitte des Mose in der Geschichte hat. Zenger[138] hat versucht, das hier genannte Buch als Verstehenshilfe für die zuvor genannten Tafeln vom Sinai heranzuziehen[139]. Dazu hat er auf die im AT und im Alten Orient verbreitete Vorstellung von himmlischen Bürgerlisten zurückgegriffen. Die stark divergierende Terminologie bei der Bezeichnung der Bücher[14o] und die Streuung der Belege machen deutlich, daß hierbei weder eine Verfasserhand noch eine Abhängigkeit voneinander postuliert werden kann; demgegenüber liegt es näher, von einem gemeinsamen Vorstellungshintergrund[141] auszugehen, auf den je anders akzentuiert zurückgegriffen wird. Dies wird durch die Beobachtung untermauert, daß an keiner Stelle etwas über die Bücher selbst gesagt wird; statt dessen geht es immer nur um die Tatsache des Eingeschrieben- resp. Ausgetilgt-Seins[142]. Diese Beobachtung erschwert natürlich die Datierung und Zuweisung der Verse, sie eröffnet aber auch neue Möglichkeiten,

---

138) E. ZENGER, Psalm 87,5, passim.

139) Zur Kritik an dieser Verbindung s.u. Exkurs 1.

14o) Vgl. J. KÜHLEWEIN, THAT II, 172.

141) Zu den himmlischen Büchern vgl. F. NÖTSCHER, Auferstehungsglaube, 162f.; ders., Bücher, passim; G. SCHRENK, ThWNT I, 613-62o; L. KOEP, Buch, passim; H. WILDBERGER, BK X/1, 157f.; P. WELTEN, TRE VII, 274; H. HAAG, ThWAT IV, 394f.

142) Vgl. parallel dazu die Erwähnung eines ספר von R^P (so E. ZENGER. Israel, 76ff.) in Ex 17,14 neben der Beschreibung von Deut 25,17-19; zum Ganzen vgl. auch L. ALONSO-SCHÖKEL, ThWAT IV, 8o5f.

da sie deutlich macht, daß nach dem Anlaß für die Benutzung der Buchvorstellung zu fragen ist.
Bei den vorliegenden VV.32-33 war schon aufgefallen, daß der von Mose aufgestellten Alternative gar keine Bedeutung beigemessen wird; die Antwort JHWHs formuliert demgegenüber einen Grundsatz, d.h. das Faktum des Eintretens des Mose wird bereits abgelehnt und statt dessen die Eigenverantwortlichkeit eines jeden Sünders betont. Damit steht der kurze Dialog im Dienste eines Problems, das gerade in exilischer und nachexilischer Zeit an Bedeutung gewinnt, nämlich die Frage, "wie sich das Handeln Gottes an einzelnen Menschen, wobei er den Frevler bestraft und den Frommen belohnt, zu seinem Geschichtshandeln, dem Handeln an Ganzheiten (Kollektiven) verhält."[143]. Hinzu kommt der Unteraspekt dieser Frage, inwiefern Gerechte für Ungerechte einstehen können. Dieser Problemkreis findet sich im AT deutlich in dem späten Text Gen 18,22b-33[144] sowie besonders eindringlich in Ez 14,12-23[145] behandelt, und zu vergleichen ist hier noch zusätzlich Deut 24,16[146] und auch 2 Kön 14,6[147]. Diese Stellen stehen zeitlich und literarisch alle in Verbindung zur exilisch-nachexilischen Theologie[148], auch zeichnet sich ein Schwerpunkt des Gebrauchs der Wendung חטא ליהוה in späten

143) C. WESTERMANN, BK I/2, 357.

144) Vgl. neben C. WESTERMANN, BK I/2, 344-357, vor allem E. HAAG, Abraham, passim.

145) Vgl. im einzelnen W. ZIMMERLI, BK XIII/1, 315-324.

146) Vgl. G. v.RAD, ATD VIII, lo9.

147) Vgl. M. REHM, Buch, 137.

148) Die Besonderheiten, die W. ZIMMERLI, BK XIII/1, bes. 318f. in Ez 14 beobachtet, lassen sich am besten verstehen, wenn man den Text einer auch sonst im Buche Ez beobachteten dtr. Redaktion zuschreibt, vgl. F.-L. HOSSFELD, Untersuchungen, 526 und bes. die dort angegebenen Texte im Vergleich zu Ez 14.

Texten des AT ab[149], so daß Ex 32,32-33 entweder einer dtr. oder der späteren Pentateuchredaktion zuzuschreiben ist. Gegen die Annahme einer dtr. Redaktion spricht aber die Erwähnung des ספר, da dieser Begriff im dtr. Literaturbereich bereits anderweitig besetzt ist, so daß Ex 32,32-33 R^P anzurechnen ist (vgl. Ex 17,14). Die Einfügung, die deutlich machen will, daß ein Gerechter nicht an die Stelle von Sündern treten kann, knüpft inhaltlich an die Erklärung des Mose V.3ob an[15o]. Formal wird der Einschub durch ein zweimaliges ועתה in die Rede des jeweiligen Dialogpartners eingesetzt, so daß klar ist, daß V.33a zum Bestand des Grundtextes gehört.

V.34 zeigt eine im AT singuläre Verwendung der Wurzel נחה[151]. Von den lo Belegen, die im Zusammenhang mit dem Exodusgeschehen stehen[152], ist nur in Ex 32,34 Mose Subj. dieses Führens. Dieser Tatbestand kann nur aus dem Zusammenhang der Grundschicht verständlich werden, denn dort ist auch von der Führung des Mose (mit עלה in V.1), die allerdings vom Volk aufgegeben wurde, die Rede. Die zu Beginn der Erzählung

149) Vgl. Gen 2o,6; Ex lo,16; 32,32; Num 32,23; Deut 1,41; 2o,18; Jos 7,2o; Ri lo,lo; 1 Sam 2,25; 7,6; 12,13.23; 14,33; 1 Kön 8,33.35. 46.5o; Jes 42,24; Jer 3,25; 8,14; 33,8; 5o,7.14; Hos 4,7; Mi 7,9; Zeph 1,17; Ps 41,5; 51,6; 78,17; 119,11; Dan 9,8.11; Neh 1,6; 2 Chr 6,24.26.36.39; vgl. auch P. WEIMAR, Untersuchungen, 61 Anm. 186.

15o) Es gilt hier besonders zu beachten, daß nicht das Eintreten, d.h. die Fürbitte abgelehnt wird, sondern die Stellvertretung des Mose, was inhaltlich für die Fürbitte des Mose in VV.7-14 wichtig ist (s.u. 3.1.3.).
B. JANOWSKIs, Sühne, 142-145, starke Betonung der Bedeutung der Interzession des Mose hängt mit seiner fehlenden literarkritischen Differenzierung in Ex 32,3o-34 zusammen und ist folglich auf dem Hintergrund der vorliegenden Analyse zurückzuweisen.

151) Vgl. HAL, 647; E. JENNI, THAT II, 53-55.

152) Ex 13,17.21; 15,13; 32,34; Deut 32,12; Ps 77,21; 78,14.53; Neh 9,12.19.

aufgebaute logische Abfolge von Herausführung (עלה) und Weiterführung (הלך לפני) wird hier wiederaufgenommen und weitergeführt durch das נחה im Munde JHWHs, so daß klar ist, daß der Versteil zum Grundtext gehört. Es ist bezeichnend, daß hier keiner der üblichen Herausführungstermini (יצא, עלה) steht, sondern statt dessen der allgemein bleibende Begriff נחה, wobei die Aussage inhaltlich zur elohistischen Konzeption von der Herausführung durch Mose (Ex 3,1ob) paßt[153], so daß der Text hier wiederum seine Herkunft resp. entsprechende Verbindungslinie anzeigt.

Schwierig ist die Entscheidung der Zuweisung beim folgenden Rückverweis, da er über den Text von Ex 32 hinausweist, wobei jedoch unklar ist, auf welches JHWH-Wort er sich bezieht. Von vergleichbaren Rückverweisen her würde man hinter אל noch eine Ortsangabe erwarten, die die alten Versionen teilweise durch ein zusätzliches המקום auch liefern, doch zeigen die anderen Belege der Konstruktion אל אשר im AT, daß diese Wendung mit der Bedeutung "wohin" in jüngerer Zeit aufkommt (Num 33,54[154]; Ez 1,12; 42,14[155]; Ruth 1,16[156]), so daß die Annahme einer relativen Bestimmung durch אל אשר ("bezüglich dessen"[157]) - gegenüber der in diesem Fall besseren und häufigeren (32mal) Konstruktion mit על - nicht nötig ist, wenn sie auch einen Aspekt im Verständnis der Phrase hervorhebt.

---

153) Vgl. W.H. SCHMIDT, BK II, 121ff.153; P. WEIMAR, Berufung, 183f. Gegen die Herauslösung des Kohartativ ואשלחך durch P. WEIMAR, Berufung, 44f. führt A.R. MÜLLER, Text, 62ff. gute Gründe an.

154) Die Stelle ist wohl R^P zuzuschreiben, vgl. M. NOTH, ATD VII, 214.

155) Beide Belege sind Ergänzungen zuzuschreiben, vgl. W. ZIMMERLI, BK XIII/1, 26f.; XIII/2, 1o6o.

156) Zur Spätdatierung von Ruth vgl. R. SMEND, Entstehung, 216; W.H. SCHMIDT, Einführung, 316; O. KAISER, Einleitung, 197f.

157) So E. ZENGER, Sinaitheophanie, 86f.

Aufgrund der syntaktischen Beobachtungen (s.o.) ist deutlich geworden, daß der Rückverweis nicht zum ursprünglichen Textbestand gehört; er erfaßt schließlich zwei Momente: die Zielangabe der Führung und das diesbezügliche JHWH-Wort. Der Bezugstext ist wohl Ex 3,8-1o, da er die nötige Nennung des Landes als Zielangabe (V.8) und den Führungsauftrag an Mose (V.1o) kennt, wodurch die an der typischen Form des Rückverweises sowie an der Einbettung in den Kontext von Ex 32 zu erkennende dtr. Verfasserschaft bestätigt wird, da Ex 3,8 seine dtr. Bearbeitung nicht leugnen kann[158].

Durch den an den Rückverweis lose angehängten (s.o.) הנה-Satz wird dieser im Sinn des erwähnten Vorschlages von Zenger nicht mehr lokal zu verstehen sein, sondern er wird zur relativen Bestimmung ("führe das Volk wohin ich dir gesagt habe, daß mein Bote vor dir hergehen wird"). Damit lenkt die Einsetzung des מלאך den Rückverweis um; wies er zuvor auf Ex 3,8-1o zurück, so wird jetzt deutlich, daß Ex 23,2off. der Bezugstext zu V.34a ist. Der Eigencharakter von Ex 23,2o - er stellt selbst einen Rückverweis dar - sowie die Unterschiede zu Ex 32,24 beim Gebrauch der Verben כון 23,2o und דבר 32,34 und das Fehlen der Ortsangabe zeigen, daß durch den הנה-Satz von 32,34aβ ein Bezugssystem aufgebaut wird, das über 23,2off. zurück zu 3,8-1o verweisen soll.
Die Nennung des מלאך kann nun bei der Einordnung des Versteils helfen. Nicht nur im gesamten AT, sondern auch in der Auszugstradition kommen dem מלאך יהוה verschiedene Funktionen zu[159]. Innerhalb des letztgenannten Bereichs besteht zwischen Ex 23,2o.23; 32,34; 33,2 eine Verbindungslinie. Im

158) Vgl. E. ZENGER, Sinaitheophanie, 86f., der die Erwähnung des Boten allerdings als Glosse betrachtet.

159) Vgl. insgesamt H. RÖTTGER, Mal'ak, passim, dessen Schichtenzuweisungen der Ex-Stellen aber zu wenig fundiert sind; vgl. auch die Kritik P. WEIMARs, Berufung, 34of.

vorliegenden Endtext des Bundesbuchanhangs[160] ist der Bote sowohl in die Thematik von Hören und Gehorchen (V.21f.) als auch in die Vernichtungsthematik (V.23) hineingestellt; 32,34 greift nun darauf zurück, bevor einige Verse später in 33,2 der מלאך im Kontext der Frage nach der Anwesenheit JHWHs[161] wieder in Zusammenhang mit der Vertreibungsthematik begegnet. Wichtig ist nun, daß nach dem Ringen des Mose um JHWHs Gegenwart (Ex 33; 34,9) die Vernichtungsthematik mit der Aufforderung zum Gebotsgehorsam (34,11a) kombiniert ist, so daß sich von hierher abzeichnet, daß der מלאך zwischen Ex 23-34 als Erscheinungsweise JHWHs problematisiert wird, um dann überzuleiten zum anders gearteten Verhältnis Gott-Mensch durch Bund und Gehorsam. Das Ausziehen dieser Linie und das Einsetzen des מלאך ist mit Weimar[162] einer jüngeren Pentateuchschicht zuzuschreiben, wobei durchaus auf eine ältere Tradition von einem "Exodus-מלאך"[163] zurückgegriffen werden konnte. Der festgestellte sekundäre Anschluß an den dtr. Rückverweis und die aufgewiesene Verbindung zu Ex 23,2o-33 machen eine Zuweisung zu R^P auch für die מלאך-Notiz von Ex 32,34aβ wahrscheinlich.

---

160) Auf die Schichtung kann hier nicht eingegangen werden, vgl. die unterschiedlichen Ergebnisse dazu von J. HALBE, Privilegrecht, 483-5o2 und J.P. FLOSS, Jahwe, 247-277.

161) Unter diesem Thema scheinen die unterschiedlichen Überlieferungen von Ex 33 zusammengekommen zu sein, vgl. auch die weitgehende Besprechung dazu von W. BRUEGGEMANN, Crisis, bes. 47-6o, der aber leider jedwede literarische Zuordnung offenläßt (vgl. 48); vgl. auch E. ZENGER, Hört, 137. Ausgelöst wurde die Sammlung vielleicht von dem Dialog VV.12-16, der möglicherweise die JE-Fortsetzung von Ex 32 darstellt (VV.1-6 dtr.?/7-11 P?).

162) P.WEIMAR, Berufung, 34of.; vgl. vor allem auch seine Bewertung von Ex 23,2o-33 (326 Anm. 32).

163) Z.B. Ri 2,1; Num 2o,16 vgl. N. LOHFINK, Credo, bes. 32 und mit umgekehrter Verhältnisbestimmung von Num 2o und Deut 26 S. MITTMANN, Num 2o, passim.

V.34b knüpft thematisch wieder an das Problem der Sünde aus VV.3o-31 an; die zeitliche Konkurrenz (*w^e qatal* in V.34bβ gegenüber *wajjiqtol* in V.35aα) zum nachfolgenden Vers, der durch seine Erwähnung des עגל frühestens im Zuge der ersten Bearbeitung in den Text gekommen ist, ordnet V.34b auf jeden Fall diesem vor. Da V.35 aber in der zweiten Vershälfte in dem oben besprochenen Einschub אשר עשו את deutlich die Spuren der bereits mehrfach beobachteten priesterlichen Bearbeitung erkennen läßt, muß der Vers in seinem Grundbestand dieser Redaktionsstufe vorausliegen. Damit ist der Rahmen zur Einordnung von VV.34b.35 enger gesteckt und, betrachtet man die bis hierher beschriebene Grundschicht, dann wird deutlich, daß V.34b den Abschluß des Dialogs zwischen JHWH und Mose und damit der ursprünglichen Geschichte bildet.

Die durch פקד angezeigte Reaktion JHWHs auf die Sünde des Volkes[164] kann einen wichtigen Hinweis auf die Herkunft der Grundschicht geben. Eine direkte Parallele zur vorliegenden Formulierung[165] findet sich in Am 3,14[166]. Der nur dreimal[167] im AT begegnende Begriff יום פקדי steht im Kontext der Vorstellung eines inner- , nicht endzeitlichen Terminus, an dem JHWH die Vergehen Israels straft[168]. Dabei begegnet eine Reihe von Formulierungen, die aus einer Zeitangabe (שנה, עת, יום)[169] mit nachfolgender Form von פקד gebildet

164) Vgl. K. KOCH, ThWAT II, 861.

165) Zeitangabe mit Inf. als verkürzter Nebensatz mit nachfolgendem *w^e qatal*, s.o. 3.1.1.

166) Vgl. H.-W. WOLFF, BK XIV/2, 239; die Fortführung mit *w^e qatal* findet sich in Am 3,14b durch ונגדעו ausgedrückt, da V.14bα (mit פקד) mit H.-W. WOLFF, BK XIV/2, 135 der sogenannten Bethel-Interpretation zuzuschreiben ist; zur Einordnung der Stelle vgl. auch P. WEIMAR, Schluß, 96ff. bes. Anm. 14o.147.

167) Ex 32,34; Jer 27,22; Am 3,14; vgl. auch עד פקדי in Jer 32,5.

168) Vgl. W. SCHOTTROFF, THAT II, 483.

169) Vgl. Ex 32,34; Jes lo,3; Jer 6,15; 8,12; lo,15; 11,23; 23,12; 27,22; 46,21; 48,44; 49,8; 5o,27.31; 51,18; Hos 9,7; Am 3,14; Mi 7,4 (tex. em.); vgl. G. ANDRE, Destiny, 66f.

sind. Wie auch die Wendung יום יהוה nur bei den Propheten vorkommt[17o], so sind auch die genannten Formulierungen außer in Ex 32,34 nur noch in der prophetischen Literatur anzutreffen. Im Gebrauch als Terminus zur Bezeichnung der Strafe[171] findet die Wurzel פקד bei Hosea ihre besondere Verwendung[172]. Diese Beobachtung läßt sich einreihen in andere, die die Grundschicht in das Nordreich verweisen (s. u.).

Der abschließende V.35⁺ stellt sich als Ausführungsmitteilung der in V.34b angesagten zukünftigen Strafankündigung dar, so daß beide Verse kaum einer Hand zugewiesen werden können. Da im weiteren Verlauf des Exoduserzählung von einem Schlag JHWHs als Bestrafung gegen das Volk nichts berichtet wird, ist häufig vorgeschlagen worden, V.35 als Glosse zu betrachten, die den Untergang des Nordreiches im Auge habe. Für eine derartige Verschiebung des Verstehenshorizontes - d.h., daß auf der Ebene des Beschriebenen jeglicher Bezug fehlen soll - sind jedoch keine Gründe auszumachen.
Es gilt demgegenüber vielmehr, neben der inhaltlichen Spannung zwischen V.34 und V.35 auch die semantischen Differenz zwischen פקד und נגף zu beachten. Ein direktes semantisches Bezugssystem ist zwischen beiden Begriffen nicht festzustellen. Für das Verständnis von V.35 ist die spezielle Bedeutung von נגף somit wichtiger; denn נגף bezeichnet gerade nicht die vollzogene Strafe, sondern ein Eingreifen JHWHs mit durchaus positiver Konnotation im Sinn eines Schlagens, das zur heilbringenden Wendung des Geschehens führt[173].

17o) Vgl. M. SÆBØ, ThWAT III, 582f.; G. ANDRE, Destiny, 68 zu Ex 32,34.

171) Zum gesamten Bedeutungsfeld von פקד vgl. W. SCHOTTROFF, THAT II, 466-486; G. ANDRE, Destiny, passim.

172) Vgl. H. UTZSCHNEIDER, Hosea, 7o-71. 164-171.

173) Vgl. bes. zu Jes 19,22 H. WILDBERGER, BK X/2, 742f. sowie zur Beschreibung des wunderhaften Eingreifens JHWHs durch נגף P. WELTEN, Geschichte, 121.133f.

Somit wird das Fehlen einer konkreten Tat JHWHs im Anschluß an die Mitteilung von V.35 durchaus verständlich, da die durch נגף beschriebene Reaktion JHWHs auf die in Ex 32 beschriebene Abkehr von ihm den Anstoß meint, den JHWH zu einem neuen Verhältnis Gott-Volk (Ex 33-34) gibt, so daß diese Aussage also auf dem Hintergrund der entsprechenden Konzeption der Sinaitheophanie (s.u.) zu sehen ist. Die Diskrepanz zwischen V.34 und V.35 macht deutlich, daß dieser wohl der ersten Bearbeitungsschicht zuzuweisen ist; dazu paßt auch die Erwähnung Aarons, der als Handlungssubj. im Grundbestand von V.4 und im Gesamt der ersten Bearbeitungsschicht fest verankert ist, wobei seine explizite Nennung am Ende der Erzählung auch mit der möglichen weiteren Fortsetzung des Textes in Verbindung stehen kann[174].

Zusammenfassend zeigt sich, daß in Ex 32 eine Grundschicht zu finden ist, die eine *relativ selbständige* Geschichte darstellt. Diese Geschichte "spielt" zwar im Exodusgeschehen und greift somit direkt auf entsprechende, bekannte Traditionen, Personen und Orte resp. die gesamte Exodussituation zurück, funktioniert inhaltlich darüber hinaus aber ohne weitere Bezüge. Aus erzähltechnischen Gründen konstruiert sie ein längeres Ausbleiben des Mose. Thematisch geht es ihr um das Führungsproblem, d.h. der von JHWH eingesetzten Führung (= Mose) gegenüber der vom Volk ohne JHWH gemachten Führung (= hier das Führungssymbol)[175].

---

174) Die seltsam anmutende Frage des Mose in Ex 33,12 könnte hier anschließen (vgl. Anm. 161), da Aaron nach Ex 32 als Begleiter des Mose ausfallen könnte. Dies wäre dann im Sinne des Gesamtergebnisses der Arbeit H. VALENTINs verständlich, daß nämlich der vorpriesterschriftliche Aaron nur eine erzählerisch notwendige Funktion in den jeweiligen Geschichten erfüllt, vgl. H. VALENTIN, Aaron, 41o.

175) Hierher paßt das von O. EISSFELDT, Lade, bes. 299f., beigebrachte Vergleichsmaterial an Standarten und anderen Führungssymbolen.

Eine erste Bearbeitung dieser Geschichte knüpfte einerseits an das in der Grunderzählung erwähnte Symbol an und machte daraus das goldene Kalb, stellt andererseits, wie besonders der Bezug zu den Tafeln zeigt[176], die Geschichte in einen größeren Zusammenhang. Auf dieser Stufe wird die ursprüngliche Sündenerzählung (aus dem Nordreich[177]) der Grundschicht dazu benutzt, das Kalb von Bethel als Produkt der Sünde darzustellen. Diese historischen und literarischen Elemente legen eine Zuweisung dieser ersten Bearbeitung und Einsetzung in die Sinaierzählung an JE nahe, da die von JE aufgenommene Erzählung *relative Eigenständigkeit* besitzt und unmittelbar selbst keinem anderen größeren literarischen Zusammenhang (z.B. E) zuzuordnen ist; da dazu weitere positive Hinweise fehlen, ist es angebracht, sie von ihrer Aufnahme her zu bestimmen und sodann mit den angegebenen Einschränkungen bezüglich der Selbständigkeit von einer *JE-Vorlage* zu sprechen.
Für die zweite Bearbeitungsstufe ist charakteristisch, daß sie an den inhaltlichen Hintergrund, das Bethel-Kalb, anknüpft und Verbindungen zum DtrGW und zum Bundesbuch herstellt, so daß sie - besonders im Zusammenhang mit den im folgenden Abschnitt dargelegten Beobachtungen zu den VV.7-14 - einer späten dtr. Redaktion zugeschrieben werden kann.

Die abschließende letzte Bearbeitung geht deutlich auf den priesterlichen Pentateuchredaktor (R^P) zurück, da sie einerseits mit anderen Traditionen verknüpft, dann aber vor allem die Position Aarons in der Geschichte verbessern will, da dieser von einem "Statisten"[178] durch die Bearbeitung des

---

176) S.u. Exkurs 1.

177) Vgl. dazu 3.1.4.1.

178) Diese nur erzähltechnische Funktion des Aaron ist typisch für die vor-priesterschriftliche Aaronüberlieferung, vgl. H. VALENTIN, Aaron, 41o.

vorliegenden Textes per accidens zum Protektor des Bilderdienstes geworden war.

Die vorliegende Analyse hat somit gezeigt, daß in Ex 32 nur vier Schichten[179] vorliegen, die nicht nur sinnvoll aufeinander aufbauen, sondern großen alttestamentlichen "Literaturphasen" entsprechen, die für die Bearbeitung größerer Bereiche (Tetrateuch, DtrGW, Pentateuch) zuständig waren und somit verständlicherweise diesem Zentraltext jeweils ihr eigenes Kolorit beigeben mußten.

3.1.3. Redaktionskritische Bewertung von Ex 32 im Verhältnis zu Deut 9f.

Die beiden zur Diskussion stehenden Texte sind bereits häufig Gegenstand eines Vergleichs gewesen[18o]. Dabei hat sich klar gezeigt, daß Deut 9f. auf einen Grundbestand der Erzählung von Ex 32 zurückgreift, wobei die Einzelbeschreibung dieses Grundbestandes natürlich stark divergiert. Aufgrund der gewonnenen Einsichten zur Schichtung von Ex 32 soll die folgende Gegenüberstellung die wesentlichen Elemente des Verhältnisses beider Texte zueinander beschreiben. Im Rahmen seiner Untersuchung der Tafelbezeichnung hat Hossfeld eine ausführliche Literarkritik zu Deut 9,7b-1o,11 vorgelegt[181], deren Ergebnisse hier - wenn auch von den vorgeleg-

---

179) Vgl. demgegenüber die 12 Schichten von S. LEHMING, Versuch, 5o oder die 7 Redaktionsstufen (mit Rest) von H. VALENTIN, Aaron, 268f.

18o) Vgl. J. HAHN, Kalb, 236-245.

181) Vgl. F.-L. HOSSFELD, Dekalog, 147-161, wo sich auch die Diskussion bisheriger Analysen findet, so daß hier darauf verzichtet werden kann.

ten Analysen zu Ex 32 her leicht modifiziert - zugrundegelegt werden.
In bezug zum JE-Text - erst dieser kommt als Erzählung vom goldenen Kalb in Frage (s.o.) - zeigt der Grundtext von Deut 9f. bereits eine deutliche Verschiebung; er betrachtet die Geschichte durch die Brille des dekalogischen Bilderverbotes (Deut 9,12)[182]. Diese Beurteilung der Tat erfolgt in Deut 9,12 im Rahmen einer Rede JHWHs an Mose, die in den Erzählfaden von Deut 9 fest verwoben ist, während auf der anderen Seite eine entsprechende Mitteilung an Mose in Ex 32,7 in einer JHWH-Rede steht (VV.7-14), die insgesamt den Erzählzusammenhang von Ex 32 deutlich stört[183]. Der Dialog ist in Ex 32,7-14 jedoch weiter ausgestaltet und setzt zumindest die von Hossfeld als erste Gruppe von Ergänzungen zusammengestellten Verse von Deut 9f. voraus[184]. Somit wird deutlich, daß ein Redaktor von Deut 9f. her die Szene Ex 32,7-14 komponiert und in die Geschichte eingesetzt hat. Die VV.7-14 sind als einheitliche Komposition zu bewerten; die erneute Redeeinleitung in V.9 weist nicht auf einen späteren Einschub hin, sondern erklärt sich aus dem Zusammenhang, da der vorausgehende Versteil mit dem Zitat der Volksrede endet, so daß eine erneute Redeeinleitung nötig ist. Die dabei gewählte lange Form mit Sprecher und Angesprochenem will die nun folgende Bewertung JHWHs von seinem Bericht abheben und besonders betonen.
Bei der Komposition dieses Dialogs hat ihr Verfasser gegenüber Deut 9f. einige neue Akzente gesetzt. Vor allem hat er die Herstellung des Kalbes dem Kontext seiner Rede eingepaßt

---

182) Dies zeigt besonders die außergewöhnliche Verwendung von מסכה, s.o. 2.2.2.2. und F.-L. HOSSFELD, Dekalog, 156.

183) S.o. 3.1.1. zu VV.7-14.

184) Vgl. F.-L. HOSSFELD, Dekalog, 16o.

und sie vom Bundesbuch her formuliert[185]. Er formuliert dazu das Bilderverbot mit dem konkreten Objekt der Erzählung und kombiniert es mit den Fremdgötterbestimmungen von Ex 23,24 und 22,19. Des weiteren führt er die Proklamationsformel aus 1 Kön 12 zur Verbindung mit dem DtrGW[186] ein und setzt diese - notwendigerweise - auch in V.4b ein. Der von Hossfeld gegenüber Skweres aufgestellten Forderung nach stärkerer Differenzierung der Zuweisungskategorie "deuteronomistisch" ist für Ex 32,7-14 nun insofern nachzukommen, als die aufgrund der beobachteten Abweichungen von der dtn./dtr. Sprachnorm aufgestellte Alternative von protodeuteronomischer oder in Richtung Pentateuchredaktion gehender Zuweisung[187] nun durch einige Indizien gelöst werden kann. Die Vereinigung von Bilder- und Fremdgötterverbot geht mit Hossfeld[188] auf einen späten dtr. Bearbeiter zurück, und er betont an anderer Stelle auch das späte Entstehungsalter der Kombination mit חוה[189]. Ebenso weist die Kombination von Ex 32 mit 1 Kön 12 durch den Proklamationsruf auf einen späten Dtr. hin, zumal wenn man die von Hoffmann aufgewiesene Verbindung zur Kultreform des Josia mitbeachtet[19o]. Zuletzt kommt noch die längere Form des Hinweises auf die Väter mit dem Eid JHWHs in der Verheißungskombination in Ex 32,13 (vgl. Deut 9,27a) hinzu, was nach den Analysen von

---

185) Diese Beobachtung ist insofern bezeichnend, als nach F.-L. HOSSFELDs These der Dekalog erst durch R^p in die Sinaitheophanie kam, so daß das Bundesbuch für vorauslaufende Bearbeiter der einzige Bezugstext in diesem Zusammenhang ist.

186) S. dazu auch 3.1.4.3.

187) Vgl. F.-L. HOSSFELD, Dekalog, 157 Anm. 571; 154 Anm. 553.

188) Vgl. zusammenfassend F.-L. HOSSFELD, Dekalog, 283.

189) Vgl. F.-L. HOSSFELD, Dekalog, 26.

19o) H.-D. HOFFMANN, Reform, bes. 312f. Sein völliges Ausschalten literarkritischer Analysen bedingt jedoch auch im vorliegenden Fall (3o6-311) eine gewisse Engführung der Auswertung und Beurteilung. Er beschreibt so Sinn und Funktion des Endtextes resp. seiner einzelnen Elemente, somit sind seine zahlreichen diesbezüglichen Beobachtungen besonders für die Beurteilung der Endredaktion(en) der Texte bedeutsam.

Giesen[191] auch einer späten dtr. Redaktion zuzuordnen ist. Somit ist deutlich, daß der Abschnitt Ex 32,7-14 einem späten dtr. Bearbeiter zuzuschreiben ist, der ihn von Deut 9f. her für den Kontext von Ex 32 komponiert hat.

Diesem Bearbeiter ist wohl auch Ex 32,2o zuzuschreiben. Die Zerstörung des Kalbes ist schon in Deut 9,21 zu finden. Sie ist nicht konkret vom Objekt her bestimmt, sondern greift auf Topoi zur Vernichtung aus der altorientalischen Umwelt zurück[192], wie sie in den dtr. Kultreformtexten gerne benutzt werden[193]. Der hierbei oft behandelte Unterschied zwischen dem In-den-Bach-Werfen (Deut 9,21b) und dem Zu-trinken-Geben (Ex 32,2obβ) hängt wohl auch mit der Anpassung an den Kontext von Ex 32 zusammen. Hat das Motiv in Deut 9,21b seine Parallelen in der altorientalischen Vernichtungssymbolik[194], so fehlt dieser Bezug für Ex 32,2obβ völlig. Es scheint, daß das Trinken nicht mit dem Fluchwasser (vgl. Num 5,11-28) in Verbindung zu bringen ist[195], da dies als Urteil zumindest eine Notiz über den Ausgang erwarten ließe, sondern eher auf das - von der dtr. Redaktion in Jer gerne aufgegriffene - Gerichtsmotiv des Giftwassers[196] zurückgeht. Der dtr. Bearbeiter hat diese Änderung seiner Vorlage wohl im Hinblick auf das Gerichtsmotiv am Ende von Ex 32 vorgenommen, und auch Hoffmann betont in seinem Exkurs zu den Übereinstimmungen mit dem Leitmotiv des Jeremia-Bu-

191) Vgl. G. GIESEN, Wurzel, 234f. und bes. 31of.

192) Vgl. im einzelnen U. RÜTERSWÖRDEN, Beiträge, passim, sowie C. BEGG, Destruction, passim.

193) Vgl. H.-D. HOFFMANN, Reform, bes. den Anhang zur deut.-dtr. Kultsprache, 342-348.

194) Vgl. U. RÜTERSWÖRDEN, Beiträge, 21.

195) So M. NOTH, ATD V, 2o5 u.a.

196) Jer 8,14; 9,14; 23,15; vgl. W. THIEL, Redaktion, 137f. Interessant ist, daß gerade eine späte dtr. Schicht in Deut 29,16f. das Motiv in Zusammenhang mit Götzen bringt.

ches, daß im dtr. Denken Kultreform und Gerichtsankündigung eng beieinander liegen[197].

Es hat sich somit gezeigt, daß ein später dtr. Bearbeiter die auf der Grundlage des JE-Textes neugestaltete Erzählung von Deut 9f. aufgegriffen hat und sie als Grundlage für seine Bearbeitung von Ex 32 benutzt hat. Bei dieser ging es ihm besonders darum, Ex 32 mit dem Bundesbuch (vgl. Ex 32,8. 31bβ.34aα$^+$) und dem DtrGW (vgl. Ex 32,4b.8bβ) zu verknüpfen.

EXKURS 1: *Herkunft und Bedeutung der Tafeln vom Sinai im Zusammenhang mit der Konzeption der jehowistischen Sinaitheophanie*

Ein spezielles Problem stellt bis heute die Frage nach dem ursprünglichen Inhalt der Tafeln vom Sinai dar. Hossfeld hat die verschiedenen Tafelbezeichnungen gruppiert und ihre Entwicklungslinie, an deren Ende die Zweiheit der Tafeln mit dem Dekalogtext steht, nachgezeichnet[198]. Bei der Erklärung der ältesten Tafelschicht folgt er Zengers Vorschlägen, der aufgrund einer Verbindung von Ex 32,19 mit 32,32f. annimmt, daß die Vorstellung himmlischer Bürgerlisten und Lebenstafeln ursprünglich der Tafelüberlieferung zugrundeliegt[199]. Diese Deutung ist aber mit einigen Schwierigkeiten verbunden,

197) Vgl. H.-D. HOFFMANN, Reform, 353, der jedoch (312) das Verhältnis von Deut 9,21 und Ex 32 anders bewertet. Vgl. H. SPIECKERMANN, Juda, 9of., der von einem "von alter Überlieferung durchwirkten dtr Vers" spricht.

198) Vgl. F.-L. HOSSFELD, Dekalog, 145-147, dort auch zur Diskussion mit E. OTTO und O. LORETZ.

199) Vgl. E. ZENGER, Psalm 87,6, passim.

da die hergestellte Verbindung von den Tafeln mit dem Buch von Ex 32,32f. begriffliche, sachliche und jetzt auch literarkritische (s.o.) Fragen aufwirft.
Wodurch ist einerseits der Wechsel von ספר und לחת zu erklären[200], und wie ist andererseits die Erwähnung des Buches mit dem Zerbrechen der Tafeln in der einen Geschichte in Einklang zu bringen? Hinzu kommt, daß bei den Belegen von himmlischen Büchern und Listen, wie auch in Ex 32,32f., immer im Singular von einem Buch oder einer Tafel die Rede ist (Ps 69,29; 139,16; Mal 3,16; Dan 12,14), was übrigens auch für die beiden von Zenger zitierten assyrisch-babylonischen Parallelen gilt, denn dort ist jeweils von einer hölzernen Tafel die Rede (^{giš}*LE.*U_5*.UM-šú*[201]; ^{giš}*LE.*U_5*.UM-ka*[202]), während die Tafelüberlieferung immer von לחת spricht. Somit scheint es berechtigt, dem Problem erneut nachzugehen.

Mit Zenger ist daran festzuhalten, daß Ex 24,12 und 31,18 eine Sonderstellung unter den Texten, die die Tafeln erwähnen, einnehmen[203]; ob jedoch der Hinweis auf die göttliche Verfasserschaft zum ursprünglichen Bestand gehört, ist fraglich, da beide Stellen die göttliche Verfasserschaft völlig unterschiedlich formulieren.
Die schwierigen syntaktischen Verhältnisse von Ex 24,12 lassen sich dann auch einfacher klären; der אשר-Satz braucht nicht notwendig wegen des Artikels bei לחת האבן stückweise zum Grundbestand gezogen zu werden. Es besteht auch die Möglichkeit, daß der Nachtrag die Determination bei אבן bedingt

---

2oo) Trotz F.-L. HOSSFELDs, Dekalog, 146 Anm. 52o Hinweis, daß die beiden Begriffe semantisch nicht so weit voneinander entfernt liegen, bedarf der Wechsel gerade auf dem kulturgeschichtlichen Hintergrund, den H. HAAG, Buch, 228f. Anm. 9 betont, einer besonderen Erklärung. Zum kulturgeschichtlichen Verhältnis Tafel - Buch vgl. K. GALLING, Tafel, passim.

2o1) ABL VI, 545, 8.

2o2) VAB 4, looa23.

2o3) E. ZENGER, Psalm 87,6, 98f.

hat, d.h., daß ein Redaktor die vorgefundenen Tafeln inhaltlich näher erklären resp. späterer Tradition anpassen will. Durch *waw*-explicativum schließt er dies an, wobei er den dann notwendigen Rückbezug des Relativsatzes auf das Ganze (Schreibmaterial und Inhalt) nur durch den zu אבן hinzugesetzten Artikel erreicht, wodurch der Rückverweis אשר כתבתי nicht auf eine Mitteilung der Abfassung, sondern auf die Verfasserschaft Gottes abhebt.
Auch in Ex 31,18 spricht nichts dafür, die Angabe über die Verfasserschaft JHWHs unbedingt zu den לחת אבן zu ziehen; es ist sogar möglich, daß ein priesterlicher Redaktor hier die vorgefundenen Tafeln durch eine vorausgeschickte (שני לחת העדת) und eine nachgestellte Ergänzung (כתבים באצבע אלהים) rahmt. Dazu paßt auch die große Rahmung durch Ex 31,18 - 34,29 sowie die terminologische Verwandtschaft zu Ex 32,16 (s.o.3.1.1.).
Ein Interesse an der Betonung der göttlichen Verfasserschaft zeigt sich in späteren Texten deutlich, was wohl damit zusammenhängt, daß Spätere dadurch die Bedeutsamkeit der vorgefundenen Tafeln hervorheben wollen[2o4] und damit Dignität und Verbindlichkeit des so aufgeschriebenen "Wortes Gottes" zu unterstreichen beabsichtigen. Daraus folgt, daß die ältesten JE-Belege[2o5] der Tafeln in Ex 24,12 und 31,18 diese nur einfach לחת אבן nennen.

Bei dem Versuch, die nähere Bedeutung dieser לחת אבן zu ermitteln - denn in der JE-Konzeption wird kein Inhalt dieser Tafeln mitgeteilt -, stößt man in der assyrischen Rechtsterminologie auf eine sehr bezeichnende Wendung, die zur Erhellung der Tafelvorstellung und -bezeichnung einiges beitragen

2o4) Vgl. H. HAAG, ThWAT IV, 393; vgl. auch L. PERLITT, Bundestheologie, 21o, der dies in Ex 31,18 P zuweist, da dieser die Tafeln nur noch heilig spreche.

2o5) Vgl. E. ZENGER, Sinaitheophanie, 178.18o.

kann. Im Assyrischen begegnet die Urkundenbezeichnung *dannatu*, die eine Kurzform der Bezeichnung *ṭuppu dannu/dannatu* darstellt[206]. Die *ṭuppu dannatu* erscheint im Kontext von Rechtsakten, für die über die normale Beurkundung hinaus eine bestimmte Dokumentationsform gefordert ist. In solchen Fällen begegnen nebeneinander zwei Urkunden für denselben Rechtsakt; neben die private Zeugenurkunde tritt die vom König resp. einer königlichen Behörde ausgestellte *ṭuppu dannatu*, die öffentliche Urkunde, wobei zu vermuten ist, daß diese öffentlichen Urkunden dann auch als eine Art Grundbuch der Registration und Aufbewahrung der zuständigen Behörde zukamen[207]. Den Begriff *ṭuppu dannatu* (wörtl. "eine feste Tafel") erklärt Koschaker von der Rechtswirkung dieser Urkunde her, d.h. "weil sie gegen Anfechtung und Bestreitung gesichert ist"[208]. Gegenüber dieser Erklärung des Begriffs *ṭuppu dannatu* legt eine rechtsvergleichende Betrachtung des parallelen Phänomens im babylonischen Rechtswesen eine andere Erklärung nahe.

In Parallele zum genannten Nebeneinander zweier Urkunden (private Zeugenurkunde und öffentliche Urkunde) für einen Rechtsakt im assyrischen Recht begegnet im Zusammenhang mit den sogenannten Kudurru-Dokumenten im babylonischen Rechtswesen eine vergleichbare Duplizität der Urkunden resp. Unterscheidung von Urkundenarten, nur daß hier deutlich wird, daß auch das Material - Ton oder Stein - den Unterschied ausmacht[209]. Brinkmanns Beschreibung der Kudurru-Dokumente macht die Verbindung sehr deutlich: "The sealed clay document was the formal legal proof or registration of the transaction; it was kept in the custody of the owner of

206) Vgl. AHw, 16ob; 161a.b; 1395a; CAD D, 9ob; 95a.

207) Vgl. im einzelnen P. KOSCHAKER, Rechtsurkunden, bes. 32-36; zur Sache auch G. CARDASCIA, RLA V, 517f.; H.P.H. PETSCHOW, RLA V, 52o-528; sowie zahlreiche Texte in KAJ und AR.

208) P. KOSCHAKER, Rechtsurkunden, 32f.

209) J.A. BRINKMAN, RLA VI, 269f.: "It is the relationship and contrast between the clay and the stone document that is our concern in this section."

the property. The Kudurru, on the other hand, was a documentary monument intended to strengthen or confirm the efficacity of the legal action; it was essentially for display."[21o].

Die Parallelität des Phänomens legt nahe, von hierher auch den assyrischen Parallelbegriff *ṭuppu dannatu* zu deuten, so daß die Bezeichnung nicht auf die Rechtswirkung der Urkunde, sondern auf ihren (ursprünglichen) materiellen Charakter abhebt, dessen inhaltlicher juristischer Kontext die Rechtswirkung erst bestimmt, so daß in die Semantik späterer juristischer Terminologie beides mit eingeflossen sein kann. Zur alttestamentlichen Tafelbezeichnung zurückkehrend läßt sich nun vermuten, daß der Begriff לחת אבן eine Übertragung des assyrischen Rechtsterminus *ṭuppu dannatu* ins Hebr. darstellt, zumal אבן im Hebr. nicht nur zur Materialangabe, sondern auch zur Eigenschaftsbezeichnung verwendet wird[211]. In diesem Sinn meint der Begriff לחת אבן folglich eine bestimmte Publikationsform eines Rechtsaktes, nämlich dessen öffentliche Beurkundung (s.u.).

Bei der vorgeschlagenen JE-Ansetzung des ursprünglichen Tafelmotivs wird aufgrund der rechtsorientierten Darstellung, besonders in der Ausgestaltung der Sinaitheophanie des JE[212] (Einsetzung des Privilegrechtes) und des zeitlich-kulturellen Kontextes (nach 722), die Aufnahme eines assyrischen Rechtsterminus gut verständlich.

Im Rahmen dieser Erklärung wird zum ersten Mal auch die ausschließliche Verwendung des Pl. לחת verständlich. Über Tafeln als Schreibmaterial ist aus dem AT inhaltlich und

---

21o) J.A. BRINKMAN, RLA VI, 27o, vgl. auch die von BRINKMAN dort beschriebene religiöse Dimension dieser öffentlichen Urkunde.

211) Z.B. Ez 11,19; 36,26. Vgl. חומת אבנים in Neh 3,35 mit *dūrūšu dannu* KAH II, 141.217; 1 Sam 25,37; Hi 6,12.

212) Vgl. E. ZENGER, Israel, 186ff.

sprachlich wenig zu entnehmen, wenn man beachtet, daß von den 45 alttestamentlichen Belegen von לוח 35 der Gesetzestafeltradition zuzurechnen sind[213] und von den übrigen lo Belegen - sieht man einmal von den unklaren "Tafeln des Herzens"[214] ab - nur 2 (Jes 3o,8; Hab 2,2) hierher gehören. Dieser Befund zeigt, daß zur Erklärung des לחת nicht auf das AT zurückgegriffen werden kann. Der ות-Pl. des maskulinen Nomens לוח ist nach den Analysen Michels als eine Mehrzahl, die aus einzelnen Gliedern beschrieben wird, zu erklären[215]. Es fällt nun auf, daß das Nebeneinander von individuellem und generellem Plural[216] gerade auch bei den akkadischen Tafelbezeichnungen *lēʾu* und *ṭuppu* begegnet[217]. Untersucht man die im vorliegenden Zusammenhang interessanten jüngeren Belege[218], dann zeichnet sich deutlich ab, daß die Verwendung des Individualplurals -*ānī* als distributiver Plural zur Gattungsbezeichnung zu erklären ist. Von hierher wird die grammatisch die gleiche Funktion übernehmende hebr. Pluralbildung לחת gerade dann verständlich, wenn man beachtet, daß in der JE-Tafeltradition kein Inhalt der Tafeln mitgeteilt wird, so daß nach den obigen Darlegungen resümierend geschlossen werden kann, daß es sich bei לחת אבן gar nicht um

---

213) Vgl. A. BAUMANN. ThWAT IV, 496.

214) Vgl. H.-J. FABRY, ThWAT IV, 442; H. HAAG, ThWAT IV, 387.

215) Vgl. D. MICHEL, Grundlegung I, 35-59.

216) Vgl. S. MOSCATI (Hrsg.), Introduction, Nr. 12, 42.

217) Vgl. GAG-Ergänzungsheft, § 61i.

218) Vgl. die zahlreichen Belege aus neu- und spätbabylonischer und neuassyrischer Zeit bei H. HUNGER, Kolophone, z.B. 142,7; 231,1; 296,2; 318,4; 319,7; 328,16; 329,6; 336,1; 338,8 oder S. PARPOLA, Letters, 224,lo.

einen numerischen Plural handelt[219], sondern in Konsequenz der Übernahme assyrischer Denk- und Vorstellungsweisen bei לחת אבן die Gattungsbezeichnung der öffentlichen Urkunden gemeint ist.

Im JE-Grundbestand der Sinaitheophanie geht es also darum, daß JHWH dem Mose "*feste* Tafeln" geben will resp. gibt (24,12; 31,18), d.h. das Geschehen von Theophanie und Opfer öffentlich beurkunden will, so daß es geradezu verständlich ist, daß kein Tafeltext an dieser Stelle mitgeteilt wird. Hierher paßt dann auch das Zerbrechen der Urkunde durch Mose in Ex 32,19, da das Ungültigmachen eines Rechtsaktes durch Zerbrechen der entsprechenden Tafeln in akkadischen Texten ebenso zu finden ist[22o].

Die hier vorgetragene Erklärung zu den Tafeln kann auch etwas Licht auf die späte Bezeichnung der Tafeln durch עדות in der priesterschriftlichen Tradition werfen. Die doppelte Ableitungsmöglichkeit des Nomens von יעד und עוד[221] spiegelt vielleicht bewußt die Entwicklung der Tafelvorstellung von der bezeugenden Urkunde zum Gesetzestext wider.

---

219) Es ist zu vermuten, daß dies den Masoreten noch bewußt war, denn nur in Ex 32,19 geben sie eine Änderung in den Pl. durch Qere מידיו an, wohl um sicher zu stellen, daß es zwei Tafeln sind; denn an allen anderen Stellen ist die Zweizahl der Tafeln durch die nötige Zahlangabe, zwei Tafeln (vgl. Ex 32,15; 34,4.29; Deut lo,3) resp. zusätzlich zwei Hände (Deut 9,15.17), gesichert.

22o) Vgl. im einzelnen die Belege in AHw und CAD s.v. *ḫepû*, sowie D. J. MCCARTHY, Treaty, 65 Anm. 56.

221) Vgl. M. GÖRG, Lade, 14; HAL, 747, C.v. LEEUWEN, THAT II, 217f.

Die exakte Erfassung der Tafelvorstellung ist besonders im Hinblick auf die JE-Konzeption der Sinaitheophanie bedeutsam. Durch die Aufnahme der genannten juristischen Terminologie spricht JE die theologische Provokation aus, daß JHWH selbst dem Geschehen vom Sinai - seinem Erscheinen und dessen Aufnahme und Beantwortung durch die Opfer des Volkes unter der Führung des Mose - dauernde, öffentliche Verbindlichkeit verleihen will und er selbst damit sein Sonderverhältnis zu diesem Volk zum Ausdruck bringen will. Besonders im Hinblick auf das in Ex 34 ohne Nennung von Tafeln (!) von JE eingeführte Privilegrecht ist diese Perspektive bedeutsam, da das Korrespondenzverhältnis von Urkunde/Tafel und Geboten dahingehend zu bestimmen ist, daß im Fall der Beurkundung des Sinaigeschehens durch die לחת אבן die Sichtbarwerdung des Verhältnisses JHWH - Volk ein Akt JHWHs ist, während im Fall der Gebotsübermittlung dieses Verhältnis wesentlich durch die Gebotsbeachtung des Volkes präsentiert wird. Dieser Zusammenhang weist schon auf die Eigenart der JE-Konzeption der Sinaitheophanie hin.
JE gestaltet die Sinaitheophanie in einer 3-Phasen-Dramaturgie, wobei ihm das Muster der 3 Tage von E (vgl. Ex 19,11^{+}. 14ff.$^{+}$) und J (vgl. Ex 19,2ff.$^{+}$; 24,4^{+}; 34,2.4^{+}) und auch des Grundtextes von Ex 32 (vgl. VV.1-4.6.3o) zugrundeliegt. Durch diese Integration vereinigt JE bei seiner Sinaitheophanie in der ersten Phase den gesamten Entwurf der 3 Tage von E sowie die ersten beiden Tage von J. Diese erste Phase läßt er anschaulich durch die Übergabe der לחת אבן (Ex 31,18) festhalten und enden, nicht ohne jedoch zuvor ein vierzigtägiges Verweilen des Mose auf dem Berg als notwendige Überleitung zur nächsten Phase (vgl. Ex 24,18 + 32,1) zu berichten.
Die zweite Phase der JE-Sinaitheophanie bildet die dreitägige "Gegenveranstaltung" (Ex 32), der Abfall von JHWH und damit die Auflösung der Geschehnisse der vorausgehenden Phase, was durch das Zerbrechen der Tafeln durch Mose (Ex 32,19)

sinnfällig verdeutlicht wird.
In der dritten Phase schließlich gipfelt die JE-Sinaitheophanie in der Übermittlung des sogenannten Privilegrechtes am dritten Tag der ursprünglichen Sinaitheophanie des J. Abgeschlossen wird sodann die dreiphasige Konzeption der Sinaitheophanieschilderung des JE in Ex 34,27 durch den Befehl an Mose, diese Worte (= das Privilegrecht) als Bundesurkunde aufzuschreiben. An dieser Stelle wird endgültig der Unterschied zu den zuvor genannten Tafeln deutlich; erst nachdem das von JHWH beurkundete Sonderverhältnis durch den Abfall des Volkes zerstört wurde, bildet das schriftlich fixierte Gesetz die Grundlage einer neuen Art der Gottesbeziehung.

Das Besondere der JE-Konzeption der Sinaitheophanie liegt somit in den beiden gegenüberstehenden Polen: das *einmalige* Ereignis der Theophanie samt der Antwort des Volkes durch den Kult des Volkes auf der einen Seite (= 1. Phase) und das Gesetz als Grundlage für ein *dauerndes* Verhältnis auf der anderen Seite (= 3. Phase). Verbunden wird beides durch die Erzählung von Ex 32 (= 2. Phase). Um Bedeutung und Folgen der Abkehr des Volkes von JHWH zu demonstrieren, setzt JE durch Ex 32 seine Reflexion zum Untergang des Nordreiches an dieser Stelle in die Sinaitheophanie ein. Die *Taten ohne JHWH* sind nicht einfach Sünden neben anderen Sünden, denn JE bezieht sich bei seiner Beschreibung nicht auf ein vorliegendes Verbot, das übertreten worden sei; vielmehr stellt er das Vergehen aus sich selbst heraus dar, so daß die entscheidende Sünde im Kontext des Exodus- und Sinaiereignisses sich deutlich als *Abwendung von dem Sich-hinwendenden-Gott* profiliert. Mose zerbricht folglich die JHWH-Urkunde gerade dort, wo das Volk auf das Erscheinen JHWHs geantwortet hatte (תחת ההר Ex 32,19; vgl. Ex 24,4)[222]. Diese Trennung von JHWH be-

---

222) Von hierher ist auch verständlich, daß einige der älteren Versionen (vgl. BHS) in Ex 32,2o בתחתית anstelle von תחת ההר lesen. Sie haben die um das Bundesbuch und den Dekalog erweiterte Sinai-

deutet für JE aber nicht das Ende des Verhältnisses JHWH - Volk, sondern nur eine qualitative Wende. JHWH selbst gibt nun als Hilfe für die Schwachheit des Volkes Gebote (Ex 34), wodurch das Gesetz eine kaum zu überbietende positive Konnotation erhält, da durch Gebotsbeachtung dem Volk selbst die Verwirklichung und Sichtbarmachung der Hinwendung Gottes zu ihm anheimgestellt wird. Durch diesen Wechsel, den die Sündenerzählung von Ex 32 vermittelt, ändert sich schließlich auch die Verfassung des Volkes. Das Volk, das bei der Theophanie und beim Kult (Ex 19,24) unter der Führung des Mose stand, steht von da an unter den Kategorien von Bund und Gesetz in seinem Verhältnis zu Gott.

3.1.4. Historische und literarische Bezüge

3.1.4.1. Grundschicht (JE-Vorlage)

Die Erzählung der oben eruierten Grundschicht beschreibt in anschaulicher Weise das Problem des Verhältnisses Israels zu seiner Führung. Israel schafft sich selbst ohne JHWH resp. gegen seinen Willen eine eigene Führung mit eigener Kultpraxis. Hier zeigt sich bereits deutlich die Nähe zur Verkündigung Hoseas (vgl. Hos 8,1-14; lo,1-8; 13,9-11). Hier wie dort stehen nicht Führung und Kult selbst im Zentrum der Kritik, sondern das Faktum, daß dies alles ohne Bezug zu JHWH geschieht[223]. Bei genauerer Betrachtung der Grundschicht von Ex 32 läßt sich die Verbindung zur Nordreichprophetie und besonders zur Verkündigung Hoseas weiter präzisieren.

---

theophanie schon vorliegen und wollen durch die Aufnahme des Begriffs aus Ex 19,17 die gesamte Gebotsmitteilung als zerstört verstanden wissen.

223) Vgl. bes. die Analysen von H. UTZSCHNEIDER, Hosea, lo5-128; J. JEREMIAS, ATD XXIV/1, 31f.

Der Erzähler konzipiert eine Begebenheit während des Exodusgeschehens; dies liefert ihm aber nicht nur den Erzählrahmen, sondern darüber hinaus vermag er seine entscheidenden theologischen Aussagen an diesem Grunddatum israelitischer Glaubensgeschichte festzumachen. So stellt er das ganze Ereignis in einem Drei-Tage-Schema dar, wodurch er an die - im Nordreich wohlbekannte - Drei-Tage-Konzeption der elohistischen Sinaitheophanie anknüpft und somit seine Geschichte als Gegenveranstaltung zur Sinaitheophanie charakterisiert. Damit erhält das genannte Problem der Führung Israels nicht nur die Qualität der Abkehr von JHWH, sondern eindeutig der Konkurrenz zu JHWH. Dieses Konkurrenzverhältnis wird in der Erzählung gleich zu Anfang in der Forderung des Volkes nach Göttern, die vor ihm herziehen sollen (V.2), herausgestrichen. Diese Formulierung erinnert aber sogleich an die Entscheidungsforderung des Elija in 1 Kön 18,21: "Wenn JHWH Gott ist, (dann) geht ihm nach, ist es der Baal, (dann) geht ihm nach.". Hier wie dort wird das Gottesverhältnis im Bild des Vor- oder Nachgehens (הלך לפני Ex 32,1; הלך אחרי 1 Kön 18,21) ausgedrückt, so daß deutlich wird, daß die Forderung des Volkes weit über die auf der "einfachen Erzählebene" realisierten Führung beim Wüstenzug hinausgeht und auf eine grundsätzliche JHWH-Konkurrenz abzielt[224]. Von hierher wird dann auch klar, daß die grammatisch mögliche Alternative von Sg. und Pl. in der Forderung des Volkes (V.2: Gott/Götter) sehr wohl im Sinn einer gegen den Ausschließlichkeitsanspruch JHWHs gerichteten Forderung im Text mitgehört werden will. Dies wird umso deutlicher, wenn man beachtet, wie in dem oben beschriebenen Begründungszusammenhang (vgl. הלך PK - עלה SK) beim Ansinnen des Volkes die "Herausführungsformel" benutzt wird; die Ablehnung des Volkes bezieht sich

---

224) G. HENTSCHEL, Elijaerzählung, rechnet V.21 zur ältesten Schicht der Karmelerzählung, vgl. 134-139.156ff.253-261.

folglich nicht auf irgendeine beliebige Tat des Mose, sondern auf das Zentralereignis, das Grunddatum der Existenz dieses Volkes.
Der Rahmen des Exodusgeschehens liefert dem Erzähler der Grundschicht von Ex 32 in der Person des Mose einen weiteren wichtigen inhaltlichen Bezugspunkt; denn Mose steht für die Hörer nicht nur als Exponent der von JHWH eingesetzten Führung, sondern in diachroner Sicht auch als Anfangspunkt der Sukzessionskette der Nordreichprophetie[225]. Gerade vom Ende der vorliegenden Geschichte her wird dies besonders deutlich, da Mose hier als Mittler auftritt, durch den JHWH sein widerspenstiges Volk vielleicht befreien kann[226]. In diesem Zusammenhang wird dann auch der absolute Führungsauftrag (s.o.) an Mose verständlich; denn trotz der Ansage der nötigen Heimsuchung der Schuld (vgl. חטא und פקד, beide Begriffe sind auch bei Hos häufig!) übergibt JHWH dem Mose - und somit natürlich auch den späteren Propheten - die Führung des Volkes, was ein besonderes Licht auf das Amtsverständnis der Nordreichprophetie wirft, wie es Zenger bereits am Beispiel von Hos 11,4 herausgearbeitet hat[227].

Zusammenfassend zeigt sich, daß die Erzählung der Grundschicht ihren Kern in der Frage nach dem Verhältnis JHWH-Israel hat. Die ohne und gegen JHWH gemachte Führung Israels wird als Störfaktor der lebensnotwendigen JHWH-Volk Beziehung gesehen und damit die Identität des JHWH-Volkes als von JHWH aus Ägypten befreites Volk (Erzählrahmen!) zerstört, und in der hybriden Herstellung eigener Führungsgrößen wird zugleich die Führung JHWHs durch Mose, den Prototypen des Propheten, abgelehnt. Ihre Heimat hat die Grundschicht von

---

225) Vgl. E. ZENGER, Menschen, 195f.; L. PERLITT, Mose, 6o3-6o5.

226) Vgl. J. VOLLMER, Rückblicke, 21of.

227) E. ZENGER, Menschen, passim; zur Unterscheidung von Nord- und Südreichpropheten vgl. H. UTZSCHNEIDER, Hosea, 231-238 sowie den Überblick bei F.-L. HOSSFELD, Glaube, 1o8f.

Ex 32 wohl, wie die zahlreichen aufgewiesenen Bezüge zur Sinaitheophanie des E und zu Hosea sowie der Nordreichprophetie insgesamt zeigen, in prophetischen Kreisen des Nordreiches.

3.1.4.2. Erste Bearbeitungsstufe (JE)

JE nimmt die genannte Erzählung auf und baut sie in seinen Bericht des Sinaiereignisses ein. Dabei funktioniert er die Geschichte um, indem er aus der Erzählung vom Vergehen der Führung ohne JHWH eine Geschichte von der Sünde mit dem goldenen Kalb werden läßt. Sachlich knüpft er bei dieser Aufnahme und Bearbeitung an die lokale-nationale Herkunft seiner Vorlage an, wechselt aber das Thema und stellt somit den Untergang des Nordreiches in direkte Verbindung zum Bethelkult. Folglich sind es vor allem drei gravierende Veränderungen, die die Geschichte durch die Aufnahme in den JE-Zusammenhang erfährt: 1. die Einführung des Kalbes; 2. die Einführung der Tafeln; 3. die sich daraus ergebende Veränderung der Position Aarons. Auffällig ist, daß die Argumentation dabei weder auf das erste noch auf das zweite Dekaloggebot zurückgreift, sondern eine hier nicht genannte Kritik an diesem Kultbetrieb voraussetzt. Eine solche Kritik an einem in dem Sinn mißverstandenen Kultbild, "daß die Repräsentanz an die Stelle des Repräsentierten getreten ist"[228], findet sich in bezug auf Bethel auch schon bei Hosea[229], so daß anzunehmen ist, daß JE an prophetische Kritik - wovon uns besonders Hosea bekannt ist - aus dem Nordreich anknüpft und diese für seine Erzählung in Ex 32 voraussetzt. Durch die Stellung, die er der Geschichte im Aufriß des Berichtes der Sinaitheophanie zuweist, steigert er von der prophetischen

---

228) H. UTZSCHNEIDER, Hosea, lo2.

229) Vgl. H. UTZSCHNEIDER, Hosea, 98-lo4.

Kritik zur Bezeichnung der gravierenden Sünde, der Ablehnung JHWHs. Somit wird in Verbindung mit den Tafeln, wie oben beschrieben, bei JE aus der Geschichte von Ex 32 eine fundamentale negative Qualifikation der Verehrung der Stierbilder, ohne daß dies explizit ausformuliert werden muß.

3.1.4.3. Zweite Bearbeitungsstufe (Dtr)

Ein später dtr. Redaktor bringt den ihm vorliegenden Text von Ex 32 durch seine Bearbeitung in Verbindung mit dem Bundesbuch und mit dem Deut und dem DtrGW. Seine von Deut 9f. her inspirierte Bearbeitung der Geschichte unter dem Blickwinkel des dekalogischen Bilderverbotes baut er noch insofern aus, daß er diese Linie konsequent weiterzieht und bei seiner Darstellung der Bundeserneuerung in Ex 34[23o] die Herstellung der neuen Tafeln dazu nutzt, seine Antwort auf die Übertretung des Bilderverbotes zu geben. Dies gelingt ihm dadurch, daß er die Herstellung der Tafeln mit der Wurzel פסל beschreibt, die - abgesehen von 1 Kön 5,32 - nur zur Bezeichnung von Bildern verwendet wird[231]. Aus dieser Anlehnung an die Bilderterminologie folgt, daß diese Tafeln resp. die darauf geschriebenen Worte die einzig legitime Darstellung JHWHs sein sollen.
Des weiteren verknüpft die dtr. Bearbeitung die Geschichte mit ihrer Darstellung von Jerobeams Kultgründung in 1 Kön 12. Die Kultgründung Jerobeams beurteilt die dtr. Geschichtsschreibung in 1 Kön 12 als Verstoß gegen das erste und das zweite Dekaloggebot. Dies wird zum einen durch die Herstellungsbeschreibung, zum anderen durch die Einführung des

23o) Vgl. F.-L. HOSSFELD. Dekalog, 2o9f. R.P. CARROLL, God, 58f. übersieht dieses Faktum der Bundes*erneuerung*, wenn er vorschnell in Ex 32 durch Kalb und Tafeln einen Konflikt "between idea and image, between word and thing" vorgezeichnet sieht.

231) Es gibt überhaupt nur 6 verbale Belege der Wurzel, wovon 4 auf Ex 34 und Deut 1o entfallen.

zweiten Kultortes Dan erreicht[232]. Die Beurteilung dieser Aktion Jerobeams wird durch die dtr. Bearbeitung aber im größeren Rahmen vorbereitet. So wird durch die Einführung des Kultrufes [233] in Ex 32 die Herstellung des Stierbildes bereits mit der Grundsünde Israels am Sinai in Verbindung gebracht, d.h. der Verstoß gegen das zweite Dekaloggebot literarisch vorbereitet. Ebenso geht es mit dem Verstoß gegen das erste Dekaloggebot durch Erwähnung des zweiten Kultortes mit Stierbild, was der dtr. Bearbeiter durch die pointierte Einfügung der Geschichte Ri 17-18 zum Ausdruck bringt[234]. Somit ist nach dtr. Beurteilung die "Sünde Jerobeams" die Fortsetzung und Steigerung der Grundsünden Israels in früherer Zeit. Da die "Sünde Jerobeams" für die Darstellung der Königszeit im DtrGW besonders wichtig ist[235],

---

232) Gewichtige Gründe sprechen für die Annahme, daß Dan kein *Reichs*heiligtum Jerobeams war, vgl. H. MOTZKI, Beitrag, bes. 474ff. H.-D. HOFFMANN, Reform, 71f. bes. Anm. 66; C. DOHMEN, Heiligtum, passim. J.A. SOGGINs, Judges, bes. 278 Annahme, daß es sich bei dem Komplex von Ri 17-18 um den *hieros logos* des Untergangs des Danitischen Heiligtums handelt, läßt einerseits die Gesamtkomposition des DtrGW (vgl. T. VEIJOLA, Königtum, 15-29 zur Funktion der sogenannten Anhänge zum Richterbuch) and andererseits das Schweigen gerade der Nordreichpropheten (Amos - Hosea) in bezug auf das Heiligtum von Dan außer acht. Dieser letzte Punkt wird auch von H.M. NIEMANN. Untersuchungen (Kap. 3), unterschätzt; hinzu kommt, daß seine literarkritische Analyse, die zu dem Ergebnis einer danitischen Grunderzählung mit drei Bearbeitungsstufen kommt, an zentraler Stelle fragwürdig wird, da sie sich auf eine auf dem Hintergrund der obigen Untersuchung (2.2.) unhaltbaren Differenzierung der Begriffe פסל und מסכה in Ri 17-18 stützt.

Der archäologische Befund eines von der Mitte des 2. vorchr. Jt.s bis in die röm. Zeit hinein existierenden Heiligtums (vgl. H. WEIPPERT, BRL², 55f.) spricht eher für die angenommene Auseinandersetzung zwischen dem Reichsheiligtum von Bethel und dem Ortsheiligtum von Dan (vgl. C. DOHMEN, Heiligtum, 2o).

233) Mit H. DONNER, Götter, 47 ist bei der pluralischen Übersetzung der Formel zu bleiben, der von H. MOTZKI als ursprünglich anzusetzende Sg. ist nach den beschriebenen literarischen Verhältnissen nur noch für 1 Kön 12,28 in Erwägung zu ziehen.

234) Vgl. C. DOHMEN, Heiligtum, 21f.

235) Vgl. J. DEBUS, Sünde, passim.

kommt dem Ausgangspunkt der Darstellung, Ex 32, eine weitere wichtige Verknüpfungsfunktion zu, indem Mose als Vorbild des Kultreformers Josia fungiert[236].

3.1.4.4. Dritte Bearbeitungsstufe (R^P)

Die letzte Bearbeitungsstufe des Textes hat - abgesehen von den schon genannten Pentateuchverbindungen, die sie einträgt - vor allem mit den Folgen der vorausgehenden Bearbeitung zu tun. So geht es dieser Bearbeitung darum, das negative Licht, das auf Aaron gefallen ist, zu beseitigen.
Bei all dem stellt sie aber auch neue Bezüge zu Jerobeams Bethel-Kult her. So wird durch die beschriebene Aufnahme aus dem Baal-Peor-Zusammenhang zwar eine alte Tradition aufgenommen, aber dies geschieht wohl nicht nur in der Absicht, das levitische Priestertum am Sinai eingesetzt zu haben[237], sondern auch als Kontrast zu dem Affront Jerobeams gegen die Leviten (1 Kön 12,31); ebenso mag die Ankündigung eines חג ליהוה in bewußter Opposition zum חג לבני ישראל von 1 Kön 12,33 formuliert sein.

EXKURS 2: *Das Kalb und der Stierkult*

Der in Ex 32 und den Berichten um Jerobeam I erwähnte עגל ist häufig mit dem im Orient weitverbreiteten Stierkult[238] in Verbindung gebracht worden. Die begriffliche Schwierig-

---

236) Vgl. H.-D. HOFFMANN, 312f.

237) So G. SCHMITT, Ursprung, 581.

238) Vgl. W.v. SODEN, RGG^3,VI, 372f.

keit der Verbindung von Kalb und Stier ist dabei - wenn überhaupt - sehr unterschiedlich erklärt worden; entweder hebe der Begriff עגל auf die Größe des Bildes (= kleiner Stier) oder auf die Jugendlichkeit des gemeinten Stieres ab, oder aber es sei ein von Hosea kommender polemischer Begriff[239]. Gegenüber einer voreiligen und recht allgemeinen Verbindung zum Stierkult ist aber einerseits aufgrund des besonderen alttestamentlichen Befundes (s.u.) und andererseits aufgrund der neben dem Stiermotiv eigenständigen Kälbersymbolik, wie sie die instruktive Studie von Buchholz[24o] aufzeigt, Vorsicht geboten.

Von den 35 Belegen von עגל im AT entfallen 19[241] auf die Bezeichnung eines Kultbildes, wobei diese sich alle auf den Bethel-Kult beziehen[242]. Besonders im Blick auf die Belege bei Hosea wird deutlich, daß es sich nur um *ein* Kalb handelt, denn alle pluralischen Belege stehen in Zusammenhang mit der bereits oben genannten dtr. Beschreibung der Maßnahmen Jerobeams[243]. Die Feststellung, daß es sich nur um *ein*

---

239) Vgl. im einzelnen die Nachweise bei J. HAHN, Kalb, 15-19.

24o) H.-G. BUCHHOLZ, Kälbersymbolik, passim.

241) Ex 32,4.8.19.2o.24.35; Deut 9,16.21; 1 Kön 12,28.32; 2 Kön 1o,29; 17,16; Hos 8,5.6; 13,2; Ps 1o6,19; Neh 9,18; 2 Chr 11,15; 13,8; hinzuzunehmen ist vielleicht noch das unklare עגלות von Hos 1o,5, das entweder als Abstraktplural "Kälberei", so W. RUDOLPH, KAT XIII/1, 195, aufzufassen oder in den Sg. zu ändern ist, so H. W. WOLFF, BK XIV/1, 222.

242) Auch bei der Benennung עגל שמרון bei Hosea (8,5f.) ist wohl an das Kalb von Bethel zu denken; vgl. H.W. WOLFF, BK XIV/1, 179f.; J. JEREMIAS, ATD XXIV/1, 1o7 deutet sie als verächtliche Bezeichnung im Sinne von "Staatskalb".

243) Hos 13,2 ist aus verschiedenen Gründen auch einer späteren (dtr.) Redaktion zuzuschreiben: 1. Die VV.1-3 fallen formal aus dem Kontext heraus, da sie keine Gottesrede darstellen (vgl. A. DEISSLER, NEB. Zwölf Propheten, 57, der den Befund zwar nennt, aufgrund des Folgenden aber auch eine Gottesrede voraussetzt); 2. weist das וימת von V.1b auf einen späteren Zeitpunkt hin; 3. die Formulierung von V.2 ויעשו להם מסכה enthält das bei Hosea sonst nicht mehr vorkommende מסכה und steht späten Formulierungen des Bilderverbotes (s.u.) nahe (vgl. bes. Deut 9,12); 4. begegnet in V.2b ein *nun*-pa-

ragogicum (vgl. dazu den Exkurs 3).

Das *nun*-paragogicum begegnet bei Hosea nur noch 4mal, alle Stellen erweisen sich als sekundär in ihrem jetzigen Kontext: Hos 5,15 gehört zu der eigenen Texteinheit 6,1-3 (vgl. W. RUDOLPH, KAT XIII/1, 131ff.; J. JEREMIAS, ATD XXIV/1, 83-86); Hos 9,16 (2mal) ist in der Einheit 9,10-17 Tradentenkreisen zuzurechnen (vgl. H.W. WOLFF, BK XIV/1, 211); Hos 11,2 gehört zu denselben Kreisen wie 9,10ff. (vgl. H.W. WOLFF, BK XIV/1, 253); s.u. Anm. 249.

Eine Lösung für Hos 13,2 zu finden ist schwierig, da schon der Text selbst einige Probleme aufwirft: Das כתבונם wird entweder aufgrund von LXX κατ' εἰκόνα und Vulg. *quasi similitudinem* in כתבנית ("nach dem Modell") geändert oder es wird als Verkürzung von כתבונתם (vgl. GesK § 91e) angesehen; jedoch verlangt die erste Möglichkeit syntaktisch notwendig den vorausgehenden Satz, während die zweite durchaus darauf verzichten kann, da der Versteil in diesem Fall als Nominalsatz aufzufassen ist ("aus ihrem Silber nach ihrem Verstand sind ihre Götzen").
Die nächste Schwierigkeit ist die syntaktische Gliederung von V.2b. Die Übersetzer haben gerade hier stärker in den Text eingegriffen (vgl. auch BHK/BHS), um ihm einen Sinn abzuringen. So bietet H.W. WOLFF, BK XIV/1, 285,beispielsweise "Bei sich selbst sagen sie: 'Die Menschen opfern, küssen Kälber'";J. JEREMIAS, ATD XXIV/1, 159,demgegenüber "'Ihnen', fordern sie auf, 'opfert'! Menschen küssen Kälber!"; und die Einheitsübersetzung, die A. DEISSLERs, NEB, Kommentar zugrundeliegt, bietet "Ihnen, so sagen sie, müßt ihr opfern. Menschen küssen Kälber".
Für eine Lösungsmöglichkeit von Hos 13,2 gilt es,vorab drei Beobachtungen festzuhalten: 1. ויעשו להם מסכה entspricht Deut 9,12 (hier SK statt PK) sowie 2 Kön 17,16; bei beiden Stellen handelt es sich um dtr. Formulierungen, die vom dekalogischen Bilderverbot geprägt sind (s.o. 2.2.2.2.). 2. Die Wendung מעשה חרשים ist fest im dtr. Literaturbereich verankert (vgl. M. WEINFELD, Deuteronomy, 367). 3. Das den vorliegenden Vers abschließende Verb ישקון hat das vom Dtr. häufig verwendete *nun*-paragogicum (s.o.) sowie den Pl. des Nomens (s.u. Exkurs 3). Faßt man diese Beobachtungen zusammen, dann ergibt sich, daß Hos 13,2,wenn nicht sogar vollständig dtr. - wofür es an zusätzlichen Hinweisen mangelt -,so doch zumindest dtr. bearbeitet ist. Als Grundtext von Hos 13,2 stellt sich dann folgender Text heraus:

ועתה יוספו לחטא
מכספם כתבונם עצבים
להם הם אמרים זבחי אדם

"Und nun fahren sie fort zu sündigen,
aus ihrem Silber und nach ihrer Einsicht sind ihre Götzen,
sich selbst nennen sie 'Opfernde der Menschheit'."

Der Vers beschreibt somit nach dem Hinweis auf Baal in 13,1 eindringlich die weiteren Sünden, nämlich Götzen nach dem eigenen Gutdünken zu machen (vgl. Jes 44,19) und sich selbst dabei noch als die wahren Gottesdiener überhaupt anzusehen. Ein dtr. Redaktor hat diesen Angriff aufgegriffen und durch drei kleine Ergänzungen weitergeführt. Die fort-

Tier handelt, ist bemerkenswert, da Buchholz darauf hinweist, daß die Anzahl für die Deutung der Symbolik von Wichtigkeit ist: "Der zeugungskräftige Stier tritt überwiegend singulär oder in unüberschaubarer Zahl auf, das Kalb in der Regel paarweise."[244]. Somit ist es nicht angebracht, das Bethel-Kalb mit der Herrschaftssymbolik, wie sie Buchholz für die Kälber eruiert hat, in Verbindung zu bringen[245], zumal die von ihm gewählten Objekte anderer Art sind als das Kalb von Bethel[246].

Der alttestamentliche Befund von einer Konzentration der עגל-Belege auf die Bethel-Tradition kann aber nicht dahingehend ausgewertet werden, daß der Begriff עגל eine von Hosea ausgehende Polemik darstelle[247], da es weder im AT noch in den Sprachen der Umwelt des AT einen Hinweis auf einen pejorativen Gebrauch des Wortes gibt, so daß ein zweideutiger Gebrauch[248] nicht postuliert werden kann. Es gilt zudem zu beachten, daß die typischen Forderungen und Wendungen der Polemik gegen Götterbilder nur in späteren Stücken des Bu-

---

dauernde Sünde erläutert er als Verstoß gegen das Bilderverbot, wobei ihm wohl die Formulierung von Deut 9,12 als Vorbild gedient haben mag, da er auf das Stierbild in Bethel abzielt; die Verurteilung der Götze erfolgt durch den "üblichen" Hinweis auf ihre Herstellung,und der in seinen Augen übergroßen Selbstüberschätzung setzt er die markante Charakterisierung der Kultpraxis (vgl. 1 Kön 19,18) dieser Kultteilnehme entgegen.

244) H.G. BUCHHOLZ, Kälbersymbolik, 61.

245) Die exegetisch unkritische Einbeziehung des "goldenen Kalbes" von Ex 32 (sowie der Methapher von Mal 3,2o) bei H.-G. BUCHHOLZ, Kälbersymbolik, 7o,ist von der vorwiegend archäologischen Ausrichtung der Studie zu erklären.

246) Zu dem von ihm beigebrachten Material käme als Vergleichsmaterial aus dem AT höchstens der Thron Salomos in Betracht (vgl. H.-G. BUCHHOLZ, Kälbersymbolik, 63f.), jedoch sind die Textprobleme in 1 Kön 1o,19 groß (vgl. H.-J. FABRY, ThWAT IV, 261).

247) Vgl. im einzelnen J. HAHN, Kalb, 17f.

248) Vgl. H.D. PREUSS, Verspottung, 124.

ches Hosea zu finden sind[249]. Zwar kann der Hinweis auf den Namen עגליו auf einem Ostrakon aus Samaria[25o] den offiziellen Charakter des Begriffs nicht eindeutig bestätigen[251], da der Name mit Noth[252] auch in Parallele zu solchen Namen gesehen werden kann, die den Namensträger als Sprößling einer Gottheit bezeichnen[253]; zusammen mit vergleichbaren ugaritischen Belegen[254] ist jedoch von der Annahme einer offiziellen Bezeichnung des Bethel-Kalbes durch עגל auszugehen.

Es wurde häufig darauf hingewiesen, daß das Fehlen jedweder Kritik vor Hosea am Kultbild von Bethel zeige, "daß der Kult von Bet-El in vorstaatlicher wie zur Zeit des Nordreiches seinem Selbstverständnis nach ein jahwistischer Kult gewesen ist"[255], so daß es auf dem Hintergrund der obigen Darlegung geboten ist, von hierher eine Erklärung des Begriffs עגל zu

---

249) Hos 8,6: Der erste Teil von V.6a ist schon schwierig und hat zu mancherlei Konjekturen Anlaß gegeben (vgl. H.W. WOLFF, BK XIV/1, 17o.182), der folgende Teil von V.6a erweist sich aus stilistischen Gründen (Inklusion durch הוא) und sachlichen Gründen (Alter vergleichbarer Texte, vgl. J. HAHN, Kalb, 354; H. WILDBERGER, BK X/1, 1o3) als sekundär (vgl. BHK^3, BHS).
Hos 11,2: Der Vers gehört mit H.W. WOLFF, BK XIV/1, 253 in Parallele zu 9,1o-1o,8 einer späteren Schicht zu. Zudem fällt der sonst bei Hosea nicht belegte Terminus פסלים und das *nun*-paragogicum auf (s.o. Anm. 243).
Hos 13,2: Vgl. dazu Anm. 243. Hinzu kommt, daß in diesem Vers das sonst von Hosea nicht verwendete מסכה vorkommt (s.o.Anm. 243).
Hos 14,4: Der ganze Abschnitt Hos 14,2-9 ist spät (vgl. H.W. WOLFF, BK XIV/1, 3o3; J. JEREMIAS, ATD XXIV/1, 169).

25o) A. LEMAIRE, Inscriptions, Nr. 41,4.

251) Vgl. J. HAHN, Kalb, 18.

252) M.NOTH, Personennamen, 15o-152.

253) Vgl. A. LEMAIRE, Inscriptions, 53, der auf weitere familiäre Bezeichnungen verweist.

254) Vgl. die Hinweise bei J. HAHN, Kalb, 18f.: H.D. PREUSS, Verspottung, 124; K. JAROS, Stellung, 253-265.

255) H. UTZSCHNEIDER, Hosea, 89f.

finden. Sind die Bethel-Traditionen des AT zwar vielschichtig, so ist doch eindeutig, daß der Ort auf eine kanaanäische Kultstätte des Gottes El zurückgeht[256]; für diesen ist nun die Stiersymbolik breit belegt[257], und der religionsgeschichtliche Hinweis von Caquot-Sznycer-Herdner "si El est un taureau, Ba^{c}al est un 'taurillon' (^{c}*gl* = hébreu ^{c}*ègèl*)"[258] weist auf die Lösung des Problems hin.
Daß JHWH nicht sogleich mit El identifiziert wurde, sondern ein längerer Prozeß der Integration und Assimilation von entsprechenden Traditionen anzunehmen ist, darauf hat Mulder eindrücklich hingewiesen[259]. Von hierher legt sich die Annahme nahe, daß die עגל-Bezeichnung für JHWH auf die Anfänge der JHWH-Verehrung in Bethel zurückgeht, d.h. den Ausgangspunkt der Übernahme des Heiligtums widerspiegelt, so daß die עגל-Bezeichnung hier nur auf die Unter- oder Zuordnung zum eigentlichen Stier El hinweist. Ob man demgegenüber aufgrund der Metaphorik von Num 23,22; 24,8 auf eine vorliegende Verbindung vom Gott des Exodus mit Stierprädikaten[26o] zurückgreifen kann, ist fraglich, da hier im Vergleich (!) mit anderer Terminologie von El gesprochen wird. Die Metaphorik der genannten El-Sprüche kann aufgrund der oben genannten Beobachtungen eben nicht zur Erklärung des JHWH-עגל-Problems herangezogen werden. Dieses scheint sich nur über die Geschichte des Bethel-Heiligtums im Rahmen der JHWH-Verehrung lösen zu lassen.
Es sollte stattdessen zumindest in Betracht gezogen werden, ob nicht erst Jerobeam I im Zuge einer Restauration des al-

---

256) Vgl. M. WÜST, BRL^{2}, 44f.

257) Vgl. M.H. POPE, El, 35-42; F.M. CROSS, ThWAT I, 262f.

258) A. CAQUOT-M. SZNYCER-A. HERDNER, Textes, 75; vgl. zum Verhältnis El-Baal;J.C. DE MOOR, ThWAT I, 714.

259) M.J. MULDER, Jahwe, passim.

26o) Vgl. H. UTZSCHNEIDER, Hosea, 97, der hier einen Hinweis H. MOTZKIs aufgreift.

ten Stierkultes von Bethel[261] diesen mit der gewachsenen JHWH-Tradition verbindet, wie es der verwendete Kultruf, der dann als JHWH-Epitheton (= der Exodusgott) zu verstehen ist, nahelegt. Aus dieser Synthese der Traditionen ist dann auch die Konkurrenz Bethels zu Jerusalem verständlich[262]. Ein Hinweis auf eine vorgenommene Verbindung von Exodustradition und Bethel mag auch in Ri 2,1-5 vorliegen[263], und zu fragen bliebe noch, ob nicht vielleicht Gen 28,lo-22 eine Kritik an dieser Wiederaufnahme des alten Stierkultes von Bethel zugrundeliegt, so daß diese Erzählung von Gen 28 der Restauration dieses Bethel-Kultes die Gründung eines "unproblematischen Heiligtums" durch einen Patriarchen entgegensetzen will[264], bei dem die Massebe anstelle des Stiers im Vordergrund steht.

Zusammenfassend läßt sich in bezug auf die Frage nach der Semantik des עגל-Begriffs im AT sagen, daß sich in ihm ein Anklang an die Frühzeit der JHWH-Verehrung in Bethel - Heiligtum des Hauptgottes El(Stier) - findet und kein Hinweis auf die spätere Polemik schon im Begriff selbst steckt.

---

261) Vgl. H. MOTZKI, Beitrag, 477; vgl. auch den Hinweis von F. DUMERMUTH, Kulttheologie, 86: "Ist es ein Zufall, wenn im Jakobssegen von Gen 49 gerade innerhalb des Spruchs über den das Heiligtum von Bethel besitzenden Stamm Joseph die Gottesbezeichnung 'abir Jakob wiederbegegnet?".

262) Die Annahme einer ursprünglichen Verbindung von Jakob, Goldenem Kalb und Lade, wie sie J. DAVENPORT, Study, 131-138 beschreibt, ist zu hypothetisch, als daß sie sich von anderen Texten her absichern ließe.

263) Vgl. K. GALLING, Bethel, 3of.

264) Im Rahmen der vorliegenden Arbeit können diese Fragen - besonders nach der literarischen Verarbeitung älterer Bethel-Traditionen - jedoch nicht weiter erörtert werden.

3.2. Ex 2o,23

לא תעשון אתי אלהי כסף ואלהי זהב לא תעשו לכם

3.2.1. Der Kontext von V.23

Der hier zu behandelnde Vers steht im sogenannten Rahmen des Bundesbuches. Diese Einleitung des Bundesbuches (Ex 2o, 22-26) ist selbst nicht aus einem Guß und daher schon problematisch. Zum einen ist die Zuweisung der Redeeinleitung V.22 schwierig[265], da sie durch den Rückverweis V.22b breit ausgebaut ist und zudem mit dem Einleitungsvers in 21,1, der die Beauftragung erneut formuliert, konkurriert; zum anderen fällt der Numeruswechsel zwischen V.23 und V.24 sogleich ins Auge, so daß sich die Frage nach der Verbindung resp. Zuweisung von V.23 und VV.24-26 stellt.

Zuletzt ist Hossfeld diesen Problemen der Bundesbucheinleitung ausführlich nachgegangen[266], so daß sich die folgende Analyse auf seine Ergebnisse stützen und die Auseinandersetzung sich im Wesentlichen auf diese konzentrieren kann. Für die genannten Fragen bietet er folgende Lösungen: In Ex 2o,22aα findet sich die dtr. Bundesbucheinleitung, die an die vorauslaufende elohistische Sinaierzählung von 2o,21 angehängt ist und vom Altargesetz 2o,24-26+ gefolgt wird. Der dtr. Redaktor sprengt dann durch eine zusätzliche Einleitung in 21,1 den ursprünglichen Zusammenhang von Altargesetz und kasuistischen Gesetzen auf, um das Altargesetz, dem die spätere Entwicklung entgegenstand (vgl. die Zusätze

---

265) Vgl. J. HALBE, Privilegrecht, 441; M. NOTH, ATD V, 14of.

266) F.-L. HOSSFELD, Dekalog, 176-185.

VV.25b.26b), als Vorspann zu benutzen und in dem "Du" der Anrede diesen Teil allein auf Mose zu beschränken. Eine jüngere priesterliche Bearbeitung hat sodann die dtr. Redeeinleitung ausgebaut (V.22aβ.b) und damit die Verbindung zum Dekalog hergestellt. Die Eröffnung des Bundesbuches hat sie durch eine freie Ausgestaltung der ersten Dekaloggebote in V.23 erreicht.

Die referierte These zeigt die wesentlichen Zusammenhänge von Ex 2o,22-26 auf; die Beurteilung von V.23 basiert jedoch auf einem wenig tragfähigen Vergleich und läßt noch einige Fragen offen.

3.2.2. Analyse von V.23

Der Vers bietet vor allem in der ersten Hälfte syntaktische Schwierigkeiten, wie sie auch schon durch die Varianten der alten Versionen bezeugt sind[267]. Die masoretische Versteilung hinter אתי läßt zwei Prohibitive entstehen, wobei der erste - da objektlos - unvollständig bleibt.

Die Lösungsvorschläge zu diesem Problem lassen sich in zwei Gruppen zusammenstellen; einige Exegeten, so vor allem in älteren Kommentaren, rechnen mit einem Wortausfall hinter אתי und ergänzen dann entweder אלהים oder אלהים אחרים[268]; andere halten die masoretische Versteilung für falsch und ziehen somit das אלהי כסף als Objekt zum ersten Prohibi-

267) Vgl. LXX: οὐ ποιήσετε εαυτοῖς θεοὺς ἀργυροῦς καὶ θεοὺς χρυσοῦς οὐ ποιήσετε ὑμιν αὐτοῖς; Syr: *l' tᶜbdwn lkwn ᶜmj 'lhj' ddhb' w'lhj' ds'm' l' tᶜbdwn lkwn*; einige Codices der Vulg. unterschlagen im ersten Satzteil "*Non facietis mecum deos argenteos*" auch das "*mecum*", vgl. H. QUENTIN (Hrsg.), Biblia Sacra, z.St.

268) Vgl. B. BAENTSCH, HK I/2, 13 Anm. 9; A. DILLMANN, KeH XII, 246; H. HOLZINGER, KHC II, 79f.; P. HEINISCH, HSAT I/2, 163.

tiv[269]. Völlig unbegründet ist der Vorschlag Mittmanns, mit Blick auf Ex 32 den letzten Teil von V.23 ואלהי זהב לא תעשו לכם als nachhinkenden sekundären Schlußsatz zu werten[27o], da in V.23 für diese Aufspaltung keine Kriterien ausfindig zu machen sind und zudem in Ex 32,31b gerade dieselbe Konstruktion עשה mit dativus commodi begegnet.
Gegen die genannte Änderung der masoretischen Versteilung als Lösung des Problems hat Holzinger bereits mit Recht bemerkt: "Doch hat die dabei entstehende Unterscheidung silberner und goldener Bilder keinen Sinn."[271]. Dies wird umso deutlicher, wenn man die nähere Bedeutung des אתי zu bestimmen versucht und hierin die "Konkurrenzaussage des ersten Dekaloggebotes"[272] sieht. Das אתי wird an dieser Stelle entweder relational "was mich betrifft"[273] oder lokal "neben/außer mir"[274] aufgefaßt. Das Problem versucht Cazelles durch seine Erklärung "Les deux stiques disent la même chose, mais l'un par rapport à l'adoré, l'autre par rapport aux adorants."[275] zwar inhaltlich einzufangen, die syntaktischen Probleme werden so aber nur ausgeblendet. Es soll deshalb erprobt werden, ob die durch V.23 aufgeworfenen Fragen nicht gerade durch eine Berücksichtigung der masoretischen Versteilung samt einer Einbeziehung der syntaktischen Beobachtungen zu lösen sind.
Der bei der masoretischen Trennung verbliebene V.23b stellt

---

269) Vgl. U. CASSUTO, Commentary, 255; E. ZENGER, Sinaitheophanie, 68 Anm. 56; F.-L. HOSSFELD, Dekalog, 18o; H. CAZELLES, Etudes, 4o ist zwar gegen eine Abspaltung der Wendung אלהי כסף ואלהי זהב, und vermutet stattdessen eine ursprüngliche Wiederholung derselben Wendung, bleibt dann aber bei der Trennung in einen Parallelismus und gibt somit die masoretische Versteilung auch auf.

27o) S. MITTMANN, Deuteronomium, 157 Anm. 87.

271) H. HOLZINGER, KHC II, 79.

272) F.-L. HOSSFELD, Dekalog, 18o.

273) Vgl. H. CAZELLES, Etudes, 4o.

274) H.D. PREUSS, ThWAT I, 486; HAL, 97b.

275) H. CAZELLES, Etudes, 39f.; so auch F.-L. HOSSFELD, Dekalog, 18o.

einen vollständigen Prohibitiv mit vorangestelltem Obj. dar wie auch in Ex 34,17; mehrfach in Lev 18,7-18. Vorangestelltes Obj. findet sich ebenso beim nachfolgenden Injunktiv von Ex 2o,24. Demgegenüber ist der Prohibitiv von V.23a unvollständig, und läßt man die Möglichkeit eines Wortausfalls beiseite, dann ist er nur von dem nachfolgenden Prohibitiv her zu verstehen. Cassuto, der zwar selbst die masoretische Versteilung aufgibt, versucht ihr Zustandekommen aber dadurch zu erklären, daß hinter der masoretischen Abtrennung die Absicht zu erkennen sei, die sonst mögliche Interpretation, nur silberne oder goldene Bilder nicht zu dulden, vollständig auszuschließen[276]. Damit weist er in eine Richtung, die nicht erst die masoretische Versteilung betreffen muß, sondern die die Lösung des Problems anzeigen kann, daß nämlich V.23a als nachträgliche Ergänzung zu V.23b möglich ist. Für die syntaktischen Probleme des Verses bedeutet dies, daß V.23a bewußt als Ellipse formuliert ist, da der bereits vorhandene V.23b alle weiteren nötigen Informationen, nämlich die Objektnennung, enthält, so daß etwa so zu übersetzen ist: Nicht sollt ihr (dies) neben/bei mir machen, silberne Götter und goldene Götter sollt ihr euch nicht machen. Auf der inhaltlichen Seite ist durch diese Konstruktion dann quasi ein "Doppelverbot" entstanden, zum ersten: nichts neben JHWH zu machen und damit zu verehren, zum zweiten: keine Götterbilder herzustellen. Liegt sachlich damit auch eine enge Verbindung zum dekalogischen Fremdgötter- und Bilderverbot nahe, so ist es doch angemessener, von *einem* "Doppelverbot" zu sprechen, da das in der vorliegenden Ellipse formulierte 1.Gebot das ganze zweite zum Obj. hat und damit beide eng ineinander verwoben sind. Gerade in der Gegenüberstellung zur Dekalogparallele wird die besondere Bedeutung des vorliegenden Verses deutlich. Der einleitende unvollständige Prohibitiv von V.23a hat das - bei Bilderver-

276) Vgl. U. CASSUTO, Commentary, 255.

botsformulierungen übliche - Verb עשה jedoch nicht mit der dann zu erwartenden Fortführung durch einen dativus commodi, sondern mit der semantisch schwieriger zu bestimmenden Präposition את (s.o.). Wenn die oben vorgeschlagene Erklärung stimmt, daß V.23a eine nachträgliche elliptische Formulierung sei, die die Konkurrenzaussage des ersten Dekaloggebotes miteinzutragen beabsichtige, dann muß erklärt werden, warum dieser Zusatz nicht auch in der Art des ersten Gebotes - היה mit על פני o.ä. - formuliert wurde. Für die Deutung von V.23a als Ellipse und gegen die Annahme eines ausgefallenen אלהים אחרים (s.o.) spricht, daß das Verb עשה exakt zu dem als Obj. von V.23a fungierenden V.23b paßt. Wenn nun die durch das אתי angezielte Konkurrenzaussage mit diesem Verb 'machen' formuliert ist, dann wird deutlich, daß dieser Versteil sachlich auf der gleichen Ebene steht wie z.B. Lev 26,1 (s.u.3.5.) und andere späte Texte, die dem Bilderverbot gegenüber dem Fremdgötterverbot die Priorität zuweisen (s.u.4.5.). In diesem Rahmen spricht die elliptische Aussage von Ex 2o,23a ganz deutlich vom Ausschließlichkeitsanspruch JHWHs in der Diktion des Bilderverbotes, d.h. fremde Götter gibt es gar nicht, und gemachte Götterbilder, wie es sie in anderen Religionen gibt, soll es im JHWH-Kult (אתי) nicht geben. Zu fragen bleibt, warum der Ergänzer für seine Erweiterung dann diese syntaktisch etwas schwierigere Ellipse gewählt hat. Vielleicht stand dahinter die Absicht, V.23 als Ouvertüre zum Bundesbuch phonetisch durch einen Doppelvers[277] besonders herauszustellen, so daß auf diesem Wege eine zwischen zwei Möglichkeiten "schwingende" Aussage entsteht: Die phonetische Möglichkeit betont den Parallelismus und geht dabei von der Synonymität der beiden Objektteile (אלהי כסף - אלהי זהב) aus; dabei liegt der Unterschied dann

277) W. VON SODEN, Hebr. Wörterbuch, 16o hat darauf hingewiesen, daß "Ex 2o,23 die Form eines Doppelverses hat, d.h. eines Verses mit 11 + 11 Silben, die sich auf 11 Jamben verteilen", zur Untersuchung vergleichbarer "Mottoverse" vgl. W. VON SODEN, Mottoverse, passim.

in der von Cazelles (s.o.) beschriebenen Weise in der Blickrichtung (von Gott her - vom Menschen her); die inhaltliche Möglichkeit hebt den Bezug der vorangestellten Ellipse zum nachfolgenden Prohibitiv hervor, wobei dann zwei verschiedene, jedoch eng aufeinander bezogene Aussagen (s.o.) entstehen. Erst die unumgängliche Festlegung durch "Satzzeichen" auf eine einzige Möglichkeit, nämlich die inhaltliche unter Vernachlässigung der phonetischen durch die Masoreten, hat dann in der Folgezeit die genannten Probleme aufgeworfen.
Hat man V.23 literarkritisch nun einmal zerlegt, stellt sich die Frage nach der redaktionskritischen Zuordnung der beiden Versteile. Hossfeld, der V.23 ganz einem priesterlichen Redaktor zuschreibt[278], weist unter den Vergleichspunkten Thema, Numerus und Aufbau auf die Parallelen in Lev 19,4a und 26,1a hin. Lev 19,4a ist jedoch völlig anders aufgebaut (Vetitiv und Prohibitiv) und formuliert das Fremdgötterverbot als Vetitiv gegenüber dem Prohibitiv des Bilderverbotes auch durch andere Vokabeln völlig unterschiedlich; zudem ist zu beachten, daß die in Lev 19,4 verwendete Bezeichnung אלהי מסכה semantisch gerade die unter dem Gesichtspunkt der Parallelität aufgespaltene Wendung אלהי כסף ואלהי זהב von Ex 2o,23b ganz abdeckt (s.o.2.2.2.2.).
Ähnlich sind auch die Differenzen zwischen Ex 2o,23 und Lev 26,1a; der völlig überladene V.1 zielt hier in mehreren Prohibitiven mit wechselnden Obj. und Verben eigentlich nur auf das Bilderverbot ab[279], so daß, wie oben bereits angezeigt, Lev 26,1 nur thematisch auf der gleichen Ebene anzusiedeln ist wie der vorliegende Endtext von Ex 2o,23.
Bei der Suche nach Parallelen zu Ex 2o,23 stößt man zuerst auf das besondere Doppelobj. אלהי כסף ואלהי זהב. Innerhalb der Bilderverbotstexte gibt es dazu keine direkte Parallele.

278) Vgl. F.-L. HOSSFELD, Dekalog, 18o.183.

279) Vgl. K. ELLIGER, HAT I/4, 363; s.u. 3.5.2.

Semantisch und formal am nächsten steht noch Ex 34,17, denn das Obj. אלהי מסכה umfaßt die gleiche Bedeutung wie die Wendung von Ex 2o,23b (s.o.2.2.2.2.), und hier wie da ist das Obj. im Prohibitiv vorangestellt (s.o.). Die Formulierung von Ex 34,17 ist aber in Abhängigkeit von der vorliegenden Stelle gebildet (s.u.3.3.). Ein mit Ex 2o,23b zumindest teilweise vergleichbarer Ausdruck ist in Ex 32,31 (אלהי זהב) zu finden[28o], aber auch hier gilt die gleiche Abhängigkeit wie bei Ex 34,17 (s.o.3.1.2.). Eine vergleichbare Wendung ist nur noch in Dan 5,23 in Aram. zu finden אלהי כספא ודהבא oder umgestellt in Dan 5,4 אלהי דהבא וכספא. Eine mit Ex 2o,23b vergleichbare Doppelkonstruktion findet sich nur noch in Jes 2,2o; 31,7 mit אלילים als Nomen regens אלילי כספו ו(את) אלילי זהבו, oder außerhalb der Bilderterminologie in 2 Sam 8,1o (mit כלי) und 2 Chr 36,3 (mit ככר). Häufiger zu finden ist nur noch die Wendung כסף וזהב zur Götzenbezeichnung (z.B. Deut 7,25; 29,16; Jes 3o,22; Jer 1o,14; Hos 8,4; Ps 115,4; 135,15). Die Durchsicht der möglichen Parallelen zeigt, daß Ex 2o,23 eine singuläre Bildung ist, da die spätere Polemik eben nicht mehr אלהים als Nomen regens benutzt[281], und auf dem Hintergrund dieser Besonderheit ist dann auch die vorliegende Form (Cstr. + Silber - Cstr. + Gold) als ältere einzustufen[282].
Als Parallele zu Ex 2o,23a weist Nebeling auf Deut 12,4

28o) Da Ex 32,31 nicht zum Grundbestand von Ex 32 gehört (s.u. 3.1.2.), lassen sich für eine Kontrastierung von Singularverständnis bei אלהי זהב in Ex 32,31 und Pluralverständnis bei אלהי כסף ואלהי זהב in Ex 2o,23, so F.-L. HOSSFELD, keine Gründe finden. Auch sind semantisch vergleichbare Wendungen zu Ex 2o,23b nur Ex 32,31; 34,17; Lev 19,4 zu finden, so daß die Abhängigkeit dieser Stellen untereinander vorab zu klären ist (s.u.)

281) Zu den beiden Jes-Stellen, die אלילים benutzen, vgl. H. WILDBERGER, BK X/1, 113; BK X/3, 1244f.; O. KAISER, ATD XVII, 29; ATD XVIII, 253f., wo beide Stellen als sekundäre Zusätze erklärt werden. Zur Bedeutung der אלהין in Dan als "Wesen göttlicher Art" vgl. K. KOCH u.a., Daniel, 2o6f.

282) Vgl. dazu im einzelnen die Untersuchung von B. HARTMANN. Gold, passim, zur Reihenfolge von Gold und Silber im AT.

hin[283]. Die dort zu findende Form לא תעשון כן ist jedoch nicht unmittelbar mit Ex 2o,23a zu vergleichen, da das Demonstrativadverb כן eben auf an anderer Stelle Genanntes hinweist, der Kurzprohibitiv von Ex 2o,23a hingegen objektlos bleibt. Deut 12,4 paßt sich jedoch in den vorliegenden Text schwer ein, denn es gehen Vorschriften zur Vernichtung fremder Kultobjekte voraus, so daß der Prohibitiv von Deut 12,4 sachlich auf die dahinterstehenden Kultpraktiken zu beziehen ist; demgegenüber findet sich in Deut 12,31 für die Wendung לא תעשה כן ein korrekter Anschluß an Deut 12,3obβ ואעשה כן גם אני. Auf diesem Hintergrund ist Deut 12,4 zumindest annähernd mit Ex 2o,23a zu vergleichen, da V.4 "quasi-elliptisch" formuliert, indem der Bezug, den das Demonstrativadverb angibt, vom Leser indirekt herzustellen ist.

Zieht man die genannten Vergleichspunkte (Verbindung zu Ex 32,31 und 34,17; Ähnlichkeit mit Deut 12,4) zusammen, dann wird man für die beiden Teile von Ex 2o,23 sagen können, daß die Ergänzung durch V.23a einem dtr. Redaktor zuzuschreiben ist. Thematisch wird dies darüberhinaus dadurch bestätigt, daß die so charakterisierte Ergänzung von Ex 2o,23 dem entspricht, was Hossfeld für die dtr. Redaktion des Dekalogs festgestellt hat, die Vereinigung von Fremdgötter- und Bilderverbot[284]. Als zusätzliches Kriterium der dtr. Zuweisung von V.23a ist die Verwendung des *nun*-paragogicum zu werten. Scheint dieser eine zusätzliche Buchstabe auch auf den ersten Blick nur eine Schreibvariante darzustellen, so muß doch gefragt werden, warum er verwendet wird resp. wer ihn be-

---

283) Vgl. G. NEBELING, Schichten, 119; er spricht für Ex 2o,23 interessanterweise zwar von einem "Doppelgebot", wertet 2o,23a aber als Einleitung dieses Doppelgebotes, so daß unklar bleibt, worin er das Doppelgebot sieht. Zu diesem spät dtr. Stück Deut 12,2-7 vgl. M. ROSE, Ausschließlichkeitsanspruch, 74-76.

284) Vgl. F.-L. HOSSFELD, Dekalog, 259-262. Zu beachten ist die auch sonst festzustellende Freiheit bei der Formulierung des Fremdgötterverbotes, ebd. 266f.

nutzt. Geht man den Vorkommen dieses *nun*-paragogicum nach, dann zeigt sich zumindest sofort deutlich, daß es im dtn./ dtr. Literaturbereich besonders häufig, im P-Bereich so gut wie gar nicht verwendet wird. Da diesem Phänomen bisher gar keine Beachtung geschenkt wurde, ist ihm der nachfolgende Exkurs gewidmet.

Vorab ist jedoch abschließend noch das Numerusproblem von V.23 zu erörtern. Die Identität des Numerus (Pl.) zwischen V.22 und V.23 hatte Hossfeld nicht zuletzt dazu veranlaßt, V.23 auch der von ihm in V.22 festgestellten priesterlichen Redaktion zuzuschreiben; für den Numeruswechsel zu V.24 hin (Sg.) hat er selbst nachgewiesen, daß die dtr. Redaktion, die das Bundesbuch in die Sinaiperikope einarbeitete, das Altargesetz von den nachfolgenden Gesetzen durch die erneute Einleitung in 21,1 abgetrennt hat, um es in der Redesituation zwischen JHWH und Mose zu belassen[285]. Wenn nun der bisher noch keiner Schicht zugewiesene V.23b vielleicht ursprünglich, d.h. vor der dtr. Einarbeitung des Bundesbuches an dieser Stelle mit dem Grundbestand des nachfolgenden Altargesetzes in Verbindung gestanden hat (s.u.3.2.3.), dann ist verständlich, daß die oben beschriebene dtr. Redaktion einen Weg finden mußte, um das ihr auf jeden Fall bedeutsame Bilderverbot nicht durch diese Konstruktion unwirksam werden zu lassen. Ihr gelingt dies dadurch, daß sie den ursprünglich wohl wie V.24 im Sg. formulierten V.23b in den Pl. setzt und ihn damit aus dem exklusiven Redeakt JHWH-Mose herausnimmt und ihm so Allgemeingültigkeit verleiht. Daraus folgt, daß V.23b in der Form אלהי כסף ואלהי זהב לא תעשה לך zusammen mit dem sg. formulierten V.24a+ (s.u. 3.2.3.) die Einleitung zum Bundesbuch darstellte. Erst die dtr. Einsetzung des Bundesbuches in die Sinaiperikope hat, um die Adressatengruppe vom erstgenannten Verbot, nämlich

---

285) Vgl. F.-L. HOSSFELD, Dekalog, 183.

das ganze Volk, und vom zweitgenannten Verbot, nämlich Mose allein, zu unterscheiden, den V.23b in den Pl. gesetzt und zusätzlich dann durch den von ihr hinzugesetzten V.23a (Pl.) die ihr wichtige Kombination von Fremdgötter- und Bilderverbot erreicht.

EXKURS 3: *nun-paragogicum als redaktionskritisches Kriterium?*

Die notwendige literarkritische Feineinstellung bei der Analyse eines einzigen Verses, wie sie oben vorgenommen wurde, läßt auch noch scheinbar unbedeutende Abweichungen im Text registrieren; so fällt dann auch in Ex 2o,23 auf, daß das zweimal in diesem Vers in der gleichen grammatischen Form vorkommende Verb עשה einmal mit und einmal ohne das sogenannte *nun*-paragogicum gebildet ist. Bei der Frage nach der näheren Bedeutung dieser Form bieten die Standardgrammatiken zwar Hinweise auf die Herkunft dieser Endung, schließen in der Regel aber Bedeutungsdifferenzierungen durch diese Endung aus[286]. Driver hat in seiner Kommentierung des hebr. Textes der Samuelbücher zahlenmäßige Häufungen bei der Verwendung zusammengestellt und kommt zu dem Schluß: "It is not a mark of antiquity (...) it may be inferred that it was felt to be a fuller, more emphatic form than that in ordinary use, and hence was sometimes preferred in an elevated or rhetorical style."[287].
Nimmt man die Mühe auf sich, alle Belege des *nun*-paragogicum im AT einmal zusammenzustellen, dann zeigt sich, abgesehen

286) Vgl. GesK, § 47 m; G. BERGSTRÄSSER, Grammatik II, § 5b; BLe, § 3oo o-q; P. JOÜON, Grammaire, § 44 e.f.; R. MAYER, Grammatik, § 63, 5 a; H.B. ROSEN, Assignment, 23of.

287) S.R. DRIVER, Notes, 3of.

von dem euphonischen Interesse an diesen "Vollformen" - was durch die überwiegende Verwendung bei schwachen Verben unterstrichen wird -, daß allein eine einfache Auflistung der Belegstellen eine zumindest beachtenswerte Verteilung dieser Formen ergibt. Sind die Belegstellen auch nicht einer vorschnellen Schichtenzuweisung zuhanden, so fällt doch auf, daß auf der Basis gängiger literarkritischer Zuweisungen einige alttestamentliche Literaturbereiche eine große Vorliebe (z.B. dtr. Bereiche), andere wohl gar keine (z.B. P-Bereiche) für die Verwendung dieser Form haben. Betrachtet man dann die Häufungen z.B. in Ps 1o4 und Hi, dann drängt sich der Gedanke auf, daß jüngere Texte, die wohl älteres Material verarbeiten, durch die Verwendung des *nun*-paragogicum vielleicht archaisierend wirken möchten.
Schlüsse aus diesem Befund sind jedoch mit aller Vorsicht zu ziehen; sie setzen umfangreiche Einzelanalysen zu jeder Stelle voraus, die kein einzelner alleine leisten kann; auch ist die Materialbasis zu schmal, um den Befund als ein redaktionskritisches Kriterium zu bewerten. Als zusätzliches Kriterium zu den klassischen könnte es jedoch im einen oder anderen Fall durch Vergleich mit anderen Stellen oder Konstruktionen den Ausschlag für eine redaktionskritische Zuweisung geben[288].
Um dieses Kriterium zukünftig bei entsprechenden Analysen mitberücksichtigen und das Phänomen weiter klären zu können, werden nun zwei Listen geboten: eine mit den insgesamt 3o8 Belegstellen[289] und eine zweite alphabetische Liste mit den dort benutzten Verben, die für künftige hebraistische und auch komparatistische Studien in der Semitistik bei der Frage nach Herkunft und Bedeutung der Verwendung dieser Formen von Interesse sein kann.

288) Exemplarisch wurde dies für Ex 2o,23 oben bereits mit eingebracht und für die fünf Belegstellen bei Hos auch versucht, s.o. Anm. 243.

289) Aufgenommen sind auch die drei ungewöhnlichen Belege von *nun*-paragogicum bei SK (vielleicht als Hiatustilger?) Deut 8,3.16; Jes 26,16, vgl. GesK, § 44l; P. JOÜON, Grammaire, § 42f.

- LISTE 1: *Vorkommen des* *__nun__-paragogicum im AT*

Gen	*Ex*	*Num*	*Deut*	*Deut*
3,3	1,22	11,19	1,17	8,1
3,4	3,12	16,28	1,17	8,1
18,28	3,21	16,29	1,18	8,3
18,29	4,9	32,7	1,22	8,13
18,3o	4,15	32,15	1,29	8,16
18,31	5,7	32,2o	1,29	8,19
18,32	9,28	32,23	2,25	8,2o
32,5	9,29		4,1o	8,2o
32,2o	9,3o		4,1o	11,22
43,32	11,7		4,11	12,1
44,1	14,14		4,11	12,2
44,23	15,14		4,16	12,3
	17,2		4,26	12,4
	17,2		4,26	12,8
	18,2o		4,26	13,5
	18,26		4,28	13,12
	2o,12		4,28	17,13
	2o,23		4,28	17,16
	21,18		4,28	18,1
	22,8		5,16	18,15
	22,21		5,2o	29,8
	22,24		5,33(3o)	3o,18
	22,3o		5,33(3o)	3o,18
	22,3o		6,2	31,29
	34,13		6,3	33,11
	34,13		6,14	
	34,13		6,17	
			7,5	
			7,5	
			7,12	
			7,25	

Jos

2,8
3,7
3,10
3,13
4,6
4,21
17,10
24,15
24,27

Ri

2,2
6,31
6,31
7,17
8,1
11,18
15,7
15,12

1 Sam

1,14
2,15
2,16
2,22
2,22
2,23
9,13
9,13
11,9

2 Sam

22,39

1 Kön

8,35
8,38
8,42
8,43
9,6
12,24
19,2
19,2
20,10

2 Kön

6,19
11,5
17,37
18,22
19,6
19,10

Jes

7,25
8,12
13,8
13,8
17,12
17,12
17,13
21,12
22,14
26,11
26,16
26,19
29,21
30,15
30,16
31,3
31,7
33,7
35,10
37,6
37,10
40,18
41,5
45,10
49,11
49,26
50,11
51,5
51,6
51,11
51,11
52,12
55,12

Jes

58,2
58,2
58,2
60,7
60,10

Jer

2,24
5,22
17,24
21,3
31,22
42,15
44,28

Ez

32,6
34,18
44,8

Hos

5,15
9,16
9,16
11,2
13,2

Joel

2,4
2,5
2,7
2,7
2,7
2,8
2,9
3,1

Am

6,3
6,12

Mi

2,6
2,8
2,9
5,2

Nah

1,9

Hab

3,7

Zeph

2,7
2,7
3,lo

Sach

6,15
lo,2
11,5

Mal

1,8

Ps

4,3
5,lo
11,2
11,3
12,9
35,11
35,2o
36,8
36,9
37,2
37,9
58,2
58,3
58,3

Ps

59,5
59,8
59,16
6o,7
63,4
65,12
68,13
68,14
68,17
74,6
78,44
82,7
89,16
89,17
89,31
91,12
92,15
95,11
lo4,7
lo4,7
lo4,9
lo4,9
lo4,lo
lo4,22
lo4,22
lo4,26
lo4,27
lo4,28
lo4,28
lo4,29
lo4,29
lo4,29
lo4,3o

Ps

lo8,7
lo9,25
115,6
115,7
139,18

Hi

4,4
9,6
13,5
13,8
13,8
13,lo
15,12
16,lo
18,2
19,2
19,2
19,23
19,24
19,29
21,11
24,24
29,24
3o,17
31,lo
31,38
32,11
36,8
36,lo

Spr	*Ruth*	*2 Chr*
1,28	2,8	6,26
2,19	2,9	7,19
5,22	2,9	19,9
lo,32	3,4	19,lo
	3,18	

- LISTE 2: *Verben mit* <u>*nun*</u>*-paragogicum im AT*

אבד	חלץ	מצא	קרב
אהב	חלק	נבל	ראה
אחז	חמק	נבע	רבה
אכל	חנה	נגש	רבץ
אמר	חסה	נדד	רגז
אסף	חסר	נוא	רוה
ארך	חפז	נוב	רום
אתה	חפץ	נוס	רוץ
בהל	חצב	נוע	רזם
בוא	חקר	נחם	ריב
בכה	חרש	נטף	ריח
בעה	חשב	נסה	רעה
בקש	יבל	נפל	רעף
ברא	יגה	נשא	רפש
גדע	ידע	נשג	רצד
גוע	יחל	נשק	רקד
גיל	יכל	נתץ	רשע
גרש	ילד	עבד	שאב
דבק	יסף	עבט	שאה
דבר	יקש	עבר	שאל
דכא	ירא	עדר	שבח
דמה	ירש	עמד	שבע
דרך	ישע	ענה	שבר
דרש	כחש	ערץ	שבר
היה	כלה	עשה	שוב
הלך	כרע	פגע	שחר
הלם	כרת	פלס	שחת
המה	כתב	פלץ	שים
הרג	לחם	פעל	שכב
הרס	לכד	פשט	שכר
זוד	למד	צוק	שמד
חדל	לקט	קום	שמע
חזה	מאס	קטר	שמר
חיה	מיש	קפץ	שרף
חיל	מות	קצר	שרת
חלם	מלא	קרא	שתה

3.2.3. Die Verbindung von V.23 und V.24

Das Ergebnis der obigen Analyse, die Annahme eines ursprünglich im Sg. formulierten Prohibitivs (V.23b), stellt nun natürlich die Frage, ob der so als sg. Prohibitiv rekonstruierte V.23b nicht ursprünglich zu dem ebenso sg. formulierten Altargesetz (VV.24-26) gehört haben kann, da die bisher als Trennungslinie zwischen V.23 (Pl.) und VV.24-26 (Sg.) geltend gemachte Numerusdifferenz wefällt, so daß das Verbot von goldenen und silbernen Göttern von einer Anweisung zum Opferaltar gefolgt würde.
Die aus der Zusammenschau beider Teile entstehende Verbindung von Altar und Kultobjekt im weitesten Sinne ist im AT breit belegt. In den verschiedensten Textbereichen findet sich dieser Zusammenhang von Altar und bestimmten Kultobjekten (besonders אשרה und מצבה) sowohl in Erzählungen (z.B. Ri 6,25-32) als auch in sogenannten Kultreformtexten[29o] (z.B. Ex 24,13; Deut 7,5; 12,3; 1 Kön 16,32f.; 2 Kön 31,3; 23,15; 2 Chr 14,2; 31,1) und auch in der prophetischen Kritik (z.B. Jes 19,19; 27,9; Jer 17,1f.; Ez 6,5f.; Hos 3,4 [mit זבח statt מזבח]; 1o,1)[291]. Das Ausmaß dieses Miteinanders zeigt deut-

29o) Der Begriff ist hier in Anlehnung an H.-D. HOFFMANN, Reform, 24 wertneutral verwendet und umfaßt jede (positive oder negative) "Veränderung im Bereich des Kultes, die die Ausschließlichkeit der Verehrung Jahwes" tangiert.

291) Ein besonderes Problem der Symbiose von Altar und Massebe (vgl. auch B. REICKE, BHHW I, 63, der davon ausgeht, daß beide die gleiche Wurzel haben) tritt zutage, wenn man von Ex 24,4 ausgeht. Der Vers bietet syntaktische Schwierigkeiten, die sich nicht leicht auflösen lassen, die aber von den Übersetzungen häufig völlig übergangen werden.
Dem durch *waw* angehängten V.4b fehlt jegliches Verb. Einige Exegeten ergänzen nun vom Sinn her ein entsprechendes Verb wie "aufrichten", andere gehen von einer elliptischen Konstruktion aus, was aber insofern fraglich ist, als das Verb von V.4aβ (בנה) nicht zu מצבה (zum Numerus vgl. GesK, § 134 h) paßt, da מצבה sonst nur mit Verben des Aufrichtens (שים, קום, רום) resp. Zerstörens (שבר) zu finden ist. Für die Vorstellung, daß Mose zu dem Altar noch Masseben aufstellt, gibt es vergleichbare Beispiele noch an folgenden Stellen: Deut 27,4-8; Jos 8,3o-35 und außerdem noch Jos 4

lich der späte Text Jer 17,8, in dem die götzendienerische Funktion des Altares treffend durch die der Götterbildpolemik entnommenen Charakterisierung desselben als Machwerk der Hände aufgezeigt wird. Dieselbe Reihenfolge bei der Zusammenstellung von Kultobjekten und Altar wie in Ex 2o,23ff. sieht

---

in Verbindung mit Jos 22 , wenn auch die Masseben an diesen Stellen "entschärft" wurden, indem sie zu großen Steinen wurden, die den Gesetzestext trugen. Eine andere Möglichkeit tut sich auf, wenn man von der erwähnten Zwölfzahl der Masseben ausgeht und beachtet, daß in der zweiten Altarbaunotiz 1 Kön 18,31f. nach der Erwähnung der Wiederherstellung des JHWH-Altars (vgl. M. REHM, Erste Buch, 18o) Elia auch zwölf Steine zu einem Altar macht, so daß vielleicht auch in Ex 24,4 ursprünglich eine Notiz vom Bau eines Altares aus zwölf Steinen gestanden hat. Die Verbindung zur Symbolik der Zwölfzahl gilt es natürlich besonders im Hinblick auf die Frage nach der Einordnung der Verse zu berücksichtigen (vgl. K. KOCH, Profeten I, 46).
Somit sind 3 Lösungsmöglichkeiten für den schwierigen Vers Ex 24,4 zu erkennen. 1) V.4b wird als Glosse erklärt. Diese Lösung verschiebt allerdings nur die Probleme, da die genannten syntaktischen Probleme dann auf der Stufe des erweiterten Textes bleiben und die Frage nach der Intention einer Einfügung von Masseben bestehen bleibt. 2) V.4 enthielt in Parallele zu 1 Kön 18,31f. ursprünglich einen Bericht vom Bau eines Altares aus zwölf Steinen, der dann umgestellt wurde, um Altar und Symbolsteine zu erhalten. Dabei bleibt jedoch fraglich, warum dann in V.4b das entsprechende Verb (קום o.ä.) fehlt. 3) In V.4 stand eine Altarbaunotiz und eine Notiz vom Aufstellen von zwölf Masseben. Ein späterer Redaktor, der diese Masseben nicht in der oben für Deut 27; Jos 8 etc. beschriebenen Weise "entschärfen" konnte, da in Ex 24 ein Aufzeichnen des Gesetzes keinen Platz finden konnte, hat deshalb vielleicht das Verb in V.4b bewußt ausgelassen, um die Probleme, die durch eine Notiz vom Aufrichten von Masseben durch Mose entstehen würden, zu beseitigen, so daß ohne Verb in V.4b die Masseben einfach da sind und als Repräsentation für die zwölf Stämme dienen. Eine Entscheidung zwischen den genannten Lösungsvorschlägen ist schwer zu treffen, jedoch spricht einiges dafür, daß sie zumindest auf der Linie des zuletzt genannten Lösungsvorschlags liegt, da die Altarbaunotiz exakt das Muster der J/JE-Altarbaunotizen der Gen wiedergibt (vgl. S. WAGNER, ThWAT I, 699f.) und in diesem Textbereich (J/JE) auch die Erwähnung von Masseben unproblematisch ist und die Zwölfersymbolik hier eine gewichtige Rolle spielt.
Überdies gilt es zu beachten, daß Ex 24,4 vielleicht in Verbindung steht mit der oben genannten dtr. Konstruktion der Bundesbucheinleitung (vgl. F.-L. HOSSFELD, Dekalog, 183), so daß der V.4 die notwendige Erfüllung der Altargesetzforderung sei, einem dtr. Redaktor, der diese Verbindung herstellt, Masseben aber ein Dorn im Auge sein müssen. Den Einzelheiten dieses Problems kann an dieser Stelle jedoch nicht weiter nachgegangen werden.

Nebeling in Deut 12,4.5-7 und 16,21f.[292].

Auf dem Hintergrund dieser Beobachtung ist die Hypothese einer ursprünglichen Verbindung von Götterbilderverbot und Altargesetz in Ex 2o weiter zu präzisieren. Das umfangreiche Altargesetz trägt deutlich Spuren mehrfacher Überarbeitung. Conrad, der die VV.24-26 eingehend untersucht hat[293], sieht den Kern dieser Komposition in einem Injunktiv[293] (V.24aα) und zwei Prohibitiven (VV.25aβ[295].26a). Halbe hat hier angesetzt und weiter präzisiert, indem er als "gattungsgeschichtlichen Kern des Ganzen"[296] ein Spruchpaar, bestehend aus einem Injunktiv mit einem Prohibitiv, herausarbeitet:

מזבח אדמה תעשה לי	V.24aα'
ולא תעלה במעלת על מזבחי	V.26a

Diese Rekonstruktion beruht auf der inhaltlichen Bestimmung des Altargesetzes von Conrad. Er hat den Sinn des Altargesetzes in der Opposition gegen nicht jahwistisch orientierte Kultpraktiken gesehen, so daß das Altargesetz in seiner Grundform den aus ungebrannten Ziegeln errichteten Altar in polemischer Abgrenzung zu kanaanäischen Felsen- oder Steinaltären mit sogenannten "Napflöchern" und auch den verbrei-

---

292) G. NEBELING, Schichten, 116-121, bes. 119; zu seiner Kombination von Deut 12 und 16 vgl. aber die Kritik von M. ROSE, Ausschließlichkeitsanspruch, 55 Anm. 3.

293) D. CONRAD, Studien, passim.

294) So als Vorschlag für die Bezeichnung "heischendes Präsens" von W. RICHTER, Recht, 77 u.ö. von W. GROß, Bileam, 181 Anm. 25. M. GÖRG, Altar, 295f. schlägt jetzt auch die Bezeichnung "Petitiv" vor.

295) Ob aus V.25a ein Prohibitiv zu rekonstruieren ist, wird von D. CONRAD, Studien, 15f. zwar erwogen, bleibt letztlich aber offen.

296) J. HALBE, Privilegrecht, 442; hierzu und zur folgenden Erörterung dieses Spruchpaares vgl. auch die formgeschichtliche Beobachtung zur "paarweisen Anordnung" von H. GESE, Dekalog, 69f.

teten Stufenaltären[297] vorschreibt. Gegenüber Conrads Interpretation des מזבח אדמה (ein Altar, der "aus 'Ton' oder 'Lehm' ist (...) und das heißt, daß er aus (wohl ungebrannten, luftgetrockneten) Ziegeln besteht"[298]) sind jedoch Bedenken anzumelden, da er es unterläßt, die für den israelitischen Kult konstitutive Opfervorstellung bei seiner Bestimmung mit zu berücksichtigen[299]. Hinter den im Altargesetz sowie häufig im AT genannten Opfern[3oo] stehen völlig andere Vorstellungen als hinter dem von Conrad beigebrachten archäologischen Vergleichsmaterial von Tempel-, Haus- und Straßenaltären[3o1], so daß die Identifikation von מזבח אדמה mit diesen Ziegelaltären fraglich erscheint. Ein Blick auf die Besonderheit des israelitischen Opferkultes eröffnet auch ein Verständnis des Begriffs מזבח אדמה. Eine besondere Rolle nimmt im alttestamentlichen Opferkult zu allen Zeiten der Blutritus ein[3o2]; da derartiges im Kult der Hochkulturen des Alten Orients keinen besonderen Raum einnimmt[3o3], ist nach der Herkunft dieses Ritus' zu fragen. Im Rahmen der historisch-geographischen Möglichkeiten kommt allein der nomadische Opferkult für die Herleitung des Blutritus in Frage. Bei den Opfern der arabischen Halb- und Vollnomaden zeigt sich in dem Opferbräuchen eine gewisse Kontinuität bis in die

---

297) Vgl. zu den Formen im einzelnen F.J. STENDEBACH, Altarformen, passim; A. REICHERT, BRL^{2}, 5-1o.

298) D. CONRAD, Studien, 3o.

299) Bei der Vielfalt der im Alten Orient zu findenden Opferarten und -riten fordert die Bestimmung von Wesen und Bedeutung der jeweiligen Altäre unbedingt die Berücksichtigung der mit ihnen verbundenen Opfervorstellungen und -gebräuche, vgl. C. DOHMEN, ThWAT IV, 789-792.

3oo) Vgl. R. RENDTORFF, Studien, passim.

3o1) Vgl. D. CONRAD, Studien, 27f.; zu den unterschiedlichen Opfervorstellungen im Alten Orient vgl. überblicksmäßig H. RINGGREN, Religionen, Reg. s.v. "Opfer".

3o2) Vgl. B. KEDAR-KOPFSTEIN, ThWAT II, 263f.; C. DOHMEN, ThWAT IV, 799.

3o3) Vgl. B. KEDAR-KOPFSTEIN-J. BERGMAN, ThWAT II, 251-254.

Jetztzeit hinein[3o4]. Der wesentliche Teil ihres Opfers ist

3o4) Der Begriff *Nomade* ist hier und im Folgenden nicht im Sinn der Gegenüberstellung "seßhaft - nichtseßhaft" gebraucht; auch sind die verschiedenen Differenzierungsmöglichkeiten des Phänomens "Nomade - Beduine" (vgl. dazu im einzelnen J. HENNINGER, Nomadentum, passim) für den vorliegenden Zusammenhang bewußt ausgeblendet worden, so daß der Sammelbegriff *Nomade* hier für die nicht staatlich organisierte und nicht in Städten und Dörfern fest ansässige Bevölkerung (vornehmlich in den Steppen- und Wüstengebieten, resp. auch zwischen Stadtgebieten) des Vorderen Orients steht. (Vgl. auch die Definition von J. EPH^{c}AL, Arabs, 5f.: "As used herein, the term 'nomads' refers to all the populations in the deserts of northern Sinai and northern Arabia and in the Syro-Arabian desert. Most of them raised camels and sheep, lived in tents and unfortified temporary camps and moved from place to place with their flocks, sporadically raiding the permanent settlements in the regions adjacent to the desert. For the purposes of this book, the term 'nomads' is applied to oasis dwellers as well. The oases - some of which, like Tema and Dumah (Dūmat al-Jandal, al-Jawf), served as economic, administrative and ritual centers - were the permanent homes of thousands of people engaged in cultivating the land and in crafts. Although from the social-cultural point of view it is hard to describe this population as nomadic (a distinction made particularly in classical Arabic sources), we have adopted in this book the terminology of the biblical and cuneiform sources which do not distinguish and do not enable us to distinguish between the sedentary population and the other desert dwellers.")
Bei der vor allem durch die Arbeit von N.K. GOTTWALD (The Tribes of Yahweh) ausgelösten Diskussion um die Anfänge Israels (vgl. A. LEMAIRE, Recherches, passim; J. MILGROM, Conversion, passim; W. WIFALL, Israel's Origins, passim; W. WIFALL, Tribes, passim; sowie die verschiedenen Beiträge zu diesem Thema von H. ENGEL-H.-W. JÜNGLING-N. LOHFINK in BiKi Heft 2, 1983) gilt es darauf zu achten, daß das Phänomen des Nomadentums nicht aufgrund einseitig und ausschließlich soziologisch orientierter Argumentation ausgeklammert wird, da eine bis in die heutige Zeit wichtige und wirksame Erscheinung wie das Nomadentum und seine Auseinandersetzung mit der städtischen Bevölkerung (vgl. A. AL-WARDI, Soziologie des Nomadentums; sowie die immer noch wichtige Arbeit von S. MOSCATI, The Semites, für den vorliegenden Zusammenhang bes. 76-1o3; und auch die auf der Basis der archäologischen Ausgrabungen des Chirbet el-Mesās von V. FRITZ, The Israelite "Conquest", gezogenen Schlußfolgerungen: "The settlers were not simply pastoral nomads from the steppes. Rather, they had presumably lived for a long time as *semi-nomads* in the vicinity of the Canaanite cities, until they went over to the founding of new settlements and thus finally to a sedentary way of life after the far-reaching collapse of the Late Bronze Age city-states around 12oo B.C.) nicht negativ aus dem vielschichtigen Problem der Entstehung der - soziologischen - Größe Israel herausgehalten werden kann; denn viele alttestamentlich belegte Erscheinungen gerade im kulturellen und reli-

das Vergießen des Blutes, so daß auch das Schlachten am Opferplatz selbst zu geschehen hat. Zum Opferplatz gehört wesentlich der Stein (*nuṣub, nuṣb*), vor dem geschlachtet und an den auch Blut appliziert wird[3o5]. Am Fuß dieses Steins befindet sich eine Grube zur Aufnahme des ausfließenden Opferblutes, da es - der Gottheit geweiht - keiner anderen Verwendung als dem Blutritus, der außer der genannten Applikation noch das Spritzen z.B. in Richtung Empfänger oder Darbringer des Opfers oder auch in die vier Himmelsrichtungen umfassen kann[3o6], zukommen darf. Für den Sinn des Opfers steht das anschließende Mahl gegenüber diesem Blutritus im Hintergrund. Regelrechte Altäre begegnen im Rahmen dieser Riten nicht[3o7]; wichtig ist vor allem die Grube (*ġabġab*) zur Aufnahme des ausfließenden Blutes[3o8]. Bei der Bedeutung, die der wohl aus dem nomadischen Kult kommende Blutritus in Israel behalten hat[3o9], ist es naheliegend, מזבח אדמה wörtlich als "irdene Schlachtstatt" zu verstehen. In diesem Sinn stellt der Injunktiv des Altargesetzes (Ex 2o,24aα') keine "Konstruktionsanweisung" eines Altares da, sondern eine Bestimmung zur Kultausübung. Es geht folglich nicht um den Bau eines Altares aus ungebrannten Ziegeln o.ä., wie Conrad (s.o.) dies vermutet hat, sondern die Forderung nach einer 'irdenen Schlachtstatt' (מזבח אדמה) zielt auf die Durchführung des Opfers ab. An der Stelle, wo geopfert wird, soll es Erde geben (meist in

---

giösen Bereich sind nur oder zumindest bestmöglich aus einem so verstandenen Nomadentum zu erklären (vgl. M. HÖFNER, Religionen, 354ff.).

3o5) Vgl. J. HENNINGER, Opfer, 66; J. WELLHAUSEN, Reste, lolf. Vgl. auch die Erwähnung eines "großen Steins" beim Opferritus in 1 Sam 6,14.18; 14,33.

3o6) Vgl. J. HENNINGER, Opfer, 177-184.

3o7) Vgl. J. HENNINGER, Sacrifice, 5.11.

3o8) Vgl. J. WELLHAUSEN, Reste, lo3.116f.; M. HÖFNER, Religionen, 359.

3o9) Vgl.bes. das Ringen um diesen Bereich, wie es das Wachstum von Deut 12,1-13,1 widerspiegelt, vgl. M. ROSE, Ausschließlichkeitsanspruch, 59-94; sowie das Gebot zur ausschließlich kultischen Verwendung des Blutes, Lev 17,11 vgl. N. FÜGLISTER, Sühne, passim.

Form der genannten Opfergrube), die der kultisch wichtigen Vernichtung des Blutes dient, d.h. es wird Wert darauf gelegt, daß das Blut falschen Blutmanipulationen entzogen wird, da es als "Lebenselement" allein Gott gehört, so daß das Schütten auf und in die Erde seine Rückführung bedeutet. Indem die Bestimmung mit der Forderung nach einer irdenen Schlachtstatt auf die Behandlung des Blutes abhebt[31o], stellt sie ein wesentliches Element nomadischen Opferkultes den Opferpraktiken der urbanen Bevölkerung entgegen.

Im Rahmen dieser Interpretation paßt sich auch Ex 2o,24 der Reihe von Geboten an, die eine "regelmäßig zu wiederholende Handlung"[311] fordern, da V.24aα' nicht einen bestimmten Altartyp vor Augen hat, sondern ein konstitutives Element der Kultpraxis erfaßt. Auf diesem Hintergrund wird natürlich auch die Zusammenstellung des obengenannten Spruchpaars von Halbe fraglich, da sie auf der Interpretation des מזבח אדמה von Conrad beruht. In Aufnahme der zahlreichen Beobachtungen Halbes wird man eine Lösung jedoch finden können, wenn man das von ihm herausgearbeitete ursprüngliche Spruchpaar (s.o.) zeitlich aufgliedert, so daß V.26a eine erste Ergänzung ist, die sich sachlich vielleicht auf die vielfach (mit Stufen) nachgewiesene sogenannte במה bezieht[312], zumal die enge Verbindung resp. sogar die häufige Identität von במה und מזבח durch neuere Arbeiten[313] nachgewiesen ist. Gegen diese im kanaanäischen Raum verbreitete Kulteinrichtung, die von ih-

31o) Vgl. auch die spätere Bedeutung des יסוד am Altar zur "ordnungsgemäßen Beseitigung des übriggebliebenen Blutes" R. MOSIS, ThWAT III, 681.

311) W. RICHTER, Recht, 92, wo er jedoch Ex 2o,24 als Abweichung wertet. Zu seiner gattungsmäßigen Unterscheidung auf dieser Basis vgl. die Kritik bei J. HALBE, Privilegrecht, 111 Anm. 18.

312) Zu den verschiedenen Typen von במות vgl. P.H. VAUGHAN, Meaning, passim.

313) Vgl. M. HARAN, Temples, 18-25, bes. 23f.; P.H. VAUGHAN, Meaning, 31-33; J.P. Brown, Cult (II), 1-7; sowie zur moabitischen Herkunft der במה J.M. GRINTZ, Observations, passim.

rer Konstruktion her nicht unbedingt dem Injunktiv von V.24aα' entgegenstehen muß, wendet sich dann die Ergänzung von V.26a.
Auf dieser Basis als Ausgangspunkt ist dann auch das weitere Wachstum des Altargesetzes als Anpassung an sich wandelnde Verhältnisse bei gleichzeitiger Abgrenzung gut verständlich. Folglich kann man, zur Ausgangsbeobachtung zurückkehrend, V.23b und V.24aα' durchaus als ursprüngliches Paar (s.o.)

אלהי כסף ואלהי זהב לא תעשה לך
מזבח אדמה תעשה לי

ansehen, wobei im folgenden Punkt noch auf dem Hintergrund der vorgelegten Interpretation von V.24aα' nach der Bedeutung von V.23 zu fragen ist.

3.2.4. Die Bedeutung von V.23b in seiner ursprünglichen Form

Bei der Beurteilung des Alters der in V.23b vorliegenden Formulierung des Prohibitivs gehen die Meinungen weit auseinander. Die einen werten sie als "besonders altertümliche Formulierung des Bilderverbots"[314], dies wohl aufgrund der Verwendung einer Cstr.-Verbindung, die sich zusammensetzt aus einer Gottesbezeichnung (אלהים) und einer Materialangabe (כסף, זהב) anstelle eines einfachen Bildbegriffs wie פסל o.ä.; die anderen halten sie für eine späte, "wohl konstruierte Neuformulierung des Bilderverbotes"[315], da sie durch die Wendung עשה אלהים eine Nähe zur späten Götzenbilderpolemik angezeigt sehen[316].

---

314) H.J. BOECKER, Recht, 118, jedoch ohne nähere Erläuterungen.

315) F.-L. HOSSFELD, Dekalog, 18o.

316) Vgl. z.B. Jer 16,2o; Jes 44,17; 46,6 u.ö.

Gegen eine zeitliche Einstufung allein von der gewählten Formulierung her im Sinn des erstgenannten Vorschlags stehen schon die zum letztgenannten Vorschlag beigebrachten Parallelformulierungen besonders junger Texte als Gegenargument (s.o.3.2.2.). Die hinter dem zweiten Vorschlag stehende Annahme, daß die Rede vom "Machen" eines Gottes immer auf Polemik hinweist, übersieht die semantische Polyvalenz der Gottesbezeichnung אלהים (z.B. Gott, Götter, Totengeister, Götterbilder, Zeichen für Superlativ etc.)[317]. Ein Blick auf außerbiblische Parallelen zeigt, daß eine "ursprüngliche Naivität" in der Redeweise vom Herstellen eines Gottes im Sinn eines Gottesbildes durchaus möglich ist, da z.B. im Akkad. *ilu* auch nicht nur als Gottesbezeichnung, Appelativum u.ä. gebraucht werden kann, sondern auch als Begriff für das Götterbild[318], wozu dann natürlich auch Handlungsverben mit *ilu* als Obj. passen.

Somit wird deutlich, daß eine Datierung und Bedeutungsbeschreibung des Verses allein auf der Basis der Beurteilung der vorliegenden Formulierung nicht befriedigen kann, da die Kontextbezüge dabei völlig außer acht gelassen werden. Aufgrund der Hypothese eines ursprünglichen Spruchpaares von VV.23b.24aα' und aufgrund der vorgetragenen Bedeutungserklärung des מזבח אדמה von V.24aα' ist nun erneut nach der Bedeutung von V.23b zu fragen.

Um nicht sogleich von der äußerst komplizierten Frage nach dem Alter des Bundesbuches auszugehen[319], ist es im Rahmen

---

317) Vgl. im einzelnen W.H. SCHMIDT, THAT I, 153-167.

318) Akkad. Texte bezeugen dies häufig, wenn sie vom Herstellen, Forttragen, Aufstellen etc. der Götter berichten; vgl. im einzelnen die zahlreichen Belege in AHw, 374b und CAD I/7, 1o2f. sowie H. RINGGREN, Symbolism, 1o6; H. SPIECKERMANN, Jude, 354ff.; H. SCHÜTZINGER, Bild, 62f.

319) Vgl. J. HALBE, Privilegrecht, 481f.5o2ff.; H.J. BOECKER, Recht, 116-124.

der vorliegenden Hypothese ratsam, eine Erklärung für V.23b in Parallele zu V.24aα' zu suchen. War eine Erklärung des Injunktivs von V.24aα' als Kultvorschrift auf dem Hintergrund der Kultur- und Religionsdifferenz zwischen urbaner und nomadischer Bevölkerung gefunden worden, so bietet dieser Hintergrund auch eine gute Erklärungsmöglichkeit für den Prohibitiv von V.23b an. Im Gegensatz zur Religion der urbanen Gesellschaft kennen die Nomaden in ihrer Religion keine Bilder als Verehrungsobjekte; sie kennen zwar Amulette und kleinere Schutzgötter, nicht aber direkte Kultbilder; als solche dienen ihnen vornehmlich natürliche, unbehauene Steine und teils auch Bäume[32o]. Somit wird aus der Opposition der kulturellen-religiösen Bedingungen der verschiedenen Sozialformen auch das Verbot der Herstellung von silbernen und goldenen Göttern verständlich, denn dies ist die Erscheinungsweise der Götter der urbanen Kultur, d.h. hier steht von Menschen *Gemachtes* gegen (von der Natur) *Vorgegebenes*, so daß die Herstellung derartiger Idole Zeichen der Anpassung resp. der Übernahme von urbaner Lebens- und Kulturform darstellt.

Somit stellt folglich V.23b in seiner ursprünglichen Form kein Verbot von Bildern im eigentlichen Sinn dar, da nicht auf den Unterschied Darstellung oder keine Darstellung abgehoben wird, sondern es geht um eine grundlegende Differenz in der Art und Weise der Gottesverehrung, so daß V.23b ursprünglich ein kultrechtliches Verbot darstellt, das die Übernahme fremder Kultformen betrifft.

Zusammenfassend kann festgestellt werden, daß das so eruierte Spruchpaar

אלהי כסף ואלהי זהב לא תאשה לך
מזבח אדמה תעשה לי

32o) Vgl. M. HÖFNER, Religionen, 359f.; J. WELLHAUSEN, Reste, lolf.; vgl. auch die in 395) genannte Literatur.

die ursprüngliche kultrechtliche Einleitung des Bundesbuches[321] darstellt; sie formuliert die konstitutiven Elemente des Kultes negativ und positiv. Der Prohibitiv lehnt die Übernahme anderer Kultformen für die Verehrer (לך) ab, indem er ihre augenfällige Erscheinungsweise (אלהי כסף ואלהי זהב) nennt; der nachfolgende Injunktiv betont die geforderte Art der Verehrung des sich hier äußernden Gottes (לי; vgl. auch Ex 23,14-19). Das so formulierte Spruchpaar beinhaltet also ganz klar eine konservative kultrechtliche Tendenz, was besonders im Hinblick auf den Prohibitiv festzuhalten ist, da dieser häufig durch die Brille späterer Bilderverbotstexte gelesen und als antisynkretistisches Dokument gedeutet wird.

Ohne die komplizierte Frage nach Alter und Wachstumsphasen des Bundesbuches hier im einzelnen erörtern zu können, ist jedoch damit zu rechnen, daß die besprochenen Gesetze nicht in die sogenannte vorstaatliche Zeit oder auch in die Zeit des Seßhaftwerdens zurückreichen[322], sondern eher, daß sie auf konservative Kreise des staatlich verfaßten Israels zurückzuführen sind, die der Tradition des JHWH-Glaubens besonders verpflichtet waren[323] und deren Intention im vorliegenden Fall der kultrechtlichen Rahmung des Bundesbuches die Abgrenzung gegenüber Fremdeinflüssen und die Bewahrung genuiner Kultformen war.
Erst dtr. Kreise, die sich den alten israelitischen Traditionen besonders zuwandten, haben das Bundesbuch erneut zu Ehren gebracht, indem sie es in die Sinaiperikope einsetzten. Auf dem Hintergrund der zwischenzeitlichen Entwicklung haben sie den Prohibitiv von Ex 2o,23b vom dekalogischen Bilderverbot her gelesen, um eine Anspielung auf das Fremdgötterverbot

321) Zur theologischen Konzeption derartiger Rahmung von Gesetzen durch kultrechtliche Abschnitte vgl. H.J. BOECKER, Recht, 118.

322) Vgl. D. CONRAD, Studien, 191.

323) In eine ähnliche Richtung weisen auch die Andeutungen von M. GÖRG, Altar, 296f. bezüglich des Altargesetzes.

erweitert (V.23a, s.o.) und den gesamten V.23 zur Einbettung in die neu konstruierte Bundesbucheinleitung pluralisch formuliert.

3.3. Ex 34,17

אלהי מסכה לא תעשה לך

3.3.1. Der Kontext von V.17

Der zu behandelnde Vers findet sich in dem kleinen Gesetzeskorpus Ex 34,1o-26, das in der jetzt vorliegenden Endgestalt des Buches Exodus die Funktion übernimmt, Urkunde der Bundeserneuerung nach der Sündenerzählung von Ex 32 zu sein. Wurde dieser Text früher häufig als "die Bundesworte" oder "der jahwistische Dekalog" oder "der kultische Dekalog" bezeichnet, so hat Halbe[324] durch seine minutiöse Untersuchung des Textes der treffenderen Bezeichnung - im Anschluß an Horst[325] - "Privilegrecht JHWHs" zum Durchbruch verholfen. Die Bezeichnung Privilegrecht beschreibt nach dem Modell des westeuropäischen Lehensrechts[326] das Verhältnis JHWHs zu Israel am Sinai; durch das Exodusereignis entsteht am Sinai ein Sonderverhältnis zwischen Israel und JHWH, bei dem JHWH bestimmte Privilegien zukommen.
JE bringt dieses teilweise ältere Gesetzesmaterial[327] in die

324) J. HALBE, Privilegrecht, passim.

325) F. HORST, Privilegrecht, passim.

326) Vgl. im einzelnen zum Hintergrund J. HALBE, Privilegrecht, bes. 226-229.

327) Vgl. bes. J. HALBE, Privilegrecht, Kap. IV-V.

Erzählung der Sinaitheophanie ein und setzt damit theologisch neue Akzente[328]. Aus der jahwistischen Darstellung von der Verheißung am Sinai wird bei JE die Verpflichtung Israels. Die Bedeutung des Gesetzes bei JE wird aber erst durch die Einschaltung der Grunderzählung von Ex 32 deutlich, denn dem Volk, das sich nach der Theophanie von Gott abwendet, werden diese "Sonderrechte" als Ermöglichung der weiteren Verbindung zwischen ihm und Gott vorgelegt[329]. Das Gesetz erhält dabei eine starke positive Bedeutung, einerseits durch die Reihenfolge (Geschichte - Gesetz), andererseits durch seine Funktion zur Begründung eines neuen Verhältnisses zwischen Gott und Volk nach der "Störung" desselben in Ex 32[33o]. Aus dieser Konzeption des JE ist dann auch die Hervorhebung des Fremdgötterverbotes in Ex 34 verständlich[331].

Der Text Ex 34, lo-26 setzt sich aus Rahmung (VV.lo.11.27) und zwei Hauptteilen, ausgestaltetes Hauptgebot (VV.12-17) und kultische Einzelbestimmungen (VV.18-26), zusammen. Die Grobgliederung zeigt schon, daß der zur Diskussion stehende V.17 gerade an der Nahtstelle der beiden Blöcke des Privilegrechtes steht. Diese Position deutet auch auf seine Sonderstellung hin.

---

328) Zur literaturgeschichtlichen Einordnung, abweichend von J. HALBE, vgl. E. ZENGER, Rez. zu HALBE; E. ZENGER, Israel, 185-195; F.-L. HOSSFELD, Dekalog, bes. 2o4-213.

329) S.o. 3.1.4.2. zum JE-Bestand von Ex 32.

33o) Vgl. dabei auch die Funktion und Bedeutung der "Tafeln" bei JE, s. o. Exkurs 1.

331) Vgl. E. ZENGER, Israel, 186ff.

3.3.2. Herkunft und Bedeutung von V.17

Es wird kaum noch bestritten, daß V.17 nicht zum Grundbestand von Ex 34,1o-26 gehört. Die Abtrennung des Prohibitivs von V.17 vom nachfolgenden Text ist durch den Themawechsel von V.18 deutlich genug angezeigt. Gegen eine ursprüngliche Verbindung von Fremdgötter- und Bilderverbot (VV.14a.17)[332] hat Halbe im einzelnen zahlreiche Gründe aufgeführt[333] und nachweisen können, daß V.17 sekundär in den Textzusammenhang des Privilegrechts gekommen ist[334]. Hossfeld hat dies teils modifizierend - besonders im Hinblick auf die literaturgeschichtliche Einordnung - aufgegriffen und dabei V.17 der dtr. Redaktion des Privilegrechts zugewiesen[335].
Auf der Basis der bisherigen literarkritischen Analysen verschiebt sich jedoch die Beurteilung der Herkunft dieser dtr. Formulierung des Bilderverbots. Es konnte gezeigt werden, daß Ex 32,31 nicht zum Grundtext des Kapitels gehört, sondern gerade von der dtr. Bearbeitung, die von Deut 9f. her Ex 32 überarbeitet hat, zur Verknüpfung mit dem Bundesbuch eingefügt wurde[336].

Somit wird deutlich, daß Ex 34,17 nicht unter dem Einfluß von Ex 32,31 und Deut 9,12 neu formuliert wurde[337], sondern letztes Glied einer Verknüpfungskette von Stellen (Ex 2o,23 - 32,31 - 34,17) der dtr. Konzeption der Sinaitheophanie darstellt. Diese dtr. Redaktion, die vom Deut her den Tetrateuch bearbeitet, fügt einerseits das Bundesbuch (s.o.) ein, ande-

---

332) So z.B. als Gebotspaar zusammengestellt bei E. GERSTENBERGER, Wesen, 88.

333) J. HALBE, Privilegrecht, 122-126.

334) J. HALBE, Privilegrecht, 215-219.

335) F.-L. HOSSFELD, Dekalog, 2o9f.

336) S.o. 3.1.3.

337) So F.-L. HOSSFELD, Dekalog, 2o9.

rerseits gestaltet sie das Privilegrecht Ex 34 aus zur Bundeserneuerung nach dem Abfall des Volkes von Ex 32[338]. Durch die dtr. Bearbeitung der Bundesbucheinleitung Ex 2o,23[339] ist sprachlich und sachlich der Ausgangspunkt einer Kette, die diese Redaktion aufreiht, gegeben. In Ex 2o,23 hat die dtr. Redaktion das Verbot von אלהי כסף ואלהי זהב vorgefunden und übernommen und es in ihrer Bearbeitung zu einer Art kombiniertem Fremdgötter- Bilderverbot (s.o.) ausgestaltet. Bei der Überarbeitung von Ex 32 unter dem Gesichtspunkt des Bilderverbots hat sie das ganze Geschehen von Ex 32 anschließend bewußt als Verstoß gegen das von ihr in Ex 2o,23 vorangestellte Verbot werten wollen, so daß die Wahl der Formulierung ויעשו להם אלהי זהב nur von dieser Verbindung her zu erklären ist. Die Beschränkung auf אלהי זהב ist vom Kontext der Erzählung Ex 32 bestimmt[34o]. Ex 34,17 nimmt dies im Rahmen der dtr. Konzeption der Bundeserneuerung dann konsequent von Ex 32,31 her auf, wählt sprachlich dann aber - da Allgemeingültigkeit angezielt ist - den semantisch umfassenderen Terminus מסכה, d.h. das אלהי כסף ואלהי זהב von Ex 2o,23 wird zusammengefaßt[341] und verallgemeinert.
Die sprachliche Ähnlichkeit mit Deut 9,12 kommt folglich nur durch die in Deut 9,12 und Ex 34,17 festgestellte gleiche Absicht[342], möglichst allgemein zu formulieren, zustande.

Aus der Rekonstruktion dieses (dtr.) Beziehungsgeflechtes wird eines der gängigen Probleme der Beurteilung von Ex 34,17 gelöst. Häufig wurde von der Frage der Terminologie her in der Forschung die Frage nach Aussageabsicht des Prohibitivs gestellt, so daß das Problem auftauchen mußte, ob und warum

338) Vgl. F.-L.HOSSFELD, Dekalog, 21o. Zu beachten ist auch die dtr. Aufnahme des Tafelmotivs unter dem neuen Blickwinkel von Bundeserneuerung und Bilderverbot s.o. 3.1.4.3.

339) S.o. 3.2.

34o) S.o. 3.1.2.

341) Zur Semantik von מסכה s.o. 2.2.2.

342) S.o. 2.2.2. zu Deut 9,12.

hier nur gegossene Götterbilder verboten sein sollen[343]. Auf die beiden Formulierungen Ex 32,31; 34,17 (ebenso Lev 19,4[344]) hat letztlich durch die dtr. Verknüpfung Ex 2o,23 quasi sprachnormierend gewirkt, so daß gerade von hierher deutlich wird, daß die dtr. Redaktion auf das Bilderverbot im umfassenden Sinn abzielt, was durch die bei Ex 34,17 wechselnde - aufs Allgemeine hinzielende - Wortwahl besonders stark unterstrichen wird.
Somit wird deutlich, daß eine isolierte Betrachtung der verwendeten Terminologie die Probleme nicht zu lösen vermag; denn die Erwähnung von אלהי מסכה deutet weder auf Zeiten des Luxus hin[345], noch wird hiermit ein später Begriff der Bilderpolemik eingeführt[346], sondern die Formulierung ist allein aus den Kontextbezügen zu erklären. Eine umfassende semantische Begriffsbestimmung innerhalb des AT kann dies gerade stützen, da sie zeigen kann, daß die Begrifflichkeit von פסל und מסכה eng zusammengehört und nicht im Sinn von Schnitz- und Gußbildern einander gegenübergestellt werden kann[347].
Abschließend läßt sich somit sagen, daß Ex 34,17 eine dtr. Formulierung des Bilderverbotes ist, die in ihrer Wortwahl von Ex 2o,23 (über Ex 32,31) geprägt ist. Ex 34,17 ist deshalb nicht als Verbot der Herstellung von gegossenen Götterbildern zu verstehen, sondern als ebenso umfassendes Bilderverbot, wie es die Dekalogformulierung umschreibt (s.u.), so daß auf dieser Redaktionsstufe folglich Ex 32 auch, anders als bei JE, zum Bericht von der Übertretung des Bilderverbotes wird.

---

343) Vgl. bes. F.-E. WILMS, Bundesbuch, 16of.; M. NOTH, ATD V, 217; J. HALBE, Privilegrecht, 216.

344) Vgl. im einzelnen 3.4.

345) So von F.-E. WILMS, Bundesbuch, 16o Anm. 67 vermutet.

346) So J. HALBE, Privilegrecht, bes. 218, wobei die von ihm (216) als älteste Belege eingestuften Stellen von מסכה Hos 13,2 und Jes 3o,22 wohl beide dtr. Redaktion zuzuschreiben sind. Zu Hos 13,2 s.o. Anm. 243; zu Jes 3o,22 vgl. L. LABERGE, Is 3o,19-26, passim.

347) S.o. 2.2.3.2.; 2.3.

3.4. Lev 19,4

אל תפנו אל האלילים
ואלהי מסכה לא תעשו לכם
אני יהוה אלהיכם

3.4.1. Der Kontext von V.4

Innerhalb der jüngsten Rechtssammlung des AT, dem sogenannten Heiligkeitsgesetz (Lev 17-26)[348], findet sich der hier zu untersuchende Vers. Nachdem über Existenz und Umfang des Heiligkeitsgesetzes in der Forschung ein Konsens erreicht zu sein scheint[349], führen Fülle und Divergenzen des Materials von Lev 17-26 immer noch zu recht unterschiedlichen Beurteilungen der Redaktionsgeschichte dieses Gesetzeskorpus. Die kontrovers diskutierte Grundfrage ist dabei, ob das Heiligkeitsgesetz ursprünglich selbständig war und erst nachträglich in den P-Zusammenhang eingearbeitet wurde, oder ob es von Anfang an als Ergänzung zu P konzipiert wurde[35o]. Für die letztgenannte These spricht vor allem, daß das Heiligkeitsgesetz in der jetzt vorliegenden Form die P-Beschreibung des Sinaiereignisses ohne die über seine Kultgesetze hinausgehende Gesetzesmitteilung und -verpflichtung korrigiert, und daß das Heiligkeitsgesetz stark vom Deut her ge-

348) Vgl. H.J. BOECKER, Recht, 162-165; R. SMEND, Entstehung, 59-62.

349) Während die Mehrzahl der Exegeten eine ursprüngliche Selbständigkeit von H annimmt, gehen z.B. K. ELLIGER, HAT I/4, passim, und V. WAGNER, Existenz, passim, von einer ursprünglichen Verbindung mit der Priesterschrift aus.

35o) Vgl. die im einzelnen recht unterschiedlich ansetzenden Arbeiten, die hier nur summarisch aufgelistet werden können: H. GRAF REVENTLOW, Heiligkeitsgesetz (1961); M. NOTH, ATD VI (1962 = [4]1978); R. KILIAN, Untersuchung (1963); C. FEUCHT, Untersuchungen (1959, ersch. 1964); K. ELLIGER, HAT I/4 (1966); W. THIEL, Erwägungen (1969); A. CHOLEWIŃSKI, Heiligkeitsgesetz (1976); E. CORTESE, L'esegesi (1981); W. KORNFELD, NEB Levitikus (1983).

prägt ist und Teile des deut. Gesetzeskorpus aufnimmt und ergänzt[351].

Für die vorliegende Untersuchung von Lev 19,4 und auch Lev 26,1[352], die unmöglich in die komplizierte Redaktionskritik des Gesamtkomplexes einsteigen kann, bietet die letztgenannte Beobachtung von der Sache her eine gute Einstiegsmöglichkeit. Die breite Palette von direkten oder indirekten Erwähnungen des Bilderverbotes im AT läßt keinen Zweifel daran, daß der vorliegende sehr junge Text zumindest sachlich älteres Gut in Beziehung auf die geforderte Bildlosigkeit des Kultes aufnimmt.

Die Arbeit von Cholewiński, die ja gerade die Verbindungslinien zwischen Heiligkeitsgesetz und Deuteronomium nachzuzeichnen versucht, bietet somit eine gute Basis zur Beurteilung von Lev 19,4; wenn ihre Ergebnisse auch auf dem Hintergrund der bisherigen Analysen, wie sich noch zeigen wird, teils zu modifizieren und zu korrigieren sind.

Cholewiński stellt für das Heiligkeitsgesetz eine von ihm sogenannte "Ergänzungshypothese"[353] vor, d.h. die verschiedenen Redaktionen - vor allem die Hauptredaktion - des Heiligkeitsgesetzes arbeiten ihre Texte mit der Absicht auf, entsprechende Gesetze aus Deut zu ergänzen. Die Geschichte des Heiligkeitsgesetzes folgt zeitlich - gemäß seiner These - der Priestergrundschrift, da die Hauptredaktion des Heiligkeitsgesetzes erst kleinere Textsammlungen entsprechender "Ergänzungsmaterialien" zusammenfaßt und überarbeitend zur theologischen Korrektur der Sinaierzählung von P in dieses Werk einschließt[354]. Wie schon Thiel[355] zieht auch Chole-

---

351) Dieser Verbindung von Heiligkeitsgesetz und Deut ist im einzelnen CHOLEWIŃSKI, Heiligkeitsgesetz, passim nachgegangen.

352) S.u. 3.5.

353) A. CHOLEWIŃSKI, Heiligkeitsgesetz, 2f.32o.

354) A. CHOLEWIŃSKI, Heiligkeitsgesetz, 337f.

355) W. THIEL, Erwägungen, 7o spricht von "deuteronomistischen Traditionszusammenhängen" für das Heiligkeitsgesetz.

wiński aus seinen Beobachtungen den Schluß, daß die Hauptredaktion des Heiligkeitsgesetzes in dtr. Kreisen zu suchen ist[356].

Nach den beiden umfangreich behandelten Themen zu Beginn des Heiligkeitsgesetzes - Schlachtung/Blutgenuß und sexuelle Vorschriften - in Lev 17-18 stellt Lev 19 eine Sammlung verschiedener theologischer und ethischer Gebote und Verbote dar[357]. Auch scheint Lev 19 den Zusammenhang zwischen Lev 18 und 2o zu unterbrechen, und gegenüber den umliegenden Kapiteln gehen die Bestimmungen von Lev 19 nicht so sehr ins Detail. Elliger hat das Kapitel bereits den "'Dekalog' des Priesterkodex"[358] genannt, und die Forschung hat immer schon auf die Verbindung zum Dekalog von Deut 5//Ex 2o hingewiesen. Neuere Arbeiten haben dies präzisiert und den Grundtext von Lev 19 z.B. als "Nachahmung" des Dekalogs[359] oder "Katechese zum klassischen Dekalog"[36o] bezeichnet. Beachtenswert ist dabei, daß Lev 19,2-4 einen inneralttestamentlichen Beleg für die Zweiteilung (Zwei-Tafel-Tradition) des Dekalogs darstellt, da die VV.2-4 die erste Tafel - Fremdgötterverbot bis Elterngebot - nachahmen[361]. Auf dem Hintergrund dieser Kontextbestimmung sind nun die Besonderheiten von V.4 zu erläutern.

---

356) A. CHOLEWIŃSKI, Heiligkeitsgesetz, 344 präzisiert das Milieu der Verfasserschaft als priesterlicher "Seitenarm jenes umfangreichen dtr. Stromes".

357) Vgl. zu den Einzelheiten des Kapitels H. JAGERSMA, Leviticus 19, passim.

358) K. ELLIGER, HAT I/4, 255.

359) A. CHOLEWIŃSKI, Heiligkeitsgesetz, 47.

36o) W. KORNFELD, NEB Levitikus, 73.

361) Vgl. im einzelnen F.-L. HOSSFELD, Dekalog, 144f.

3.4.2. Herkunft und Bedeutung von V.4

Der Vers setzt sich zusammen aus einem Vetitiv, der das Fremdgötterverbot erfaßt und einem Prohibitiv, der das Bilderverbot beschreibt, und er wird abgeschlossen durch die Langform der Selbstvorstellungsformel. Das Nebeneinander von Vetitiv und Prohibitiv deutet Elliger als möglichen Hinweis auf unterschiedliche Verfasser von V.4aα und V.4aβ, wobei er V.4aα als sekundäre Formulierung wertet und für diese eine ursprüngliche Form אל האלילים לא תפנו in Erwägung zieht[362]. Auch Jagersma nimmt in Anschluß an Richter[363] an, daß hinter allen Vetitiven von Lev 19 (VV.4aα.29a.31aα) Prohibitive auszumachen sind[364]. Demgegenüber hat Cholewiński auf die Struktur der VV.3-4 als Hinweis für die genannte Hauptredaktion in den VV.2b-4 hingewiesen[365]. Aufgrund der Wendung פנה אל weist er die Formulierung von V.4aα diesem späten Redaktor selbst zu[366]. Für eine solche Spätdatierung der vorliegenden Formulierung des Fremdgötterverbotes spricht auch der gewählte Terminus אלילים, denn er drückt unmißverständlich die Überzeugung aus, daß es außer JHWH keinen anderen Gott gibt[367]. Dieser polemische Begriff, der die Ir-

362) K. ELLIGER, HAT I/4, 245.

363) Vgl. W. RICHTER, Recht, 66.

364) H. JAGERSMA, Leviticus 19, 51f.

365) A. CHOLEWIŃSKI, Heiligkeitsgesetz, 47.

366) Zu den Vergleichsstellen im Heiligkeitsgesetz vgl. im einzelnen A. CHOLEWIŃSKI, Heiligkeitsgesetz, 47 bes. Anm. 15, sowie K. ELLIGER, HAT I/4, 256 Anm. 9. Die zum Vergleich naheliegendste Wendung פנה אל אלהים אחרים begegnet ansonsten nur noch Deut 31,18.2o; Hos 3,1 (vgl. aber auch die Hinwendung zu den Totengeistern Lev 19,31; 2o,6). In Hos 3,1b hat eine spätere Redaktion in dieser Form פנה אל אלהים אחרים einen Hinweis auf das Fremdgötterverbot eingetragen, vgl. J. JEREMIAS, ATD XXIV/1, 55; anders H.W. WOLFF, BK XIV/1, 76, der von einem echt hoseanischen Vorwurf spricht, dabei aber auch auf die Verbindungslinien zum Deuteronomium ausdrücklich hinweist.

367) Vgl. K. ELLIGER, HAT I/4, 256; H.D. PREUß, ThWAT I, 3o8; A. CHOLEWIŃSKI, Heiligkeitsgesetz, 266 bes. Anm. 41.

relevanz anderer Götter betonen will, erhält seine Besonderheit durch den phonetischen Anklang an אל אלהים[368]. Der Terminus אלילים kommt insgesamt nur 2omal im AT vor, lomal begegnet er allein bei Proto-Jes. Ob es sich hierbei um eine Neuschöpfung Jes handelt oder ob der Begriff der Jerusalemer Kulttradition entstammt (Wildberger) oder ob es sich gar bei diesen Stellen um nachexilische Nachträge zu Jes handelt (Kaiser)[369], läßt sich an dieser Stelle nicht entscheiden. Fest steht allein, daß in Lev 19,4 und ebenso in Lev 26,1 eine sehr späte Hand am Werk ist, die aus vorgegebenen Traditionen Neues bildet, wie die vorliegende Zusammenstellung von פנה אל mit אלילים deutlich zeigt. Dieser so arbeitenden späten Hand ist vielleicht auch die Zusammenstellung von Vetitiv 19,4aα (vgl. Lev 19,31) und Prohibitiv 19,4aβ (vgl. Ex 34,17) zuzuschreiben[37o].
Auch liegt bei der nachfolgenden Bilderverbotsformulierung von V.4aβ eindeutig keine Neuschöpfung des Redaktors vor, denn V.4aβ stimmt - abgesehen vom Numerus - exakt mit Ex 34,17 überein. Die Festlegung der Herkunft von V.4aβ steht nun vor dem Problem der Verhältnisbestimmung, denn einerseits wurde erkannt, daß Lev 19,2-4 im Anschluß an die erste Tafel des Dekalogs formuliert ist, andererseits bietet V.4aβ gerade nicht die Bilderverbotsformulierung des Dekalogs (Ex 2o,4// Deut 5,8), sondern die des Privilegrechts (Ex 34,17)[371].

Cholewiński hat dieses Problem bei seiner Gegenüberstellung von Lev 19,4a und Deut 5,7-1o am deutlichsten herausgearbei-

368) An einigen Stellen wird dies explizit genannt, z.B. Ps 96,5a: כי כל אלהי העמים אלילים vgl. 97,7; 1Chr 16,26. Vgl. M. NOTH, ATD VI, 121.

369) Vgl. H. WILDBERGER, BK X/1, 1o3; O. KAISER, ATD XVII, 69; H.D. PREUẞ, Verspottung, 136f.

37o) Zu den Problemen beim Wechsel vom Prohibitiv und Vetitiv vgl. im einzelnen E. GERSTENBERGER, Wesen, 5o-54.

371) Zum Problem vgl. H. JAGERSMA, Leviticus 19, 79; J. HALBE, Privilegrecht, 216ff.; A. CHOLEWIŃSKI, Heiligkeitsgesetz, 266.

tet[372]. Er baut seine Argumentation konsequent auf der Bedeutungsdifferenz von פסל (= Schnitzbild) und מסכה (= Gußbild) auf und weist damit alle bisherigen Interpretationsversuche zurück, die unter Sachzwang den Begriff אלהי מסכה auf alle Arten von Bildern angewendet wissen wollten[373]. Auf diesem Wege kommt er zu der Schlußfolgerung, "daß beim Bilderverbot (19,4a) eine zu Dt 5,8 komplementäre Formulierung"[374] vorliege, die im Sinn seiner Ergänzungshypothese (s.o.3.4.1.) mit Deut 5,8 zusammen gelesen werden will, da in Deut 5,8 nur פסל steht. Die Zitation von Ex 34,17 erklärt er unter Hinweis auf die von ihm festgestellte Tendenz der Hauptredaktion, "an die älteren, vordeuteronomischen Traditionen womöglich anzuknüpfen"[375]. Nachdem nun nachgewiesen werden konnte, daß eine semantische Kontrastierung von פסל und מסכה unzulässig ist[376] und zudem aufgewiesen wurde, daß Ex 34,17 gerade einer dtr. Redaktion zuzuschreiben ist (s.o.3.3.2.), verliert die obige Erklärung ihr Fundament; denn eine Ergänzung von פסל (Deut 5,8) durch אלהי מסכה (Lev 19,4), wie sie Cholewiński vermutet, ist nicht möglich, da der Begriff פסל semantisch wesentlich umfassender ist (s.o.2.2.1.3.), so daß eine umfassendere Bedeutung durch die Hinzunahme von אלהי מסכה nicht entsteht. Es bleibt folglich die Frage nach der Bedeutung der Formulierung des Prohibitivs von V.4aβ bestehen.

Eine Lösung des Problems läßt sich aber finden, wenn man einen Hinweis Elligers bezüglich der gewählten Formulierung ernst nimmt: "Daß nur gegossene Gottesbilder genannt werden, obwohl andere Fabrikationsformen natürlich nicht zugestanden werden sollten, liegt vermutlich in den Entstehungsumstän-

372) A. CHOLEWIŃSKI, Heiligkeitsgesetz, 264-267.

373) Vgl. z.B.: B. BAENTSCH, HK I/2, 396; M. NOTH, ATD VI, 121.

374) A. CHOLEWIŃSKI, Heiligkeitsgesetz, 267.

375) Ebd.

376) Vgl. im einzelnen Kap. 2, bes. 2.2.3.2.

den der vom Redaktor benutzten Quelle begründet."[377]. Greift man dies auf, dann bedeutet es, daß Lev 19,4aβ nicht unbedingt als Zitat von Ex 34,17 gewertet werden muß[378], sondern als typische Formulierung eines Redaktors resp. einer Schule angesehen werden kann. Von der Zuweisung von Ex 34,17 (dtr.) ausgehend, trifft dies sich dann auch mit dem, was Cholewiński als geistige Heimat der Hauptredaktion des Heiligkeitsgesetzes angibt, nämlich die dtr. Schule[379]. Von hierher wird dann auch die Wahl der Formulierung verständlich, denn es läßt sich feststellen, daß die Hauptredaktion des Heiligkeitsgesetzes ein großes Interesse an alten Traditionen hat, "die nach Möglichkeit wiederbelebt und bewahrt werden sollen"[38o].
Wie in Ex 34,17 bereits beobachtet, greift die dtr. Redaktion mit אלהי מסכה auf die (alte) Einleitung des Bundesbuches zurück und hat gerade durch die Wahl des semantisch umfassenderen Begriffs מסכה gegenüber der dort (Ex 2o,23) vorkommenden Formulierung אלהי כסף ואלהי זהב eine größere Allgemeingültigkeit im Auge[381].

Somit kann konstatiert werden, daß Lev 19,4aβ und Ex 34,17 *nebeneinander* stehen und beide die gleiche Intention verfolgen, nämlich altes Überlieferungsgut (Bundesbuch) aufzugreifen und es durch Integration in jüngeres (Dekalog) zu größtmöglicher Autorität zu bringen. Sind somit beide Verbote von V.4a, der Vetitiv und der Prohibitiv, einer einzigen, späten Redaktionsstufe, nämlich der Hauptredaktion des Heiligkeitsgesetzes, zuzuweisen, so läßt sich hier eine Besonderheit beobachten, die an anderer Stelle auch schon auffiel. Das

377) K. ELLIGER, HAT I/4, 257.

378) So z.B. W. RICHTER, Recht, 65.

379) Vgl. A. CHOLEWIŃSKI, Heiligkeitsgesetz, 343f.

38o) A. CHOLEWIŃSKI, Heiligkeitsgesetz, 339.

381) Vgl. bes. das zu Ex 34,17 Gesagte, s.o. 3.3.2.

Fremdgötterverbot scheint gegenüber dem Bilderverbot keine so fest geprägte Formulierung in der Tradition des AT zu haben; es wird häufiger frei wechselnd formuliert als das Bilderverbot[382], wobei die hier verwendete Form bewußt schon polemisch formuliert, indem sie in die dtr. Wendung vom Hinwenden resp. Abwenden zu fremden Göttern den Ausdruck אלילים 'Nichtse' einsetzt.

3.5. Lev 26,1

לא תעשו לכם אלילם
ופסל ומצבה לא תקימו לכם
ואבן משכית לא תתנו בארצכם
להשתחות עליה
כי אני יהוה אלהיכם

3.5.1. Der Kontext von V.1

Der zur Diskussion stehende V.1 steht an einer wichtigen Nahtstelle des Heiligkeitsgesetzes[383]; der folgende V.2 enthält noch zwei kurze Gebote, bevor dann mit V.3 der große Abschluß dieses Gesetzeswerkes durch Segen und Fluch eingeleitet wird. Diese Art des Abschlusses von Gesetzes- und Vertragswerken ist weit verbreitet im Alten Orient. Das Problem dieser Nahtstelle ist die merkwürdige Stellung der Gebote in VV.1-2.

Die Gebote stehen den von Lev 19 (VV.3.4.3o) sehr nahe. Es

---

382) S.o. 3.2.1., sowie F.-L. HOSSFELD, Dekalog, 266f.

383) Vgl. zum Kontext des Heiligkeitsgesetzes bereits 3.4.1.

bleibt aber nicht nur diese Frage nach der Funktion der Gebote an dieser Stelle, sondern - damit aufs Engste verbunden - die Frage nach ihrer Zugehörigkeit. Bilden sie den Auftakt zum Abschlußstück mit Segen und Fluch (VV.3-46) oder den Abschluß der Gesetzesmaterialien aus Lev 25? Gegen die letztgenannte Möglichkeit spricht die fehlende inhaltliche Verbindung zwischen den Einzelbestimmungen von Lev 25 und den Geboten von V.26,1f.[384]. Sollen VV.1-2 als Einleitung von Segen und Fluch angesehen werden, dann bleibt fraglich, warum gerade diese Gebote in dieser Form (s.u.) gewählt werden. Elliger versucht eine Lösung zu finden, indem er in VV.1-2 einen Entwurf von Lev 19 sieht, der als ursprüngliche Fortsetzung von Lev 25 geplant gewesen sei. Dieser Anfang wurde nach der jetzt vorliegenden Gestalt von Lev 19 verworfen, der Anfang aber sei mechanisch im Anschluß an Lev 25 weiter tradiert worden[385]. Andere Ausleger erklären die VV. 1-2 als bewußte oder unbewußte Wiederholung, als Bindeglied zwischen Lev 25 und 26 oder auch als sachliche Voraussetzung für Segen und Fluch[386]. Die vorgetragenen Lösungen befriedigen jedoch nicht, da sie entweder die Besonderheiten der Formulierung von VV.1-2 nicht genügend beachten, so daß eine einfache Wiederholung als Erklärungsvorschlag nicht ausreicht, oder aber sie übersehen, daß eine derartige Einleitung von Segen und Fluch unüblich ist.
Betrachtet man Lev 19, den Text, der nach einhelliger Meinung der Bezugstext von 25,1f. ist, genauer, dann kommt eine andere Erklärungsmöglichkeit ins Auge.
Der Text von Lev 19 wird in der vorliegenden Form durch die VV.2.37 deutlich gerahmt[387], da V.2 mit der "Heiligkeitsfor-

384) Vgl. K. ELLIGER, HAT I/4, 364.

385) K. ELLIGER, HAT I/4, 364.

386) Vgl. im einzelnen den Überblick über die bisherigen Lösungsvorschläge bei A. CHOLEWIŃSKI, Heiligkeitsgesetz, 119 Anm. 3.

387) Vgl. H. JAGERSMA, Leviticus 19, 31-34.

derung" קדשים תהיו כי קדוש אני יהוה אלהיכם zusammen mit der allgemeinen Paränese von V.37 ושמרתם את כל חקתי ואת כל משפטי ועשיתם אתם sachlich in den Rahmen der zu erfüllenden Heiligkeitsforderung stellt, wobei viele Exegeten bereits den sekundären Charakter von V.37 betont haben[388]. Aber unabhängig von dieser Frage, ob erst ein später Redaktor von Lev 18,5.29, wo diese Wendung leicht modifiziert auch erscheint, her V.37 eingefügt hat und dadurch einen Rahmen zu Lev 19 geschaffen hat, wird doch deutlich, daß neben diesem kleinen Rahmen um Lev 19 durch Lev 19,2 und 26,1f. ein großer Rahmen gebildet wird, da die Heiligkeitsforderung von 19,2 in der abschließenden erneuten Nennung (vgl. Lev 19,4; 19,3o) der wichtigsten Forderungen auf ihren Kern konzentriert wird. Thematisch erfassen in dieser Rahmung folglich die drei Prohibitive, die Götzen, Bildwerke und hl. Steine betreffen samt den beiden Injunktiven, die Sabbate und Heiligtum betreffen, von Lev 26,1f. den Gesamtbereich, der zwischen Lev 19 und 26 im einzelnen entfaltet ist in bezug auf die Heiligkeitsforderung. Die gewählte Form von Prohibitiven neben Injunktiven ergibt sich dabei wohl aus der Aufnahme resp. sogar Zitation[389] des vorgegebenen Materials.
Für den Anfang mit 19,2 ist dabei zu beachten, daß an dieser Stelle zum erstenmal im Heiligkeitsgesetz die Zentralaussage von der aufeinanderbezogenen göttlichen und menschlichen Heiligkeit zu finden ist[39o]; sie leitet hier die zentrale Gebotssammlung ein, die durch 26,1f. abgeschlossen wird. Für diesen Abschluß ist zu beachten, daß anders als

388) Vgl. A. CHOLEWIŃSKI, Heiligkeitsgesetz, 52.

389) Lev 26,2 zitiert 19,3o, dies legt auch K. ELLIGERs, HAT I/4, 254, Analyse zu Lev 19,3o nahe. Zu dem bei K. ELLIGER zu findenden Widerspruch bei der Bestimmung von Lev 26,2 im Verhältnis zu 19,3o vgl. schon F.-L. HOSSFELD, Untersuchungen, 134 Anm. 1o3.

39o) Vgl. Lev 2o,26; 21,8; vgl. W. ZIMMERLI, Grundriß, 124, der von dem Wesen JHWHs spricht, das sich in seinem Volk "abschatten" will.

bei der Kapiteleinteilung in der masoretischen Textgliederung die Trennung nach 26,2 - durch Setuma markiert - verläuft[391]. Geht man einmal von dieser - wohl älteren - Abtrennung in Lev 26 aus[392], dann wird deutlich, daß die VV. 1-2 hier den Rahmen des Kernstücks des Heiligkeitsgesetzes in der beschriebenen Weise schließen. Auf diesem Hintergrund soll nun nach Bedeutung und Einordnung von V.1 gefragt werden.

3.5.2. Herkunft und Bedeutung von V.1

Der Vers setzt sich zusammen aus drei Prohibitiven (V.1aα), einen daran angeschlossenen Inf.-Satz (V.1aβ) und der mit כי[393] angehängten Selbstvorstellungsformel in der Langform אני יהוה אלהיכם. Auffällig ist dabei, daß alle drei Prohibitive auf die gleiche Sache bezogen sind, nämlich das Bilderverbot. Sieht der erste Prohibitiv auf den ersten Blick auch aus wie die Formulierung des Fremdgötterverbotes in Lev 19,4aα, so wird doch bei genauerer Betrachtung deutlich, daß durch das Verb עשה in 26,1 eine Veränderung der Aussage erreicht ist. Hatte der Vetitiv von 19,4 im Auge, durch den Terminus אלילים die Nichtigkeit fremder Götter zu betonen, so geht 26,1 noch weiter und setzt diese "Nichtse" mit ihren

---

391) Diese Gliederung findet sich auch schon in Sam. Zu Alter und Funktion dieser Textgliederung vgl. J.M. OESCH, Petucha, passim, zu Lev 26,2-3 dort 3o3.

392) Ohne weiteren Kommentar geht M. NOTH, ATD VI, 16o.169 auch schon von dieser Abtrennung aus, jedoch betrachtet er die VV.1-2 als Anhang.

393) Ohne den durch כי aufgebauten Begründungszusammenhang findet sich der Satz in LXX und Syr. Vgl. BHS.

Bildern gleich, indem er davon spricht, daß sie nicht anzufertigen (עשה) sind. Letztendlich ist das Fremdgötterverbot damit zugunsten des Bilderverbotes zurückgetreten. Diese Tendenz, die besondere Betonung des Bilderverbotes, zeigt sich ebenso in den beiden darauffolgenden Prohibitiven, die beide direkt und unmißverständlich auf das Bilderverbot abheben. Nicht allein das Faktum, daß mehrere Prohibitive dem gleichen Gegenstand - Bilderverbot - gewidmet sind, sondern vor allem die Anhäufung der Obj. (מצבה; פסל; אבן משכית) macht die Sonderstellung des Bilderverbots hier deutlich. Es gilt dabei vor allem zu klären, warum gerade die Obj. ausgewählt wurden, welche Bedeutung der Inf.-Satz von V.laß hat und wo das ופסל syntaktisch zuzuordnen ist.
Die masoretische Versgliederung legt für die letztgenannte Frage fest, daß der zweite Prohibitiv zwei Obj. (פסל, מצבה) hat. Dagegen würde sprechen, daß zu dem zur Diskussion stehenden Obj. פסל das Verb des ersten Prohibitivs (עשה) besser passen würde als das Verb des zweiten (קום), das selbst typisch ist für die Verbindung mit מצבה. Für die masoretische Zuordnung von ופסל zum zweiten Prohibitiv spricht aber die oben genannte Beobachtung, daß der erste Prohibitiv von Lev 19,4aα her inspiriert ist und somit die besondere Prägnanz gerade durch die Kombination von עשה und אלילים erhält. Dies wird durch die Wahl der aufgelisteten Obj. bestätigt, denn gerade im Blick auf Lev 19,4 fragt es sich, warum 26,1 den allgemeinen Begriff פסל wählt, 19,4 hingegen אלהי מסכה.
Für 19,4 wurde festgestellt, daß die Wahl von אלהי מסכה von der Anlehnung an die dtr. Redaktion in Ex 34,17 bestimmt ist (s.o.3.4.2.). Dieser Begriff bezeichnet noch sehr konkret das gemachte Kultbild, was insofern verständlich ist, als Ex 34 das Verbot, fremde Götter zu verehren, als eigenes Verbot kennt (Ex 34,14). Lev 19,4aα kennt dies auch noch, wenn auch in der Form, die die Nichtigkeit der frem-

den Götter betont. Wenn nun Lev 26,1 im ersten Prohibitiv Fremdgötter gar nicht mehr nennt, sondern nur noch das Machen der Nichtse verbietet, dann zeigt sich deutlich, daß hier andere Götter außer JHWH keine Rolle mehr spielen; sie begegnen nur noch in der Form von Bildern[394]. In diesem Sinn ist mit dem ersten Prohibitiv von Lev 26,1 eigentlich schon das ganze Verbot, Kultbilder - in der polemischen Form der אלילים - herzustellen, erfaßt. Der folgende Prohibitiv erfaßt nebeneinander Kultbild und Massebe, jedoch mit dem zu Massebe passenden Verb קום *hi*. Da das Wesen der Massebe gerade darin besteht, daß sie nicht gemacht ist, sondern unbearbeitet einfach aufgerichtet wird, zeigt sich, daß die Hinzunahme von פסל in den Prohibitiv von Lev 26,1 das Aufstellen und damit die kultische Verehrung von bereits vorhandenen Kultbildern im Auge hat. Somit ist die Verwendung des allgemeinsten Begriffs פסל hier gut verständlich, und es bestätigt sich die masoretische Versgliederung, die ופסל zum zweiten Prohibitiv zieht, da פסל hier im Gegensatz zum ersten Prohibitiv durchaus seinen Sinn hat.
Daß der dritte Prohibitiv von Lev 26,1 als Obj. אבן משכית neben der im vorausgehenden Prohibitiv bereits genannten Massebe nennt, befremdet auf den ersten Blick. Der Begriff אבן משכית kommt nur hier im AT vor; zu vergleichen wäre nur noch die Erwähnung von משכית (Stat. abs. Pl.) in dem späten Nachtrag in Num 33,52. Die Bedeutung des אבן משכית ist aber klar; im Gegensatz zur Massebe, dem unbehauenen Stein, meint אבן משכית den in irgendeiner Form bearbeiteten (mit Bildwerk oder Symbolen verzierten oder plastisch ausgestalteten) Stein[395]. Der nachfolgende Inf.-Satz, dessen feminines Suffix sich eindeutig auf אבן zurückbezieht, grenzt nun insofern ein, als es nicht um ein Verbot von bearbeiteten Stei-

394) Vgl. A. CHOLEWIŃSKI, Heiligkeitsgesetz, 266 Anm. 41.

395) Zur Unterscheidung von Massebe und Stele vgl. bes. C.F. GRAESSER, Stones, passim; zur Rolle von "Steinen" im Kult insgesamt: A. REICHERT, BRL², 2o6-2o9; E. STOCKTON, Stones, passim; A. DE PURY, Promesse, Excursus: La pierre sacrée, 4o9-422.

nen geht, sondern nur um solche, die im Kult Verwendung finden (חוה).
Diese Zusammenstellung der drei Prohibitive von Lev 26,1 zeigt somit ein Doppeltes: zum einen wird hier die kultische Verwendung von "hl. Steinen" zum Bilderverbot hinzugenommen; dies ist insofern zu beachten, als für beides wohl ursprünglich selbständige Traditionen vorhanden waren (vgl. Deut 16,22, s.u.4.3.); zum anderen ist die starke Betonung des so gestalteten Bilderverbotes unter Aufnahme des Fremdgötterverbotes in diese Thematik nur auf dem Hintergrund des sich von der Exilszeit ab breit entfaltenden Monotheismusgedankens her verständlich[396].

Cholewiński hat bei seiner Untersuchung der Verbindungslinien zwischen Heiligkeitsgesetz und Deuteronomium eine Abhängigkeit von Deut 16,21-22 für Lev 26,1 festgestellt. Bei dem Versuch, die Ergänzungsabsicht von Lev 26,1 im Sinne seiner Hypothese (s.o.3.4.1.) zu bestimmen, muß er jedoch selbst zugeben, daß diese hier nicht zu erkennen ist[397]. Schon bei Lev 19,4 wurde oben (3.4.) erkannt, daß nicht eine Ergänzungsabsicht, sondern die Tendenz der Aufnahme und Anpassung alter Traditionen im Vordergrund stand. In gleicher Weise lassen sich wohl die von Cholewiński in 26,1 erkannten Unstimmigkeiten in bezug auf seine Ergänzungshypothese klären. Mit guten Gründen hat Cholewiński die Sondergebote von Lev 26,1f. wie auch Lev 19,4 der Hauptredaktion des Heiligkeitsgesetzes zugewiesen[398].

Auf der Basis der oben (3.5.) ausgeführten These zur Rah-

---

396) Vgl. die erneut aufgeflammte Diskussion um die Entstehung des biblischen Monotheismus: O. KEEL (Hrsg.), Monotheismus, passim; B. LANG (Hrsg.), Gott, passim und dazu vor allem die Rez. von N. LOHFINK, ThPh 57, 1982, 574-577 und G. BRAULIK, ThR 8o, 1984, 11-15.

397) A. CHOLEWIŃSKI, Heiligkeitsgesetz, 268f.

398) A. CHOLEWIŃSKI, Heiligkeitsgesetz, 119.

mung des Zentralstückes des Heiligkeitsgesetzes durch Lev 19,2 und 26,1f. wird auch der Wechsel zu der Formulierung zwischen 19,4 und 26,1 verständlich. Hatte der Redaktor für 19,4 als Kopf der Zentralsammlung der Gesetze (Lev 19-25) die erste Dekalogtafel als Anhaltspunkt[399] und war damit auch bei seinen Formulierungen enger festgelegt, so hat er den Abschluß auf dieser Basis von 19,4 frei formuliert[4oo] und das ihn besonders interessierende Bilderverbot gewaltig ausgebaut. Seine Intention wird dabei recht klar: er will nicht nur Kultbilder verbieten, sondern darüber hinaus auch andere Kultobjekte wie die sogenannten hl. Steine, so daß dadurch eine gewaltige Ausdehnung des dekalogischen Bilderverbots stattfindet. Mit dieser Ausdehnung, besonders durch die Erwähnung der מצבה, zeigt dieser Redaktor ganz deutlich die Herkunft seiner Quelle aus deut.-dtr. Kreisen[4o1], wie sie im Anschluß an Cholewiński bereits beschrieben wurde[4o2], an.

---

399) Zu der Umstellung in der Abfolge der Gebote vgl. F.-L. HOSSFELD, Dekalog, 144f.

4oo) Ob Deut 16,21f. für die Formulierung von Lev 26,1 wirklich Pate gestanden hat, wie dies A. CHOLEWIŃSKI, Heiligkeitsgesetz, 267ff. vermutet, ist fraglich, da lediglich die allgemeine Wendung קום מצבה übereinstimmt, eine sachliche Verbindung ist jedoch durchaus möglich.

4o1) Zur מצבה im deut.-dtr. Literaturbereich vgl. außer der in Anm. 395 genannten Literatur H.-D. HOFFMANN, Reform, 254f.

4o2) S.o. 3.4.2.

3.6. Deut 4,16- 18^{+}.23^{+}.25^{+}

פן תשחתון	*16*
ועשיתם לכם פסל תמונת כל	
סמל	
תבנית זכר או נקבה	
תבנית כל בהמה אשר בארץ	*17*
תבנית כל צפור כנף אשר תעוף בשמים	
תבנית כל רמש באדמה	*18*
תבנית כל דגה אשר במים מתחת לארץ	
(...)	
פן תשכחו את ברית יהוה אלהיכם	*23*
אשר כרת עמכם	
ועשיתם לכם פסל תמונת כל	
(...)	
והשחתם ועשיתם פסל תמונת כל	*25*

3.6.1. Der Kontext von Deut 4

Mit der Untersuchung von Deut 4 trifft man in den Kernbereich der Rahmung des deuteronomischen Gesetzes[4o3] und damit in den Problemkreis des Verhältnisses von Deut zum DtrGW und zum Tetrateuch. Diese Probleme, vor denen jeder steht, der Teile des Deut zu analysieren versucht, hat Kaiser in

---

4o3) So S. DEAN MCBRIDE Jr., TRE VIII, 53o-543 (Lit.!); O. KAISER, Einleitung, 125f.; W.H. SCHMIDT, Einführung, 12o; vgl. R. SMEND, Entstehung, 71-75.

seinem forschungsgeschichtlichen Resumée treffend zusammengefaßt: "Das literarische Problem des Dt darf als besonders kompliziert bezeichnet werden, weil es nicht nur mit den Fragen seiner eigenen Vorgeschichte und Geschichte, sondern auch mit denen seiner Verbindungen nach rückwärts und vorwärts und damit mit den Problemen der literarischen Schichten des Tetrateuchs und des Deuteronomistischen Geschichtswerkes verbunden ist."[4o4].
Auf diesem Hintergrund ist es verständlicherweise kaum möglich, Einzelverse des Deut isoliert zu bearbeiten. Da im Rahmen der vorliegenden Arbeit eine fundierte Analyse auch nur des anstehenden einen Kapitels (Deut 4) nicht geleistet werden kann, soll versucht werden, nach einer allgemeinen Einordnung von Deut 4 auf der Basis einer These zum Gesamtkapitel[4o5], eine Analyse und Deutung der Bilderverbotstexte vorzulegen.

Das Kapitel teilt sich auf den ersten Blick deutlich in drei Teile: 1.) VV.1-4o; 2.) VV.41-43; 3.) VV.44-49. Die späte Ergänzung der VV.41-43 und die große Gesetzesüberschrift der VV.44-49[4o6] können für den vorliegenden Zusammenhang unberücksichtigt bleiben. Bereits Noth, der Deut 4,1-4o "eine allgemeine Einführungsrede zum Gesetz"[4o7] nannte, hat aufgrund der Eigenständigkeit und der inneren Unstimmigkeiten von Deut 4 gegenüber den dtr. Einleitungsreden zum Gesetz die Frage gestellt, "ob Dtn 4,1-4o Dtr zuzusprechen oder

---

4o4) O. KAISER, Einleitung, 129.

4o5) Hier und im Folgenden stütze ich mich auf die Dissertation von D. KNAPP, Göttingen, zu Deut 4. In fruchtbarer Zusammenarbeit und Diskussion mit ihm konnten viele Details von unterschiedlicher Perspektive her abgeklärt werden; für Einzelheiten der Begründung und Diskussion zu Deut 4 im vorliegenden Abschnitt muß auf seine Arbeit verwiesen werden.

4o6) Vgl. dazu H.D. PREUß, Deuteronomium, 91f.

4o7) M. NOTH, Studien, 38.

als spätere Erweiterung zu betrachten ist."[4o8]. Schon Dillmann[4o9], Steuernagel[41o] u.a. hatten darauf hingewiesen, daß Deut 4 erst sekundär nach Deut 1-3 eingesetzt worden sei. Auf dieser Basis ist Deut 4 in der Folgezeit Gegenstand einschlägiger Untersuchungen gewesen[411]. Die literarkritische Beurteilung des Ganzen ist dabei der entscheidende Punkt, an dem die Meinungen auseinandergehen. Zwei Hauptthesen sind dabei auszumachen: die eine, die Deut 4 insgesamt als Einheit betrachtet und folglich vor allem die kunstvoll-stilistische Gestaltung herausgearbeitet hat[412]; die andere, die das Kapitel minutiös literarkritisch zerlegt und in mehrere Schichten aufteilt[413].
Zwischen diesen beiden Extremen versucht Knapp[414] einen Weg zu finden, indem er einerseits Bruchstellen im Text ernstnimmt, andererseits aber auch die Besonderheiten dieser späten Literaturform - paränetische Literatur, die vorgegebenes Material aufnimmt und weiterverarbeitet - mitberücksichtigt. Seine These einer sukzessiven Fortschreibung in Deut 4 kann er festmachen an zwei Hauptblöcken, die er herausarbeitet: zum einen einen Grundtext der VV.1-4.9-14 und zum anderen eine erste Fortschreibung in den VV.15-16a^{+} (ohne

4o8) M. NOTH, Studien, 38.

4o9) Vgl. A. DILLMANN, KeH XIII, 229.252ff.

41o) Vgl. C. STEUERNAGEL, HK, 98, jedoch nur Teile aus Deut 4.

411) Eine ausführliche Darstellung der Forschungsgeschichte findet sich bei H.D. PREUß, Deuteronomium, 84-9o; von den neueren Arbeiten sind vor allem zu nennen: C. BEGG, Critism, passim; G. BRAULIK, Mittel, passim; DERS., Stratigraphie, passim; N. LOHFINK, Verkündigung, passim; A.D.H. MAYES, Exposition, passim; DERS., Deuteronomy 4, passim; S. MITTMANN, Deuteronomium, 115-132; vgl. auch die Schichtentabelle bei H.D. PREUß, Deuteronomium, 47.

412) Als Hauptvertreter dieser Richtung ist G. BRAULIK, Mittel, zu nennen.

413) Als Hauptvertreter hierzu ist S. MITTMANN, Deuteronomium, zu nennen.

414) S.o. Anm. 4o5; dort auch zur Auseinandersetzung mit G. BRAULIK und S. MITTMANN.

סמל).19-28[415]. Dabei gewinnt seine These dadurch an Plausibilität, daß er das von gleicher Hand stammende Gegenstück zu Deut 4 in Deut 29 auszumachen vermag[416]. Auf dieser Grundlage wird deutlich, daß es sich bei Deut 4 um einen spätdtr. Text handelt, dem auf jeden Fall Deut 1-3.5 und auch 12ff. bereits vorliegen und der inhaltlich das Verbindungsstück zwischen Geschichte und Gesetz darstellt.

3.6.2. Das Bilderverbot in Deut 4

Nicht wie in den übrigen bisher behandelten Texten steht das Bilderverbot in Deut 4 in einer wie auch immer gearteten Gesetzessammlung, sondern in Deut 4 erscheinen mehrfach fast gleichlautende Bilderverbotsformulierungen, die klar eingebunden sind in die Paränese, was sich an den "Einleitungsformulierungen" (פן תשחתון V.16; פן תשכחו V.23; והשחתם V.25) gut erkennen läßt. Der literarkritischen Schichtung von Knapp[417] folgend, zeigt sich, daß der Grundtext von Deut 4, VV.1-4.9-14, noch keine Bilderverbotsformulierung enthält; er kreist vielmehr um das Thema Aufforderung zum Gesetzesgehorsam und, daraus abgeleitet, den Hinweis auf die Horeboffenbarung und die Beauftragung zur Lehre der Gesetze an Mose, so daß daraus folgt: "Israel versteht sich nun als

---

415) Von den späteren Erweiterungen sind für den vorliegenden Zusammenhang nur noch die VV.16a*.b.17.18 von Bedeutung. Zeitlich diesem Stück vorausgehend, ordnet er einen Komplex der VV.29-35 sowie VV. 36-4o und wahrscheinlich nachfolgend VV.5-8 ein.

416) Damit erfüllt er auch eine Hauptforderung der Erforschung des Deut-Rahmens, die O. KAISER, Einleitung, 126 besonders hervorhebt: "Die Aufgabe, die Überprüfung auf die Schlußreden auszudehnen, die ermittelten Schichten mit den innerhalb des deuteronomistischen Geschichtswerkes zu beobachtenden Redaktionen, den deuteronomistischen Zusätzen im Pentateuch und den deuteronomistisch beeinflußten Partien des Jeremiabuches in Beziehung zu setzen, harrt einer Lösung, von der erst eine umfassende Kenntnis der Arbeitsweise und Ausarbeitung der deuteronomistischen Schule zu erwarten ist."

417) S.o. Anm. 4o5.

eine um das Gesetz versammelte Gemeinde."[418]. In diesem Rahmen, und nicht vom Thema der nachträglichen Erweiterung der VV.15-18 her, ist auch V.12 zu verstehen, so daß das ותמונה אינכם ראים זולתי קול (V.12b) durch die darin aufgestellte Alternative (Vision - Audition) dazu dient, das Charakteristikum der Horeboffenbarung und damit zugleich das konstitutive Element der versammelten Gemeinde, nämlich die Dekalogmitteilung, zu unterstreichen.

Im Zuge der Fortschreibung dieses Grundtextes (VV.1-4.9-14) hat die so formulierte Alternative den Anstoß zu einem neuen Thema gegeben. Der Verfasser dieser Erweiterung der VV. 15.16a⁺.19-28 hat die implizierte - bis dahin jedoch nur zur Verstärkung dienende - zweite Möglichkeit aufgegriffen und zu einer Paränese zum Bilderverbot ausgedehnt[419]. Dabei lagen ihm als weitere Anknüpfungspunkte einmal das Bilderverbot von Deut 5,8 in kurzer Form[42o] bereits vor und dann die Anspielung auf die Baal-Peor-Episode in 4,3, die bereits Hosea (9,1o) als Negativmuster für den Abfall von JHWH diente und somit gut der Tradition der Auseinandersetzung um Bildder dienen konnte[421].

Als Leitwort diente dieser Erweiterung das eine Zentralwort der Alternative aus V.12: תמונה. Dadurch erscheint dann konsequenterweise auch das Objekt der Bilderverbotsparänese in

---

418) F.-L. HOSSFELD, Dekalog, 238.

419) Vgl. M. NOTH, Studien, 38f.; G.v.RAD, ATD VIII, 36, der in dieser Art der Fortschreibung einen durchgeführten "Traditionsbeweis" sieht.

42o) Vgl. 3.7.3. Die Beobachtungen von F.-L. HOSSFELD, Dekalog, 26of. zum Verhältnis von Deut 4 zur Dekalogsredaktion sind auf dem Hintergrund der Arbeit von D. KNAPP entsprechend zu modifizieren; s.u. 3.7.3.; vgl. auch den Hinweis W. ZIMMERLIs, Gebot, 247, der in diese Richtung geht: "Die Vermutung legt sich sehr nahe, daß Dt. 4,9ff. als Auslegung des dekalogischen Bilderverbots entstanden sind."

421) Vgl. dazu im einzelnen 3.1.2.; H. UTZSCHNEIDER, Hosea, 121-123; H. SPIECKERMANN, Juda, 2oo Anm. 94; J. JEREMIAS, ATD XXIV/1, 122.

einer durch תמונה erweiterten Form[422]: פסל תמונת כל (VV.16. 23.25). Geht man von den genannten Voraussetzungen bei der zeitlichen Ansetzung von Deut 4 und Deut 5 aus, dann tritt die Bedeutung von תמונת כל klar hervor. Der Ausdruck, der von V.12 her die "Normalform" des Bilderverbotes ergänzt, ist an diesen Stellen (VV.16a⁺.23.25) nur als explikative Apposition zu פסל zu verstehen, so daß die häufige Überset-zung mit "... ein Gottesbild in Gestalt von irgendetwas/irgendeines Wesens" o.ä. zurückzuweisen ist, da bei dieser Übersetzung der Ausdruck תמונת כל syntaktisch פסל untergeordnet wird. Stattdessen ist hier (VV.16a⁺.23.25, zur Erweiterung von VV.16-18 s.u.) zu übersetzen: "..., daß ihr euch nicht ein Kultbild, Gestalt von Etwas, macht."
Durch diese Bearbeitung erhält nicht nur der vorliegende Text Deut 4 eine neue Akzentuierung, sondern die beschriebene Entstehung des Textes macht ganz deutlich, daß auf diese Weise, wenn vom Endpunkt - der in V.12 aufgestellten Alternative zur Horebtheophanie - her zum Bilderverbot hingeleitet wird, das bereits vorgegebene (Deut 5,8) Bilderverbot erstmalig eine Begründung erhält. Will man die Bedeutung des alttestamentlichen Bilderverbotes erfassen, so muß man gerade diese Richtung des Wachstumsprozesses von Deut 4 her berücksichtigen; denn dieser Prozeß erst stellt - quasi rückwärts - den Begründungszusammenhang zwischen Wortoffenbarung am Horeb und Bilderverbot her, welcher in der Nachgeschichte solch enorme Wirkungen gezeitigt hat, so daß nicht vorschnell von einer Reflexion über das Verhältnis von Wort und Bild als Grundaussage des Textes ausgegangen werden darf[423].

Der folgende Abschnitt der ersten Erweiterung der Grundschicht (VV.19-28) wirft in seinem ersten Vers die Frage

422) Zu תמונה in Deut 5,8//Ex 2o,4 und zur Wortbedeutung s.u. Exkurs 4.

423) Vgl. E. ZENGER, Hört, 135.

nach dem Warum der Erwähnung der Gestirne und sodann nach der Absicht der JHWH-Tat in der zweiten Vershälfte auf. Daß die Himmelskörper im Kontext einer Paränese zum Bilderverbot auftauchen, ist dann verständlich, wenn man die Bedeutung der Gestirne in der babylonisch-assyrischen Religion in Betracht zieht. Die Deifizierung der Gestirne[424] führt dort dazu, daß die Gestirne nicht nur zu entsprechenden Göttersymbolen werden[425], sondern auch eine gewisse Gleichsetzung zwischen Gestirnen und Göttern stattfindet[426]. Dieser Hintergrund wird besonders deutlich, wenn man das Weltschöpfungsepos *Enuma eliš*[427] hinzuzieht, wo die Sterne als Abbild (*tamšīlu*) der großen Götter bezeichnet werden, so daß es nur zu verständlich ist, daß der Verfasser von Deut 4,19ff die Gestirne in diesen Kontext mit einbringt, da im Zuge seiner Argumentation das Bilderverbot von der gestaltlosen JHWH-Offenbarung seine Begründung erfährt und die Gestirne in ihrer konkreten Gestalt dem entgegenstehen würden, zumal darüber hinaus die Auseinandersetzung mit den Astralkulten eine breite Basis im AT hat[428] (vgl. z.B. 2 Kön 23,4f.; Jes 47,13; Jer 7,18; 19,13; 44,17. 25; Am 5,26).

Für V.19b ist folglich keine Vorstellung besonderer Toleranz anzunehmen[429], sondern eine Kontrastierung von Israel und den übrigen Völkern[43o]. Daß JHWH dabei das Handlungssubjekt ist - er ist es, der die Gestirne den Völkern zu-

---

424) Vgl. W.G. LAMBERT, RLA III, 544f.

425) Vgl. U. SEIDL, RLA III, 485; J. KRECHER, RLA III, 495.

426) Vgl. dazu ausführlich H. SPIECKERMANN, Juda, 258f.

427) Vgl. W.G. LAMBERT/S.B. PARKER, Enuma eliš, V, 1-2.

428) Vgl. R.E. CLEMENTS, ThWAT IV, 89f.; W.H. SCHMIDT, Schöpfungsgeschichte, 117-12o.

429) Vgl. G.v.RAD, ATD VIII, 36; H.D. PREUß, Verspottung, 241; F.-L. HOSSFELD, Dekalog, 273.

43o) So auch A.D.H. MAYES, Deuteronomy, 154.

teilt -, zeigt auf dem genannten Hintergrund die dem Vers innewohnende Tendenz an. Es ist allein JHWH, der als Gott wirkt; er teilt anderen Völkern ihre Götter resp. Verehrungsobjekte zu. Hinter dem so verstandenen Vers steht schon ein ausgebildeter Monotheismus, wie er sich für Israel im Exil vollends herauskristallisiert und vollendet hat[431].
Der Argumentationszusammenhang ist hier aber ganz besonders zu beachten, da an dieser Stelle nicht abgrenzend formuliert wird, wie dies andere Stellen tun, die die Kulte anderer Religionen als "Greuel für JHWH" bezeichnen (vgl. Deut 18,12)[432], und auch nicht polemisch abwertend (vgl. bes. DtJes), sondern hier entsteht auf dem Boden des Erwählungsgedankens Israels eine "gestufte Offenbarungslehre". JHWH teilt den Völkern die Gestirne zur Verehrung zu, d.h. den Religionen anderer Völker ist verborgene Verehrung JHWHs eigen, des einen und alleinigen Gottes, der diese Ordnung gesetzt hat. Demgegenüber gilt für Israel aber eine höhere Form der Offenbarung; Israel hat JHWH aus allen Völkern erwählt und sich ihm in Wort und Tat kundgetan, so daß Israel auf die von JHWH übermittelten Gebote (vgl. besonders den Kontext von Deut 4) festgelegt ist: "Euch aber nahm JHWH und führte euch aus dem Eisenschmelzofen, aus Ägypten, heraus, damit ihr ihm zum Volk des Eigentums werdet, wie es heute ist." (Deut 4,2o).
Damit wird eine Entwicklung greifbar, die auch an anderen Texten schon beobachtet werden konnte (z.B. Lev 26,1; s.o. 3.5.2.), daß nämlich durch diesen ausgeprägten Monotheismus das Fremdgötterverbot zugunsten des Bilderverbots zurücktritt. Dieses Bild wird gänzlich abgerundet, wenn man hinzuzieht, wie Deut 4,28 abschließend von den Göttern spricht, die nach der Zerstreuung bei anderen Völkern von Israel zu

---

431) S.o. Anm. 396.

432) Vgl. J. FICHTNER, Bewältigung, bes. 29-34; M. ROSE, Ausschließlichkeitsanspruch, 92 Anm. 6.

verehren sind und die "Werk von Menschenhand, Holz und Stein" sind; die gleiche Absicht findet sich parallel noch in Deut 29,15ff.[433], wo die gleiche Vorstellung, daß Fremdgötter- und Bilderverbot zusammenlaufen, deutlich wird.

Zuletzt ist noch auf die späte Erweiterung der Bilderverbotsparänese in den VV.16aβ^{+}.b.17-18 einzugehen. Sie fällt aus Gründen des Vokabulars und Stils deutlich aus dem Zusammenhang der VV.15-28 heraus[434]. Vor allem fällt das priesterschriftlich geprägte Vokabular auf[435]; besonders zu beachten ist auch die Einführung des Begriffes סמל an dieser Stelle. Innerhalb der alttestamentlichen Bilderterminologie stellt סמל einen funktionalen Begriff[436] dar, der an sich selbst noch keine Art von Bild beschreibt, sondern seine Grundbedeutung ist am besten im Aspekt des Zusammenstellens oder Begleitens zu fassen, so daß der Begriff סמל immer von einem anderen, eigentlichen Bildbegriff her im Sinne eines beigestellten Kultobjekts definiert wird. Von hierher kann an Kultobjekte wie z.B. אשרה[437] gedacht werden.
Die Hinzufügung des סמל in V.16 bewirkt eine syntaktische Veränderung der ursprünglichen Apposition zu einer erweiterten Cstr.-Kette, die häufig vor Schwierigkeiten bei der Deutung gestellt hat, da man versucht hat, den Ausdruck פסל תמונת כל סמל von den Parallelformulierungen (Deut 4,16.23.

---

433) S.o. zu Anm. 416.

434) Vgl. hierzu im einzelnen D. KNAPP (s.o. Anm. 4o5).

435) Auf diesem Hintergrund ist dann auch das זכר או נקבה in V.16 nicht mehr als Ausnahme zur üblichen P-Verwendung des Wortpaares zu konstatieren, so noch W.H. SCHMIDT, Schöpfungsgeschichte, 146 Anm. 1; vgl. C. WESTERMANN, BK I/1, 22o, der mit Gunkel eine von P beeinflußte Ergänzung vermutet.

436) Zu Etymologie, Bedeutung und den verwendeten syntaktischen Konstruktionen dieses bisher nur im Phön./Pun. und Hebr. belegten Begriffs vgl. im einzelnen C. DOHMEN, סמל, passim.

437) Zur Frage nach der Bedeutung von אשרה - Göttin oder Kultobjekt - vgl. U. WINTER, Frau, 551-56o.

25 und auch Ex 2o,4; Deut 5,8) her zu erklären[438]. Diese syntaktischen Schwierigkeiten spiegeln sich auch schon in den teils stark divergierenden Übersetzungen von V.16 in den alten Versionen[439] wider. Man wird die Probleme von V.16 jedoch nur durch eine Erklärung, die die Zweiphasigkeit des Verses wahrnimmt, lösen können, so daß im Text der ersten Erweiterungsstufe von Deut 4 die übliche Wendung פסל תמונת כל (s.o.) zu finden ist; die spätere Erweiterung durch סמל verändert den Ausdruck jedoch grundlegend, da sie einen neuen Ausdruck תמונת כל סמל bildet, den sie dem allgemeinen Bildbegriff פסל als Spezifizierung zuordnet, wie es auch durch die masoretische Versgliederung angezeigt wird. Man kann folglich übersetzen: "... und euch kein Kultbild angefertigt, keinerlei Art von beigestelltem Kultobjekt..." . Grundlegender Unterschied zur vorausgehenden Wendung ist, daß nun zumindest zwei unterschiedliche Dinge gemeint sind, während die ursprüngliche Apposition תמונת כל nur den Begriff פסל erklärte (s.o.)[44o]. Die Darstellungsmöglichkeiten folgen im jetzt erweiterten Text dann durch mehrfaches תבנית (VV.16b-18) angeschlossen. Erfaßt werden in dieser Reihe interessanterweise alle Lebewesen. Daß nicht-anthropo- oder theriomorphe Darstellungen deshalb erlaubt seien, ist damit nicht gesagt, da von der Textgenese her klar ist, daß diese Auflistung als Ergänzung - auch inhaltlich - zu verstehen ist. Das ursprüngliche Kultbildverbot ist somit durch ein Verbot von bedeutungsmäßig weiter gefaßten Kultobjekten erweitert worden, so daß nun nicht nur direkte Kultbilder, wie Götterfiguren etc., sondern auch Symbolfiguren, Postamenttiere etc. untersagt werden. Damit ist die Bildlosig-

---

438) So z.B. W. ZIMMERLI, BK XIII/1, 213, der entsprechend den Atnach unter כל zu verschieben vorschlägt.

439) Vgl. C. DOHMEN, סמל, 265.

44o) Die gleiche Tendenz zur Ausweitung des Verbots findet sich in der Novellierung des Dekalogs in Ex 2o,4, s.u. 3.7.; und wurde auch schon in Lev 26,1 festgestellt, s.o. 3.5.

keit expressis verbis für den gesamten Bereich des Kultes gefordert.

Zusammenfassend lassen sich somit in bezug auf das Bilderverbot drei Phasen in Deut 4 ausmachen. 1.) Im Grundtext (VV.1-4.9-14) begegnet noch kein Hinweis auf das Bilderverbot. 2.) Die erste Erweiterung von Deut 4 (VV.15.16a+.19-28) knüpft an die in der Grundschicht aufgestellte Alternative zur Offenbarung (V.12) - Audition gegen Vision - an und entwickelt daraus eine Paränese zum dekalogischen Bilderverbot und stellt dieses dabei nachträglich in einen kausalen Begründungszusammenhang. 3.) Ein späterer priesterlicher Redaktor (R^P?) erweitert diese Paränese noch einmal (VV.16a+ [nur סמל].b.17-18) und weitet dabei das *Kultbildverbot* aus zu einem *Verbot jedweder Darstellung im Kult.*

3.7. Deut 5,8 // Ex 2o,4

Ex 2o,4	Deut 5,8
לא תעשה לך פסל	לא תעשה לך פסל
וכל תמונה	כל תמונה
אשר בשמים ממעל	אשר בשמים ממעל
ואשר בארץ מתחת	ואשר בארץ מתחת
ואשר במים מתחת לארץ	ואשר במים מתחת לארץ

3.7.1. Zum Dekalog

Unter den alttestamentlichen Gebotssammlungen nimmt der Dekalog eine herausragende Stelle ein und dies nicht allein aufgrund der Wirkungsgeschichte, die er gezeitigt hat, sondern auch aufgrund seiner Stellung im Aufriß des Pentateuchs und - last not least - durch seinen Inhalt[441]. Im AT ist eine ganz besondere und völlig singuläre theologische Konzeption auszumachen, die alle Gesetze und Gebote insgesamt mit der Sinai- Horebtheophanie verbindet; das bedeutet, daß das so dargebotene Gesetzesmaterial einerseits in die Heilsgeschichte (Sinaiereignis) eingebunden wird und andererseits als Forderung des Sinaigottes (JHWH) erscheint. Diese für die alttestamentliche Überlieferung von Gesetzesmaterial herausragende *theologische Verknüpfung* geht auf JE zurück, der dies durch die Integration rechtlicher Aspekte in sein Geschichtswerk erstmals bietet (vgl. z.B. Gen 15 sowie Ex 34 (s.o. Exkurs 1)[442]. In diesem Rahmen ist der Dekalog an

---

441) F. CRÜSEMANN, Bewahrung, passim, arbeitet das "Thema des Dekalogs" heraus; es sind "die elementaren Forderungen, die zur Bewahrung der im Prolog beschriebenen Freiheit eingehalten werden müssen" (8o). Diese These betrifft zweifellos die vorliegende Komposition des Endtextes, da aber die Einzelgebote teils eine eigene Vorgeschichte haben und auch eine recht unterschiedliche Nachgeschichte, muß man jedoch bei der Zuweisung einer einzigen Thematik des Dekalogs vorsichtig sein. Gerade die Wirkungsgeschichte des Bilderverbotes in Juden- und Christentum zeigt deutlich - vergleicht man sie beispielsweise mit der des Begehrensverbotes o.a. -, daß das *Bedeutungsfeld des Dekalogs* nicht in einer einzigen Thematik zu fassen ist, denn die Einzelgebote haben sehr wohl ihre je eigene Thematik, die sich unabhängig vom Kontext (Dekalog) entwickeln konnte. Man wird somit den Inhalt des Dekalogs weder vorschnell als Zusammenfassung alttestamentlicher Ethik beschreiben können, noch ihn von seiner kompositorischen Einbindung her auf ein einziges Thema hin engführen können. Die Wahrheit wird wohl in der Mitte zu finden sein, d.h. die Einzelgebote stellen schon auf Allgemeinheit abzielende *Grundgebote* verschiedener Bereiche dar, die dann aber einer übergeordneten Thematik (im eigentlichen Dekalog) eingefügt werden.

442) Vgl. E. ZENGER, Israel, 186-19o; F.-L. HOSSFELD, Dekalog, 212-216, sowie zum Allgemeinen C. WESTERMANN, Theologie, 145-156.

erster Stelle zu nennen, da er als der bedeutsamste Text im Zentrum der Sinai- Horebtheophanie steht und direkt als Wort JHWHs erscheint, d.h. er erscheint als unmittelbare Gottesrede (vgl. Deut 5,22; Ex 2o,1) und nicht wie andere Gesetzestexte als durch Mose vermittelte Rede. Literarisch paßt dieser Rahmen der Gottesrede jedoch auch nur zum formalen ersten Teil des Dekalogs (Deut 5,6-8 // Ex 2o,2-6), denn der zweite (Deut 5,9-21 // Ex 2o,7-17) spricht von JHWH in der dritten Person. Dies zeigt schon an, daß die Probleme um den Dekalog vielschichtig sind. Es geht vor allem um die Fragen nach seiner Form und Gattung, seiner Komposition, seiner Überlieferung und seiner Herkunft[443]. Greifbar werden diese Probleme zum einen an den innertextlichen Spannungen wie Numeruswechsel, Nebeneinander von Geboten und Verboten etc., zum anderen vor allem an dem Faktum der Doppelüberlieferung des Dekalogs, wobei die textlichen Abweichungen zwischen Deut-Fassung und Ex-Fassung die entsprechende Signalfunktion haben[444]. Von vielerlei Blick- und Fragerichtungen her hat sich die bisherige Forschung immer wieder den unterschiedlichen Problemen der Dekalogexegese zugewandt[445]. Eine umfassende exegetische Studie zum gesamten Dekalog hat zuletzt Hossfeld vorgelegt[446]. Im Folgenden wird seine Hauptthese (s.u.) zugrundegelegt, so daß eine grundsätzliche Auseinandersetzung mit der bisherigen Dekalogliteratur nicht eigens zu erfolgen braucht, da sie in der genannten Arbeit zu finden ist. Hossfelds These bietet für die folgende Analyse den notwendigen literarhistorischen Hinter-

443) Vgl. insgesamt L. PERLITT, TRE VIII, 4o8-413; sowie die Übersicht zur Problemlage bei O. KAISER, Einleitung, 73f.; W.H. SCHMIDT, Einführung, 113-115.

444) Zu den Textvarianten vgl. L. PERLITT, TRE VIII, 4o9f.

445) Vgl. J.J. STAMM-M.E. ANDREW, Commandments, passim; L. PERLITT, TRE VIII, 412f. (Lit.!); H.D. PREUß, Deuteronomium, bes. 99f.; B. LANG, Dekalog, passim.

446) F.-L. HOSSFELD, Dekalog (1982).

grund für das Ganze (Dekalog); anhand der bisherigen Untersuchungen zu den übrigen Bilderverbotstexten und der nun folgenden Untersuchung des dekalogischen Bilderverbots sollen Tragfähigkeit und Plausibilität dieser These erprobt werden[447].

Hossfeld arbeitet anhand eines minutiösen synoptischen Vergleichs beider Fassungen heraus, daß die Deut-Fassung gegenüber der Ex-Fassung die ältere ist, und daß auch diese ältere Deut-Fassung nicht aus einem Guß ist, sondern aus Vorstufen langsam gewachsen ist. Erst im Zuge einer umfassenden dtr. Redaktion ist die Zehnerreihe auf zwei Tafeln entstanden. Die Pentateuchredaktion hat dann erst diesem zwischenzeitlich schon bedeutsam gewordenen Text ihre Reverenz erwiesen, indem sie ihn vom "Rand des Pentateuchs" aus ins Zentrum - die Sinaitheophanie - übertragen hat[448]. Daher hat sie im eng gesteckten Rahmen der Deut-Vorlage eine Novellierung des Dekalogs vorgenommen[449].

3.7.2. Die Unterschiede beim Bilderverbot zwischen Deut- und Ex-Fassung

Der erste gravierende Unterschied zwischen beiden Dekalog-

447) Es ist HOSSFELDs Anliegen, eine durchgängige These zur Gesamtproblematik von Komposition und Redaktion des Dekalogs im Rahmen des Pentateuch vorzulegen, die nun Grundlage zu weiteren exakten Erforschungen der Einzelgebote sein kann; vgl. dazu auch L. PERLITT, Rez. 1983, 578-58o; R. SMEND, Rez. 1983, 468f.; B. LANG, Dekalog, passim.

448) Vgl. auch schon L. PERLITT, TRE VIII, 411: "Als der Dekalog an den 'Sinai' geriet, war seine Dignität schon unbestritten."; ebenso R. E. CLEMENTS, Testament, 12o.

449) Vgl. im einzelnen F.-L. HOSSFELD, Dekalog, 212f.

fassungen ist das Hintereinander der Obj. in der Bilderverbotsformulierung; in Deut 5,8 ist כל תמונה asyndetisch an פסל angeschlossen, in Ex 2o,4 ist demgegenüber durch *waw*-copulativum syndetisch angeschlossen worden. Der Unterschied läßt sich unter Hinweis auf die Texttradition natürlich nivellieren, denn BHK und BHS geben bei Deut 5,8 eine Fülle von Textzeugen an, die hier wie in Ex 2o,4 mit *waw* anschließen. Diese Annahme, die vor allem von Verfechtern der sachlichen Einheitlichkeit des Bilderverbotes (s.o.1.2.) vertreten wird, daß das *waw* eine unbedeutende Textvariante darstelle, wird jedoch durch den textkritischen Befund von Ex 2o,4 in Frage gestellt, denn zu der dort zu findenden Syndese finden sich im Gegensatz zu den genannten Varianten von Deut 5,8 keine abweichenden Lesarten ohne *waw*[45o]. Es scheint somit, daß erstens beide Fassungen unbedingt auseinanderzuhalten sind[451] und zweitens die Asyndese von Deut 5,8 in textlicher Hinsicht als lectio difficilior zu betrachten ist und damit als ursprüngliche zu gelten hat.
Die Bedeutung von Syndese resp. Asyndese wird ganz deutlich, wenn man den nachfolgenden Satz לא תשתחוה להם ולא תעבדם (Deut 5,9a // Ex 2o,5a) zur eigentlichen Bilderverbotsformulierung mit in Betracht zieht. Zimmerli[452] hat erstmals darauf hingewiesen, daß dieser Doppelprohibitiv mit seinen Pl.-Suffixen über das eigentliche Bilderverbot hinweg auf die אלהים אחרים des Fremdgötterverbots (Deut 5,3 // Ex 2o,7) zu beziehen ist, so daß das Bilderverbot "ganz im Schatten des Verbots der Fremdgötterei stand und mit diesem zusammen als ein Gebot behandelt wurde."[453]. Hossfeld hat dies aufgegrif-

---

45o) Die Herausgebervorschläge in BHK sind ohne Belang.

451) Vgl. N. LOHFINKs, Dekalogfassung, 17f. Anm. 6 formulierten Hinweis auf die Harmonisierungstendenz, die auch schon bei den alten Versionen zu finden ist.

452) W. ZIMMERLI, Gebot, bes. 236-238.

453) W. ZIMMERLI, Gebot, 241.

fen[454] und darauf aufmerksam gemacht, daß diese Konstruktion Zimmerlis beim jetzt vorliegenden Endtext nur in der Deut-Fassung funktioniert[455], da hier das כל תמונה als explikative Apposition zu פסל steht, in der Ex-Fassung hingegen durch die Syndese פסל וכל תמונה zwei Objekte genannt sind und somit die Pl.-Suffixe von V.5a nur bis hierher zurückgreifen, so daß in der Ex-Fassung zwei getrennte Verbote - Fremdgötter- und Bilderverbot - entstehen.
Auf den ersten Blick scheint die Bedeutung des *waw* überbewertet worden zu sein beim Vergleich der Dekalogfassungen[456]. Zieht man jedoch alle Argumente zusammen, dann spricht doch einiges für die vorgeschlagene These. Zum einen betont das oben dargelegte textkritische Argument die Priorität der Deut-Fassung vor der Ex-Fassung, so daß die Syndese der Ex-Fassung als bewußt gewählte eigenständige Formulierung zu werten ist; zum anderen steht diese Beobachtung in Parallele zu bereits in anderen Texten festgestellten Tendenzen, dem Bilderverbot gegenüber dem Fremdgötterverbot mehr an Bedeutung zuzumessen, es vor allem auch durch Anhäufung der verbotenen Objekte inhaltlich auszuweiten resp. zu verallgemeinern[457], und schließlich korrespondieren die syntaktischen Konseqezen des *waw* im Bilderverbot mit einem entsprechenden Verhältnis von Syndese und Asyndese zwischen beiden Fassungen in der Prohibitivverknüpfung am Ende des Dekalogs (Deut 5,17-21 // Ex 2o,13-17) und der

---

454) Vgl. F.-L. HOSSFELD, Dekalog, 23f.; in seinem Exkurs zur "Reihung von עבד und יהוה" (24-26) hat er sich auch mit J.P. FLOSS', Jahwe, 168-171.236-244 Kritik an ZIMMERLIs These auseinandergesetzt und zeigen können, daß die Differenzierung von den beiden eigenständigen Dekalogfassungen auszugehen hat.

455) G. FOHRERs, Recht, 59 Anm. 33 Hinweis, daß die Pl.-Suffixe auf die beiden "Substantive 'Gottesbild' und 'Abbild'" zu beziehen seien, trifft für die Ex-Fassung zu, nicht aber für die Deut-Fassung (s.u.).

456) So das Urteil von R. SMEND, Rez. 1983, 459.

457) Vgl. bes. 3.5.2. zu Lev 26,1 und 3.6.2. zu Deut 4,16-18

durch die vorgegebene Zehnzahl notwendigen Verbindung des doppelten Begehrensverbotes zu einer Einheit in der Exodusfassung[458].

Es ist somit resümierend daran festzuhalten, daß die beiden Dekalogfassungen in bezug auf das Bilderverbot eine unterschiedliche Akzentuierung vornehmen und damit beide einen unterschiedlichen Stand in der Entwicklung des Bilderverbotes einnehmen (s.u.). Die Deut-Fassung liest das Bilderverbot als "Spezialfall" des Fremdgötterverbotes, nicht als eigenes Gebot, so daß folglich ihre Bewertung des Bildes eine andere ist als die der Ex-Fassung, denn in letzterer steht das Bilderverbot als selbständiges Verbot, das die Rahmenelemente (Ex 2o,5f.) des vormals großen ersten Gebotes der Deut-Fassung als Anhang angezogen hat und somit als das *größte Verbot* sowohl vom Textumfang als auch von der Gewichtung her erscheinen kann. Nicht von Belang für den vorliegenden Zusammenhang ist das Problem der Zählweise der Generationsreihe beim ersten resp. zweiten Gebot (Deut 5,9 // Ex 2o,5). Auch hier bestätigt sich die Eigenständigkeit beider Fassungen und der zeitliche Vorrang der Deut-Fassung[459].

EXKURS 4: תמונה *im AT*

Das Nomen תמונה begegnet insgesamt nur lomal im AT (Ex 2o,4; Deut 4,12.15.16.23.25; 5,8; Num 12,8; Ps 17,15; Hi 4,16).

---

458) Vgl. dazu im einzelnen F.-L. HOSSFELD, Dekalog, 141-144; auf diese Konsequenzen der Aufteilung der Gebote am Anfang und Ende des Dekalogs hat auch schon J. DUS, Gebot, 45 unter dem Gesichtspunkt seiner These einer sekundären Einfügung des Bilderverbotes im Dekalog hingewiesen.

459) Vgl. dazu im einzelnen F.-L. HOSSFELD, Dekalog, 26-32.

Es handelt sich hierbei um eine Abstraktbildung als *taqtûl*-Form[46o] der Basis מין+, die sich im Bibl.-Hebr. nur noch als gleichlautende Nominalbildung mit der Bedeutung 'Art' (Gattung)[461] nachweisen läßt. Etymologische Verbindungen zu Worten aus anderen semitischen Sprachen sind umstritten[462]; als sicher gilt allein die Zusammenstellung mit ugar. *mn* 'Gestalt, Art'[463].

Zur Bedeutung von תמונה differenzieren die gängigen Wörterbücher zwischen 'Gestalt, Erscheinung' einerseits und 'durch Kunst geschaffene Gestalt, Figur' andererseits[464]. Die sich dabei anzeigende semantische Unschärfe (Identität eines Elementes der Differenzierung) und das Faktum, daß dabei die Zuweisung der einzelnen Belege zur einen oder anderen Bedeutung zwischen den einzelnen Wörterbüchern schwankt, zeigen schon an, daß die Probleme in diesem Fall vom Kontext und nicht von einer Bedeutungsdifferenz (materiell - immateriell?) her gegeben sind und sie sich folglich auch nur von hierher lösen lassen.

Ausgangspunkt für diese Differenzierung der Bedeutung ist nicht zuletzt die wechselnde Konstruktion zwischen den beiden Bilderverbotsfassungen des Dekalogs[465]. Gegen eine der-

---

46o) ע"י -Verben bilden diese Form in Analogie zu den ע"ו -Verben, vgl. J. BARTH, Nominalbildung, § 188; GesK, § 85 r; BLe, § 61 hy-iy.ry.

461) Vgl. HAL, 547.

462) Vgl. außer den Belegen in HAL, 547 vor allem P. BEAUCHAMP, ThWAT IV, 867; A. CAQUOT, Siracide, 226 Anm. 1 sowie jetzt M. GÖRG, *min*, passim, der eine etymologische Rückführung auf äg. *mn.t* "Art" vorschlägt.

463) Zu den unterschiedlichen Deutungen, die bisher zu ugar. *mn* vorgetragen wurden, vgl. M. DIETRICH-O. LORETZ, Kunstwerke, 62.

464) So GesB, 881; vgl. LVTL, 1o31: 1. Gestalt - 2. Abbild (künstliche Gestalt); KÖNIG, Wb 547: 1. Gestaltung - 2. meton. das Produkt vertretend: Gestalt, Erscheinung; BDB, 568: 1. likeness, representation - 2. form, resemblance.

465) So auch 3.7.2., sowie F.-L. HOSSFELD, Dekalog, 21-24 und die unterschiedlichen Vorschläge in den älteren Kommentaren: A. DILLMANN, KeH XII; H. HOLZINGER, KHC II, 71; C.F. KEIL, BCAT I, 51of.; E. KÖNIG, KAT III, 87f.

artige Bedeutungsdifferenzierung von תמונה hat sich aber bereits Knudtzon gewandt[466].
Da die syntaktischen Konstruktionen von תמונה in Deut 4 klar und verständlich sind und zudem in diesem Kapitel (Deut 4) die Hälfte aller Vorkommen von תמונה zu finden ist, ist es sachlich angemessen, von diesen Stellen auszugehen.

Den oben unter 3.6. dargelegten Analysen von Knapp zu Deut 4 folgend begegnet im Grundtext von Deut 4 (VV.1-4.9-14) nur ein einziges Mal תמונה, und zwar im Stat.abs.Sg. in V.12. Hier beschreibt das Nomen תמונה in der Kontrastierung von Audition und Vision ganz allgemein das Sichtbare, d.h. die Gestalt. Dem ersten Bearbeiter von Deut 4 (VV.15-16a$^+$.19-28) hat dies als Leitwort zu einer Paränese zum Thema Bilderverbot gedient. Er stellt erstmals einen Kausalzusammenhang zwischen Bilderverbot und Wortoffenbarung her, indem er formuliert: Weil ihr gar keine Gestalt (תמונה) gesehen habt (V.15bα)... sollt ihr euch kein Kultbild (פסל) machen (V. 16a). Die direkte Verbindung in diesem Kausalzusammenhang stellt dieser Bearbeiter des Grundtextes dadurch her, daß er zu פסל die Apposition תמונת כל 'Gestalt von Etwas' setzt. In der gleichen Form formuliert er dann in den VV.23.25 noch einmal.
Dieser Zusammenhang erhellt, daß der Ausdruck פסל תמונת כל in Deut 4,16.23.25 allein von der paränetischen Absicht des ersten Bearbeiters her zu erklären ist, der, ausgehend von der Erwähnung einer תמונה im Grundtext (V.12), eine Begründung zum Bilderverbot liefern wollte. Da die Erwähnung einer תמונה im Grundtext (V.12) nicht unmittelbar zum Begriff des Kultbildes (פסל), wie ihn das dekalogische Bilderverbot wohl

466) Vgl. J.A. KNUDTZON, Deutung, 193f., wenn sein Lösungsvorschlag, eine Doppelbedeutung von עשה "machen" und "darstellen" - "Nicht sollst du dir machen ein Gottesbild oder (darstellen) irgend-welche Gestalt, die ..." - anzunehmen, auch nicht überzeugen kann.

kannte (s.u.3.7.3.), überleitete, mußte der Bearbeiter die von seiner kausalen Argumentationskette her angezielte Vermittlung zwischen תמונה und פסל erst einmal herstellen. Dies gelang ihm dadurch, daß er in den VV.16.23.25 in Form einer explikativen Apposition תמונה und פסל zusammenbringt und aufeinander bezieht. Inhaltlich werden dadurch neue Akzente gesetzt, indem vom grundsätzlichen Kultbildverbot her das Interesse auf die Vielfalt der Gestaltungsmöglichkeiten eines Kultbildes geleitet wird: ein Kultbild, eine Gestalt von Etwas.

Die notwendige Übereinstimmung von Deut 4 mit dem dekalogischen Bilderverbot bedingte nun auch den entsprechenden Zusatz an dieser Stelle im Dekalog. Der oft diskutierte Wechsel[467] von תמונת כל in Deut 4,16.23.25 und (ו)כל תמונה in Deut 5,8 // Ex 2o,4 erklärt sich sehr einfach auf diesem Hintergrund aus der jeweiligen syntaktischen Einbindung der Wendung. In Deut 4,16.23.25 steht sie in einem durch פן negierten Finalsatz[468], in dem gerade in der oben beschriebenen Form die Offenheit der Gestaltungsmöglichkeiten ihren Platz hat, d.h. der Möglichkeit des Tuns (ein Kultbild herzustellen) korrespondieren die vielfältigen Möglichkeiten der Art und Weise der Gestaltung des Kultbildes. Wird diese Form des negierten Finalsatzes in einen Prohibitiv umgesetzt, wie dies das Einbringen der Wendung in Deut 5,8 nötig machte, dann entsteht daraus von selbst die Form der steigernden Negation[469]: kein Kultbild, gar keine Gestalt.

Genau diese syntaktische Konstruktion ist ja auch von der Ausgangsformulierung in Deut 4,15 bereits vorgegeben כי לא ראיתם כל תמונה; dies ist in der Diskussion nur zu oft übersehen worden, da man von der syntaktischen Schwierigkeit der Anknüpfung in der Dekalogformulierung des nachfolgenden אשר-

467) Vgl. H. HOLZINGER, KHC II, 71; F.-L. HOSSFELD, Dekalog, 21; H. GRAF REVENTLOW, Gebot, 3o ; W. ZIMMERLI, Gebot, 235.

468) Vgl. R. MEYER, Grammatik, § 117, 2.b).

469) Vgl. HAL, 452, Nr. 11.

Satzes an das im Stat.abs. stehende Nomen תמונה her auf die Wendung blickte[47o].

In bezug auf die Semantik von תמונה legen die obigen Erklärungen nahe, bei der einen eigentlichen Bedeutung von תמונה im konkreten Sinn von 'Aussehen, äußere Form u.ä.' zu bleiben, da תמונה nur als Präzisierung des פסל fungiert, d.h. alle möglichen Ausgestaltungen eines Kultbildes werden untersagt. Dies gilt modifiziert auch für die Ex-Fassung, die, wie oben unter 3.7.2. beschrieben, das תמונה durch die zusätzliche Kopula *waw* zu einem eigenen Objekt macht, so daß an dieser Stelle (Ex 2o,5) die notwendige Präzisierung von תמונה durch den nachfolgenden אשר-Satz geschieht (s.u.3.7. 3.).

Die häufig zu findende *semantische Überbewertung*[471] von תמונה in diesen Fällen geht wohl hauptsächlich zu Lasten der LXX, die תמונה an all diesen Stellen mit dem Relationsbegriff ὁμοίωμα wiedergibt[472], einem Begriff, den sie ansonsten vor allem zur Wiedergabe von hebr. דמות und תבנית benutzt, beides Begriffe, denen im Gegensatz zu תמונה ein entsprechender Relationscharakter im Sinne von Urbild - Abbild innewohnt[473].

Man kann folglich davon ausgehen, daß die eingangs zitierte semantische Differenzierung des Begriffs תמונה keinen Halt in diesen Texten des Bilderverbotes findet. Für alle diese Stellen (Deut 4,12.15.16.23.25; 5,8; Ex 2o,5) ist bei der Grundbedeutung 'sichtbare Gestalt' zu bleiben; die Besonderheiten der einzelnen Stellen lassen sich lückenlos von ihrer Genese her erklären.

47o) Zu dieser Verbindung s.u. 3.7.3.

471) Von ihr kann gesprochen werden, wenn תמונה als eigentlicher und direkter *Bildbegriff* in der Bedeutung 'Darstellung, Abbild u.ä.' gefaßt wird, vgl. z.B. A. KRUYSWIJK, Beeld, 62; G. FOHRER, Recht, 59.

472) Vgl. J. SCHNEIDER, ThWNT V, 191; ähnlich greifen auch die Targumim und die Syr. auf Äquivalente von דמות zurück.

473) Vgl. H.D. PREUß, ThWAT II, 273-277; S. WAGNER, ThWAT I, 7o4-7o6.

Es gilt nun noch, die restlichen 3 Belegstellen von תמונה zu betrachten.
Die Phrase ותמנת יהוה יביט in Num 12,8aβ nimmt innerhalb der Erzählung von der Auflehnung Mirjams und Aarons gegen Mose (Num 12,1-16) eine herausragende Stelle ein, da sie die für diese Erzählung wesentliche Charakterisierung des Mose enthält[474]. Der wohl ältere Grundsatz, daß das Sehen JHWHs den Tod bedeute (vgl. Ex 3,6; 19,21; 33,2o), ist hier in Num 12,8aβ aufgegeben zugunsten einer Schilderung, die auf die einzigartige Stellung des Mose abhebt. Durch diese Besonderheit entsteht das "Bild des Mose als des einzigen Menschen, dem ein unmittelbarer Zugang zu Gott geschenkt war"[475]. Diese Einzigartigkeit des Mose zeichnet sich besonders deutlich ab, wenn man von Num 12,6 her bedenkt, daß Mose an der vorliegenden Stelle als Prophet beschrieben wird. Durch die Aussage von Num 12,8aβ wird er auch sogleich aus der Reihe der Propheten herausgehoben; denn den Propheten wurden Visionen zuteil (vgl. Jes 6; Ez 1ff.; Am 7-9), Mose aber durfte die Gestalt JHWHs direkt sehen und wurde so zum "Über-Propheten". Deut 34,1o unterstreicht die Sicht: ולא קם נביא עוד בישראל כמשה אשר ידעו יהוה פנים אל פנים. Diese Sicht scheint innerhalb des AT jünger zu sein, da beispielsweise gerade in Ex 33,2o der Grundsatz, daß kein Mensch das Angesicht JHWHs schauen kann, gegenüber Mose formuliert wird. In Ex 33 darf Mose deshalb nur die vorbeiziehende Herrlichkeit (כבוד) JHWHs sehen[476]. An eine sachliche Verbindung zwischen diesen beiden Stellen hat wohl auch die LXX gedacht, wenn sie תמונה in Num 12,8 mit δόξα wiedergibt.

---

474) Vgl. M. NOTH, ATD VII, 85, der den Versteil für sekundär hält. Demgegenüber hat H. VALENTIN, Aaron, 324f. auf den antithetischen Parallelismus der VV.6b.8a hingewiesen und das ganze Stück (VV.6-8) treffend als "religiöse Lehrerzählung" (327) bezeichnet.

475) H. VALENTIN, Aaron, 353.

476) Vgl. F. NÖTSCHER, Angesicht, 43-53; T.N.D. METTINGER, Dethronement, 119.

Auch in Ps 17,15b gibt die LXX תמונה mit δόξα wieder, jedoch bietet der Vers dem Ausleger größere Schwierigkeiten[477]. Dem Sinn der Metapher der im AT singulären Wendung 'sich an (deiner) Gestalt sättigen' wird man wohl nur gerecht, wenn man ihn im vorliegenden Parallelismus von der weitaus häufiger zu findenden Vorstellung vom 'Schauen des Angesichts Gottes' her zu beleuchten versucht[478], so daß תמונה hier auch durchaus die Bedeutung von Gestalt als Sichtbares hat, was in der vorliegenden Wendung dann natürlich nur noch im übertragenen Sinn gebraucht ist[479].

Die letzte Belegstelle, Hi 4,16, paßt sich gut in das bisher Gesagte ein. Im Nebeneinander des Nicht-Sehens des מראה und des Sehens der תמונה zeigt sich: "תמונה bezeichnet keine bestimmte Form, sondern weist auf die Gestalt als Erscheinung hin, ohne daß dabei an beschreibbare Umrisse gedacht ist."[480]. An dieser Stelle übersetzt die LXX bezeichnenderweise mit μορφή, einem recht seltenen Wort in der LXX[481]. Diese drei Belegstellen von תמונה haben nun gezeigt, daß bei der angegebenen Grundbedeutung von תמונה im Sinne von '(sichtbare) Gestalt, Aussehen' durchaus auch hier zu bleiben ist. Als Besonderheit ist einzig festzuhalten, daß alle Belege der "Sakralsphäre"[482] zuzurechnen sind.

Eine direkte Abhängigkeitslinie zwischen den drei letztgenannten Belegen von תמונה und den zuvor besprochenen läßt sich auf der so schmalen Materialbasis nicht sicher herstellen. Man wird jedoch nicht fehlgehen, wenn man innerhalb des

477) Vgl. H.-J. KRAUS, BK XV/1, 279; H.F. FUHS, Sehen, 272f.

478) So auch H.F. FUHS, Sehen, 274.

479) Wie auch das "Angesicht Gottes schauen" die Bedeutung der "hilfreichen Gnade", F. NÖTSCHER, Angesicht, 127 haben kann.

48o) G. FOHRER, KAT XVI, 143.

481) Vgl. J. BEHM, ThWNT IV, 757.759 Anm. 53.

482) F. HORST, BK XVI/1, 74.

Bibl.-Hebr. einen späten Sprachgebrauch (exilisch-nachexilisch) annimmt[483] und zumindest von einem gemeinsamen Vorstellungshorizont aller Belege ausgeht.
Die semantische Festlegung auf den Bereich der spezifischen Erscheinungsweise Gottes (in Deut 4,12.15; Num 12,8; Ps 17,15; Hi 4,16) macht deutlich, daß bei der Anwendung dieses Bedeutungsfeldes auf den Themenbereich des Bilderverbots (Deut 4,16.23.25; Deut 5,8 // Ex 2o,4) mehr intendiert ist als die Vorstellung, daß die Kultbilder Nachahmungen der Erscheinung Gottes seien[484]; hier wird vielmehr deutlich, daß das Bild als Repräsentationsweise Gottes[485] zurückgewiesen werden soll.

3.7.3. Die Redaktionsstufen des dekalogischen Bilderverbots

Es ist allgemein anerkannt, daß sich die syntaktischen Schwierigkeiten im Bilderverbotstext des Dekalogs, wie sie oben diskutiert wurden, nur durch einen mehrfachen Wachstumsprozeß erklären lassen[486]. Im vorausgehenden Exkurs 4 und oben unter 3.7.2. wurde bereits aufgezeigt, wie die Er-

---

483) Nur für Ps 17,15 ist eine Spätdatierung unsicher, als Erstbeleg fehlten dem Gebrauch von תמונה aber hier die Konturen.

484) Vgl. G. FOHRER, KAT XVI, 143. Die anfangs genannten Bedeutungsdifferenzierungen bei תמונה ergeben sich somit und auch die von G. BRAULIK, Mittel, 124 aufgeführte Unterscheidung von geschautem Gesicht (Deut 4,12.15 sic!) und angefertigter Gestalt (Deut 4,16.23.25) läßt sich von der Redaktion des Textes her gut erklären und ist nicht als Hinweis auf eine Doppelbedeutung des Lexems zu werten.

485) Diese Vorstellung ist wohl im gesamten Alten Orient verbreitet, vgl. K.-H. BERNHARDT, Gott, bes. 28-33; W.H. SCHMIDT, Glaube, 79, und sie steht wohl auch hinter der Wendung vom "Schauen des Angesichts der Gottheit" vgl. F. NÖTSCHER, Angesicht, passim.

486) Vgl. den Forschungsüberblick bei F.-L. HOSSFELD, Dekalog, 22f.; W. ZIMMERLI, Gebot, 235; die sechs Redaktionsstufen, die A. LEMAIRE, Dêcalogue, passim zu rekonstruieren versucht, überzeugen vor allem deshalb nicht, weil ihnen der ausführliche Bezug zu den Wachstumsphasen der anderen (Parallel-)Texte fehlt und die Ansetzung von literarischen Vorstufen zu hypothetisch ist.

gänzung כל תמונה von der dtr. Bearbeitung, die den Grundtext von Deut 4 um die VV.15-16a^{+}.19-28 erweiterte, in den Dekalog eingetragen wurde, so daß der Prohibitiv לא תעשה לך פסל als Grundform im Dekalog angesehen werden kann. Dieser Prohibitiv ist wohl gerade für den Dekalogtext geschaffen worden[487]. Aufgrund der zeitlichen Einordnung von Deut 4 (s.o.3.6.) ist die erste Erweiterung durch כל תמונה erst einer spätdtr. - wohl frühnachexilischen - Bearbeitung zuzurechnen[488]. Schwieriger ist die Frage der Zuweisung und auch Bedeutung bei den folgenden drei אשר-Sätzen des Dekalogs zu beantworten. Sehen die einen hierin eine "typisch deuteronomistische Erweiterung"[489], so die anderen eine Erweiterung, die "aus priesterlichem Wissen die kosmologische Näherbestimmung"[49o] gibt.

Die nächsten Parallelen finden sich tatsächlich im dtr. Literaturbereich. Dreimal begegnet hier die Wendung בשמים ממעל ועל הארץ מתחת (Deut 4,39; Jos 2,11; 1 Kön 8,23). An allen Stellen wird die Wendung zur Kennzeichnung der Allmacht JHWHs benutzt. Abweichend vom vorliegenden Dekalogtext werden aber inhaltlich nur zwei Bereiche (Himmel und Erde) genannt, und formal wird mit על gegenüber וב״ angeschlossen. Die Umschreibung des Kosmos' durch den Merismus Himmel und Erde ist breit belegt im AT, wohingegen die Teilung in die drei Teile "Himmel, Erde und Wasser unter der Erde selten ist."[491]; bei einer dem altorientalischen Weltbild entsprechenden Trias wäre das Meer insgesamt (ringsum)

487) Vgl. F.-L. HOSSFELD, Dekalog, 273; zu den Vorläufern in der Sache und in der Formulierung vgl. aber unten Kapitel 4.

488) Der Unterschied in den Formulierungen zwischen Deut 4,23.25 und 5,8 spricht nicht gegen den gleichen Redaktor, so F.-L. HOSSFELD, Dekalog, 261; denn dieser Unterschied konnte anders erklärt werden (negierter Finalsatz - Prohibitiv) s.o. Exkurs 4.

489) G. FOHRER, Recht, 59.

49o) H. GRAF REVENTLOW, Gebot, 39.

491) Vgl. G.v.RAD, ThWNT V, 5o2.

als dritter Teil zu erwarten[492]. Für die Formulierung des dritten אשר-Satzes ואשר במים מתחת לארץ findet sich die wörtliche Entsprechung in Deut 4,18, jedoch als Erläuterung zu כל דגה. Diese Ähnlichkeit zu Deut 4,15.18 hatte Hossfeld auch dazu veranlaßt, mangels zusätzlicher Identifizierungskriterien einen einzigen Redaktor für כל תמונה und die drei אשר-Sätze anzunehmen[493]. Die Unterschiede sind jedoch zu groß, da Deut 4,16ff. in der Art von Gen 1 die Tiergattungen auflistet, wohingegen Deut 5,8 nur die Bereiche des Kosmos' nennt. Ferner wurde für Deut 4,16^{+}-18 bereits eine priesterschriftliche Verfasserschaft angenommen[494]. Scheint also eine einzige dtr. Bearbeitung, die in einem Schub den Grundtext des dekalogischen Bilderverbots um כל תמונה und die drei אשר-Sätze erweiterte, nicht die naheliegendste Erklärung zu sein, dann gilt es, die Besonderheiten der אשר-Sätze genauer zu betrachten.

Die dtr. Parallelen wurden schon genannt; für den abweichenden Anschluß des zweiten Gliedes der Reihe ist aber zu beachten, daß gerade der Paralleltext zu 1 Kön 8,23 hier entsprechend wechselt; in 2 Chr 6,14 heißt es auch בשמים ובארץ statt ועל הארץ. Will man innerhalb der אשר-Sätze nicht noch einmal mehrere Redaktionsstufen ansetzen, wofür es an deutlichen Hinweisen mangelt, dann ist dieser kleine Hinweis so zu bewerten, daß hier eine spätere vereinfachende Redeweise anzutreffen ist. Es ist somit anzunehmen, daß die Hand, die in Deut 4 die VV.16^{+}-18 eintrug, auch für die אשר-Sätze in Deut 5,8 verantwortlich ist. In Deut 4,16^{+}-18 hatte sie aber syntaktisch die Möglichkeit, durch Einfügung eines neuen Objekts (סמל) den V.16 grundlegend zu ändern (s.o.3.6.2.) und so das Verbot inhaltlich auszuweiten durch die angehängte

492) Vgl. O. KEEL, Welt, 29-39.

493) F.-L. HOSSFELD, Dekalog, 261 Anm. 174, wobei natürlich die Schwierigkeiten des syntaktischen Anschlußes bei ihm weiterhin betont bleiben.

494) Dies entsprechend der Analyse von D. KNAPP, vgl. 3.6.2.

Aufzählung der Möglichkeiten, die zur Darstellung dieses סמל in Frage kommen. In Deut 5,8 bestand die Möglichkeit der syntaktischen Veränderung durch Hinzufügung nicht mehr; hier scheint der Redaktor die Formel von Deut 4,39[495] übernommen zu haben und diese allein aus Gründen der Vollständigkeit um den Bereich des Wassers unter der Erde erweitert zu haben, da dieser Bereich in seiner Aufzählung der Lebensbereiche der Tiere in Deut 4,18 auftauchte.

Die Verbindung zu Deut 4,16⁺-18 bringt aber auch etwas Licht in die Frage nach der Bedeutung der Erweiterung von Deut 5,8. In Deut 4,16⁺-18 werden alle Lebewesen als Abbildungsmöglichkeiten durch die תבנית-Formulierungen ausgeschlossen. Es wurde oben (s.o.3.6.2.) schon gezeigt, daß auf diese Weise eine Ausdehnung des Verbotes erreicht wird, da nicht nur direkte Kultbilder (פסל), sondern auch alle weiteren bildlichen Darstellungen im Kultbereich verboten werden, was der funktionale Begriff סמל (s.o.) durch seine Beziehung zu פסל deutlich zeigt.

Demgegenüber scheint in Deut 5,8 diese Komponente zu fehlen, da die gewählte Terminologie keine direkte *Abbildtheorie* impliziert[496]; denn es werden gerade keine Lebewesen oder Dinge genannt, die nicht abgebildet werden sollen, wie dies beispielsweise Deut 4,16⁺-18 bietet, sondern es findet sich nur eine Erwähnung von Teilen des Kosmos', so daß das inhaltliche Beziehungsverhältnis der Phrase לא תעשה לך פסל כל תמונה zu den nachfolgenden אשר-Sätzen äußerst schwierig zu bestimmen ist.

Diese Schwierigkeit läßt sich nur auflösen, wenn man die

---

495) Zur Einarbeitung dieses Verses vgl. Anm. 415.

496) Wie oben im Exkurs 4 gezeigt werden konnte, hat תמונה gerade nicht die Bedeutung Abbild, wie dies häufig angenommen wird, vgl. G. FOHRER, Recht, 59. Durch diese Bedeutung entstehen natürlich auch die unter 3.7.2. genannten Schwierigkeiten des syntaktischen Anschlusses der אשר-Sätze, da man wie in Deut 4,16*-18 eine Nennung des Objektes, das nicht abgebildet werden soll, erwarten würde.

Herkunft der Formel בשמים ממעל ואשר בארץ מתחת und die Bedeutung von תמונה berücksichtigt. An den obengenannten dtr. Stellen (Deut 4,39; Jos 2,11; 1 Kön 8,23) hatte diese Formel die Funktion, die allumfassende und alleinige Macht JHWHs zu beschreiben. Wenn es folglich außer JHWH keinen Gott im Himmel und auf der Erde gibt (vgl. Deut 4,39; Jos 2,11; 1 Kön 8,23; 2 Chr 6,14), dann kann auch keine Gestalt aus diesen Bereichen[497] als hergestelltes Kultobjekt dienen. Im Sinne der obigen Erklärung der ersten Erweiterung durch כל תמונה in Deut 5,8 als explikative Apposition wird deutlich, daß die Endfassung von Deut 5,8 eine deutlich ausgeweitete Erklärung des Kultbildverbotes enthält (Du sollst dir kein Kultbild anfertigen, gar keine Gestalt, die im Himmel oben und auf der Erde unten und im Wasser unter der Erde ist). Die syntaktische Konstruktion stellt dabei sicher, daß es sich nicht um ein Verbot jedweder Darstellung im Sinn eines allgemeinen Kunstverbotes handelt, denn die Relativsätze beziehen sich direkt auf die Apposition כל תמונה, so daß durch deren Bezug zu פסל als übergeordnetem Obj. die Eingrenzung auf Kultbilder eindeutig ist[498]. Es stellt sich die Frage nach dem Sinn einer erweiterten inhaltlichen Erklärung eines Kultbildverbotes, denn wenn es gar kein Kultbild geben soll, dann scheint es doch überflüssig, die Gestaltungsarten zu benennen. Die Lösung des Problems ist nur durch eine Berücksichtigung der Ex-Fassung zu finden.

Es wurde bereits (s.o.3.7.2.) aufgewiesen, daß die Ex-Fassung durch ihr zusätzliches *waw* bei כל תמונה die syntaktischen Verhältnisse verschiebt. Sie faßt כל תמונה nicht mehr

---

497) Es wurde schon darauf hingewiesen, daß die aufgenommene Formel von Himmel und Erde von Deut 4,18 her um den dritten Bereich der Wasser ergänzt wurde, um sicher zu stellen, daß alle Bereiche des Kosmos erfaßt sind und daß sachlich zwischen Deut 4,16*-18 und Deut 5,8 Identität besteht.

498) Die Erweiterung ist folglich hier nicht als inhaltliche Verallgemeinerung zu verstehen, so W.H. SCHMIDT, Erwägungen, 2o7, sondern als fortschreitende Ergänzung (s.u.).

wie in Deut 5,8 als Apposition auf, sondern als eigenes zweites Obj. und erreicht auf diese Weise eine Loslösung des Bilderverbots vom Fremdgötterverbot. Die אשר-Sätze, die wie in Deut 5 an תמונה anschließen, bekommen durch die Verselbständigung von וכל תמונה eine andere Bedeutung, da sie nun das zweite - semantisch umfassendere - Obj. תמונה erläutern. In dieser Fassung könnte man somit auf den ersten Blick ein Kultbildverbot und ein Verbot von Darstellungen überhaupt, also ein Kunstverbot, sehen. Daß dies jedoch nicht intendiert ist, zeigt der nachfolgende Vers Ex 2o,5, da dieser sich mit seinen Pl.-Suffixen auf die beiden Obj. (כל תמונה - פסל) von Ex 2o,4 bezieht und die in V.5 genannten Verben חוה und עבד sicherstellen, daß es sich bei beiden Obj. um Kultbilder handelt. Diese Bilderverbotsformulierung von Ex 2o,4 (Du sollst dir kein Kultbild anfertigen und keine Gestalt, die im Himmel oben und auf der Erde unten und im Wasser unter der Erde ist.) steht nun sachlich der oben als Vergleich herangezogenen Formulierung von Deut 4,16⁺-18 nahe; denn hier wie dort findet eine Ausweitung auf jegliche Darstellung im Kultbereich statt, die über ein reines Kultbildverbot hinausgeht.

Die Beobachtungen bezüglich der zuletzt behandelten Erweiterung durch die אשר-Sätze in der dekalogischen Bilderverbotsformulierung lassen sich nun dahin zusammenziehen, daß sehr viel dafür spricht, diese Erweiterung R^P zuzuweisen. Darauf weist die enge Verbindung zur R^P-Ergänzung in Deut 4,16⁺-18 besonders hin, sodann die Sprachform, die eine dtr. Wendung vereinfachend aufgreift und durch priesterliches Vokabular ergänzt; und nicht zuletzt ist zu beachten, daß die Ergänzung in der Ex-Fassung (R^P) einen sehr guten Sinn gibt, in der Deut-Fassung aber eher überflüssig wirkt.
Blickt man abschließend auf die verschiedenen Redaktionsstufen des Bilderverbotes zurück, dann zeigt sich, daß hier nicht nur unwesentliche Glossierungen angefügt wurden, son-

dern daß das dekalogische Bilderverbot wohl von einem Sachzwang der Entwicklung erweitert wurde. Im einzelnen ergeben sich vier Entwicklungsstufen des Bilderverbotes im Dekalog.

Am Anfang steht die früh-dtr. Komposition des Dekalog-Grundtextes, in der das Bilderverbot in Form eines kurzen Prohibitivs לא תעשה לך פסל erscheint und zusammen mit dem Prohibitiv von Deut 5,7 die Gottesbeziehung in dieser Gebotsreihe regelt. So stehen auf dieser Stufe zwar zwei Prohivitive nebeneinander, beide zielen aber letztendlich auf die gleiche Sache, das ausschließliche Verhältnis zu JHWH, ab. Fremdgötter- und Bilderverbot bilden somit die beiden Seiten einer Medaille.
In einem nächsten Schritt zieht ein dtr. Redaktor die Konsequenzen aus dieser Sachlage und vereinigt bei seiner Bearbeitung des Dekalogs die beiden ersten Gebote durch die Hinzufügung von Deut 5,9a zu einem einzigen. Für diesen exilischen Bearbeiter ist somit das Bilderverbot zum "Unter- oder Spezialfall" des Fremdgötterverbotes geworden. Auf dem Hintergrund der Exilssituation, in der Fremdgötter vornehmlich in Form ihrer Bilder und des damit verbundenen Kultes bekannt wurden, ist diese Entwicklung gut verständlich.
Ein nachexilischer Redaktor, für den auf dem Hintergrund des sich zwischenzeitlich klar herauskristallisierten Monotheismus' das Bilderverbot die einzig adäquate Form der Auseinandersetzung mit anderen Religionen wurde, hat in Deut 4 eine ausführliche Paränese zum Bilderverbot, das nun notwendig das "Hauptgebot" geworden war, eingetragen. Um die Gleichheit zwischen seiner Begründung des Bilderverbotes in Deut 4 und der eigentlichen Formulierung des Bilderverbotes in Deut 5,8 zu wahren, hat er letztere um die explikative Apposition כל תמונה erweitert. Inhaltlich geht diese Erweiterung noch nicht direkt über das eigentliche Kultbildverbot hinaus, sie setzt nur neue Akzente, indem sie betont, daß gar keine sichtbare Gestalt als Kultbild dienen kann.

Den wirklichen Schritt weiter in Richtung Ausweitung des Bilderverbottatbestands geht vollends erst der spätere Pentateuchredaktor. Er verselbständigt das Bilderverbot bei seiner Novellierung des Dekalogs für die Sinaitheophanie, indem er durch Hinzufügung der Kopula *waw* zu כל תמונה ein neues zweites Objekt neben פסל ins Bilderverbot einbringt, das er auch sogleich durch hinzugefügte אשר-Sätze näher erläutert. Für diesen Redaktor darf es folglich nicht nur kein Kultbild geben, sondern gar keine bildliche Darstellung im Bereich des Kultes, d.h. auch keine Symbole, magischen Zeichen o.ä. Dieses so vom Fremdgötterverbot verselbständigte Bilderverbot hat auf dieser Stufe das Fremdgötterverbot vollständig in den Schatten gestellt, was auch der große Textumfang des Bilderverbotes zeigt (Ex 2o,4-6). Auf der Ebene der monotheistischen Religion wird folglich das Gottesverhältnis allein am Bilderverbot gemessen. Die Notwendigkeit der relativen Parallelität der beiden Dekalogfassungen veranlaßte R^P, die von ihm hinzugesetzten אשר-Sätze auch in der Deut-Fassung nachzutragen, wobei das Faktum, daß er trotz daraus entstehender syntaktischer Schwierigkeiten in tes hinweist. In der Anfügung der אשר-Sätze und der gleichzeitigen Zurückhaltung bei der Einfügung des *waw* wird man keinen Widerspruch sehen können, sondern einen Hinweis auf die Arbeitsweise der Redaktoren und deren Umgang mit der "wachsenden Schrift".
Deut 5,8 nicht die zusätzliche Kopula *waw* einsetzte, auf die bereits vorhandene Dignität des ihm vorliegenden Dekalogtex-
Es hat sich gezeigt, daß gerade am dekalogischen Bilderverbot intensiv gearbeitet wurde, und daß sich in diesen Bearbeitungen die verschiedenen Entwicklungsphasen des Bilderverbots nachweisen lassen, so daß die Analyse des dekalogischen Bilderverbotes als Paradigma für die Entwicklungsgeschichte der bildlosen JHWH-Verehrung in Israel (s.u.Kap.4) dienen kann.

3.8. Deut 27,15

ארור האיש אשר יעשה פסל ומסכה
תועבת יהוה
מעשה ידי חרש
ושם בסתר
וענו כל העם ואמרו אמן

3.8.1. Der Kontext von V.15

Innerhalb des Schlußrahmens um das Deut nimmt das Kapitel 27 eine eigenwillige und im einzelnen schwer zu bestimmende Position ein[499]. Auch zeigt sich, daß das Kapitel insgesamt nicht aus einem Guß ist (vgl. VV.1-8.9-1o.11-26). Man wird wohl nicht fehl gehen, wenn man mit Preuß die breite Streuung der Forschungsmeinungen zu Deut 27 auf den Minimalkonsens hinführt: "So gehört Deut 27 den dtr Zusätzen zum Dtn an", und man kann wohl weiter präzisieren, daß es sich hierbei um sehr späte dtr. Zusätze handelt, ohne daß dabei etwas über Alter und Herkunft einzelner Stücke als Materialien entschieden ist.
Die im Zusammenhang dieser Arbeit interessierende Fluchreihe (VV.15-26) stellt sich in der vorliegenden Form als der sogenannte "sichemitische Dodekalog" dar. Ob damit jedoch die Urform dieses Stücks treffend bezeichnet ist, ist fraglich, und Wallis[5oo] hat im Gegenzug versucht, als Kern dieser Rei-

499) Vgl. im einzelnen den Forschungsüberblick bei H.D. PREUß, Deuteronomium, 149-153; O. KAISER, Einleitung, 124.

5oo) G. WALLIS, Vollbürgereid, passim.

he einen aus zehn Gliedern (VV.16-25) bestehenden Vollbürgereid bei Belehnung mit Land zu bestimmen; jedoch verschärft sich dabei die Frage nach der Kompositionsabsicht, die dieses Stück in der so beschriebenen Form in Deut 27 eingesetzt haben soll.

Unabhängig von der genauen gattungsgeschichtlichen Einordnung der Fluchformel[5o1] ist bei einer Datierung der Einzelflüche sowie der Fluchreihe Vorsicht geboten, da es gilt, im Einzelfall die Beziehung zum alttestamentlichen Rechtsgut zu untersuchen und eine Beurteilung auf dieser Basis und der noch ausstehenden literarkritischen Beurteilung des ganzen Kapitels zu versuchen[5o2]. Unter diesen notwendigen Einschränkungen der hier nicht zu leistenden Gesamtanalyse soll im folgenden versucht werden, zumindest V.15 näher zu bestimmen.

3.8.2. Herkunft und Bedeutung von V.15

Abgesehen von den Autoren, die V.15 entweder aufgrund seines Kontextes (Fluchreihe) oder seiner Formulierung (פסל ומסכה) für besonders alt halten[5o3], hat sich ein Konsens zumindest darüber herauskristallisiert, daß V.15 und V.26 nicht zum ursprünglichen Bestand gehören, sondern einen ehemaligen Fluchdekalog nachträglich rahmen.
Einerseits hebt sich V.15 inhaltlich deutlich von den anderen Flüchen ab, da er nicht wie die übrigen Flüche (außer V.26) den zwischenmenschlichen Bereich betrifft, sondern den Bereich der Gottesverehrung, und andererseits hebt er sich

5o1) Vgl. W. SCHOTTROFF, Fluchspruch, passim; H. SCHULZ, Todesrecht, 61-71; J. SCHARBERT, ThWAT I, bes. 44o-444; C.A. KELLER, THAT I, bes. 238f.; O. KAISER, Einleitung, 72f.

5o2) Vgl. dazu jetzt H.-J. FABRY, Dekalog, passim.

5o3) Vgl. z.B. G.v.RAD, Theologie I, 228f., der jedoch davon ausgeht, daß der Text "nachträglich aufgefüllt" (228 Anm. 59) wurde; H. SCHÜNGEL-STRAUMANN, Dekalog, 85ff.

formal von seinem Kontext ab, da er nicht in der üblichen Fluchform partizipial konstruiert ist[504]. Gegen die Zugehörigkeit von V.15 spricht dann auch noch die abweichende Abschlußformulierung; steht sonst dort ואמר כל העם אמן, so formuliert V.15 abweichend: וענו כל העם ואמרו אמן. Diese Beobachtungen lassen insgesamt keinen Zweifel daran, daß V.15 erst sekundär zur Fluchreihe gekommen ist. Ob jedoch ein Zusammenhang mit V.26 in dem Sinn besteht, daß die VV.15 und 26 als theologische Rahmung zum Fluchdekalog gekommen sind, wie dies Boecker unter Hinweis auf ähnliche Rahmungen, die solche Rechtssätze in einen neuen Kontext einbetten wollen[505], vermutet, ist sehr fraglich, da V.26 zum einen die gleiche Abschlußformulierung wie die übrigen Fluchsätze (ואמר כל העם אמן) hat und zum anderen durch den Verweis auf התורה הזאת eindeutig über den Fluchdekalog hinweg auf V.3, der zum Grundtext von Deut 27 gehört[506], zurückweist. Beachtet man nun, daß die Fluchreihe durchaus kein unabhängiges Stück in Deut 27 ist[507], sondern sich direkt an den Grundtext des Kapitels in V.11 anschließt[508], dann wird ganz deutlich, daß nur V.15 aus dem Rahmen fällt (s.o.). Eine Lösung der Frage nach der Einordnung von V.15 findet sich durch einen Blick auf den in Deut 27 sekundären V.14[509], denn dort findet sich das syntaktische Muster וענו ... ואמרו, das in V.15 als Ausnahme erkannt wurde, so daß man schließen kann, daß V.15 erst im Zuge der Ergänzung von V.14 in das Kapitel

---

5o4) Vgl. W. SCHOTTROFF, Fluchspruch, 57 Anm. 2.
A. ALT, Ursprünge, 314 wollte deshalb V.15 auch entsprechend formulieren, wofür es aber keine Anhaltspunkte im Text gibt, vgl. auch V. WAGNER, Rechtssätze, 32f.

5o5) H.J. BOECKER, Recht, 174.

5o6) Vgl. dazu im einzelnen die Analyse von H.-J. FABRY, Dekalog.

5o7) Zur Beurteilung vgl. H.D. PREUß, Deuteronomium, 152.

5o8) Vgl. H.-J. FABRY, Dekalog.

5o9) V.14 konkurriert inhaltlich-logisch mit V.11 und semantisch in der Bezeichnung der Leviten mit V.9.

gekommen ist. Diese Vermutung wird durch weitere Beobachtungen bestätigt (s.u.).

Die Fluchreihe betrifft insgesamt Vergehen, die der öffentlichen Strafverfolgung dadurch entgehen, daß sie heimlich geschehen. Dem schließt V.15 sich expressis verbis (בסתר) an[51o]. Auf diesem Hintergrund eröffnet sich nun eine Anwort auf die häufig gestellte Frage nach der Wahl des Terminus' פסל ומסכה an dieser Stelle. In keiner der übrigen Bilderverbotsformulierungen begegnet dieser Ausdruck; semantisch bietet er aber keinen Unterschied zu den dort gewählten Begriffen wie פסל; אלהי מסכה u.ä.[511]. Festverwurzelt begegnet das Wortpaar nur noch in der Erzählung von Michas Kultbild in Dan (Ri 17-18). Hier (Deut 27,15) wie dort (Ri 17-18) geht es im Kern um einen Privatkult, so daß von dieser Erzählung Ri 17-18 her die Wahl des Kultbildbegriffes für die Fluchreihe bestimmt sein kann. Für die Interpretation von Deut 27,15 heißt dies, daß die heimliche, d.h. private Bildverehrung zu werten ist wie die Geschichte von Ri 17-18, und diese gerade übernimmt im Aufriß des DtrGW die Funktion, "die Sünde Israels im dtr. Schema des Ri-Buches zu demonstrieren."[512]. Wenn diese Verbindung von Deut 27,15 zu Ri 17-18 stimmt, dann hieße das für die Einordnung von V.15, daß hier die Gesamtkomposition des DtrGW bereits vorgelegen haben muß. Dafür sprechen weitere gewichtige Gründe, denn die Erzählung von Ri 17-18 hat in den VV.3o-31 einen doppel-

---

51o) Für die genauere Beurteilung der Fluchreihe ist dies besonders wichtig, da auffällt, daß dieses בסתר nur in V.15 und V.24 begegnet; beide Verse nennen aber Vergehen, die sonst bereits als "öffentliche" Tatbestände begegnen; zu V.15 ist die gesamte Bilderverbotstradition zu nennen, zu V.24 Ex 21,12; vgl. dazu H.-J. FABRY, Dekalog.

511) Zur semantischen Bestimmung des Wortpaares und zur Diskussion um "Schnitzbild und/oder Gußbild" s.o. bes. 2.2.3.

512) C. DOHMEN, Heiligtum, 21; vgl. auch zur Beurteilung von Ri 17-18 oben Anm. 232.

ten Schluß, wovon der letztere für das Aufstellen des Kultbildes das Verb שים benutzt, das Deut 27,15 ebenso verwendet[513]. Hinzu kommt, daß es sich bei den beiden Wendungen תועבת יהוה und מעשה ידי חרש eindeutig um dtr. Wendungen handelt[514]. Last not least spricht das alleinige Vorkommen des Bilderverbots als Vertreter kultischer Gebote in Deut 27, abgesehen von der allgemeinen Forderung nach Gesetzesgehorsam (V.26), für eine sehr späte Datierung von Deut 27,15; denn die gleiche Tendenz - Hervorhebung des Bilderverbots als das "Hauptgebot" - weisen bereits andere späte Texte, wie z.B. Deut 4; Lev 19,4; 26,1 auf.
Wie auch in der Schlußredaktion des dekalogischen Bilderverbots (s.o.3.7.3.) und der Ergänzung in Deut 4,16⁺-18 (s.o. 3.6.2.) fällt auch in Deut 27,15 eine inhaltliche Ausdehnung des Bilderverbotes auf, denn Deut 27,15 wendet das Bilderverbot gerade ausdrücklich auf den Bereich des Privaten (z. B. Hausgötter etc.) an.

Zusammenfassend läßt sich sagen, daß Deut 27,15 zu einer späten Erweiterung von Deut 27 gehört, die wohl levitischer Provenienz ist und durchaus auf der gleichen Linie liegt wie die Redaktion von Lev 19,4; 26,1 (s.o.3.4.;3.5.). Indem das Bilderverbot hier auf den Bereich des privaten Kultes ausdrücklich angewendet wird und als einziges Gebot, das die Gottesverehrung betrifft, hier begegnet, wird die Bedeutung des Bilderverbotes in dieser Spätzeit ganz besonders unterstrichen und ausgeweitet.

---

513) Über das Verhältnis von V.3o, der קום *hi.* benutzt, zu V.31 braucht hier nicht entschieden zu werden, da die späte dtr. Anknüpfung wohl bereits beides vorfand und vielleicht gerade an den letzten Vers anknüpfte, zumal das gleiche Verb auch beim Aufstellen von Jerobeams Kalb in Bethel (1Kön 12,29) benutzt wird und diese Geschichte auch dtr. mit Ri 17-18 verknüpft ist, s.o. 3.1.4.3.

514) Vgl. M. WEINFELD, Deuteronomy, 277 Anm. 2. 344; die von ihm (367) aufgeführten Parallelen aus Hos 8,6; 13,2; 14,4 sind sämtlich dtr. Redaktion zuzuschreiben, s.o. Anm. 243.249.

4. KAPITEL

Die Entwicklungsgeschichte des Bilderverbotes im Alten Testament

Vorbemerkung

Auf der Basis der Textanalysen des vorangegangenen Kapitels soll im folgenden versucht werden, die Entwicklung des alttestamentlichen Bilderverbotes nachzuzeichnen. Dieses Unternehmen ist mit einigen Schwierigkeiten behaftet, die vorab bewußt zu machen sind. Eine diachrone Anordnung der behandelten Texte macht zwar nötig und möglich, daß einzelne Texte aufgrund ihrer unterschiedlichen Redaktionsstufen mehrfach behandelt werden, sie ermöglicht aber dennoch für die Gesamtthematik nur einen punktuellen Zugriff. Soll die Entwicklung des Bilderverbotes jedoch verständlich werden, müssen diese "Punkte" verbunden werden. Diese Verbindung bedeutet aber eine Einordnung in die Gesamtgeschichte des alttestamentlichen Glaubens, womit für die vorliegende Beschreibung gewisse Unsicherheitsfaktoren entstehen, da ein Konsens unter den Exegeten in bezug auf alle Geschichts- und Literaturphasen des AT nicht besteht.
Diese Unsicherheit sei zugestanden, sie soll aber nicht von dem Versuch, ein Gesamtbild zu zeichnen, befreien, sondern einräumen, daß die Linie zwischen dem einen oder anderen Text

auch durchaus anders gezogen werden kann. Die unter diesem kritischen Vorzeichen entworfene Entwicklungsgeschichte soll jedoch dadurch an Plausibilität gewinnen, daß bei den jeweiligen Schichten die Verbindung nach hinten (Herkunft) und nach vorne (weitere Entwicklung) als Kontrolle hergestellt wird, d.h. gerade in der Frühphase muß sich die Erklärung einzelner Phänomene - da die Textbasis hier schmaler ist - sinnvoll in das Vorgegebene und das Nachfolgende einpassen.

4.1. Die Anfänge des bildlosen Kultes in der israelitischen Religion

Ausgehend von den oben analysierten Texten nimmt die rekonstruierte Grundform von Ex 2o,23b in diachroner Sicht die erste Stelle ein. Es muß aber ganz besonders betont werden, daß diese Grundform keine Bilderverbotsformulierung im eigentlichen Sinn enthält, sondern ein Kultgesetz mit konservativer Ausrichtung. Das als ursprünglich kultrechtliche Einleitung des Bundesbuches rekonstruierte Spruchpaar (Ex 2o,23b^{+}.24a^{+})

אלהי כסף ואלהי זהב לא תעשה לך
מזבח אדמה תעשה לי

ist deutlich von der Intention geprägt, tradierte Kultformen von neuen abzusetzen. Dieses Kultgesetz ist nomadischer Provenienz, da die Ablehnung der *Herstellung* silberner und goldener Götter nur verständlich ist im Kontext eines Kultes, der derartiges nicht kennt. Dem Faktum, daß hier die Herstellung untersagt wird und nicht die Übernahme, z.B. das Aufstellen etc., ist bisher in der Forschung zu wenig Bedeutung beigemessen worden, da diese Formulierung auf dem Hintergrund der übrigen Bilderverbotstexte als nicht außergewöhnlich erscheint, wenn man vom hohen Alter des Bilderverbotes ausgeht.

Es findet sich aber an dieser Stelle keine grundsätzliche Kritik an der Verehrung von Bildern oder eine Diffamierung anders gearteter Kultformen, sondern eine ganz spezielle Forderung wird an einen bestimmten Adressatenkreis gerichtet: Du sollst dir nicht machen...
In Zusammenschau mit der folgenden positiven Weiterführung (Eine irdene Schlachtstatt sollst du mir machen.) wird klar, daß es sich bei beiden Elementen - dem Prohibitiv und dem Injunktiv - um Aussagen handelt, die das Wesen des Kultes betreffen, wenn man nicht von der kaum zu begründenden Vermutung ausgeht, daß an dieser Stelle recht willkürlich zwei Dinge aus dem religiösen Bereich nebeneinander stehen. Daraus folgt, daß das Spruchpaar antithetisch aufgebaut ist: Kultbilder soll es nicht geben, es sollen aber (stattdessen) Schlachtopfer mit Blutriten stattfinden. Die charakteristischen Züge verschiedener Kultformen stehen hier einander gegenüber. Gegen das Wesenselement der einen Kultform - Verehrung der Gottheit im Bild - wird das Wesenselement der anderen - Gottesverehrung durch Schlachtopfer und Blutritual - gesetzt. Somit will das Verbot, silberne und goldene Götter herzustellen, eigentlich nur genuine Kultformen bewahren. Da die gesamte Art und Weise des Kultes mit einem Kultbild (Göttermahlzeit etc.) sich deutlich abhebt von der der Nomaden[1], die vor allem das Blutritual am hl. Stein u.ä.[2] in ihrem Kult kennen, versteht es sich von selbst, daß die Formulierung von Ex 2o,23b die sichtbare Erscheinungsweise der spezifischen Differenz zwischen dem Kult der urbanen und der nomadischen Bevölkerung bei der Erwähnung der silbernen und goldenen Götter aufgreift.

1) Zur Verwendung des Begriffs "Nomade" vgl. Kap. 3 Anm. 3o4; vgl. auch E. Otto, Geschehen, 72.

2) Vgl. Kap. 3 Anm. 395.

Bereits Holzinger hat einen ähnlichen Gedanken in die Diskussion um die Deutung des Bilderverbotes eingebracht, ohne ihn jedoch weiter zu verfolgen: "Aber der Gegensatz zu פסל könnte auch sein der natürliche, unbearbeitete Stein oder irgendein anderes einfaches Idol, wie die Masseba (...) Auch bei den heidnischen Arabern sind die plastischen Idole importiert (...) Der Satz schützt dann die ältere Einfachheit etwa gegen die kanaanäischen Gewohnheiten."[3]. Trifft diese Bemerkung auch nicht auf das dekalogische Bilderverbot in dieser Weise zu, so führt sie doch zu seinen sachlichen Anfängen in der oben beschriebenen Weise zurück. In neuerer Zeit hat auch Keel diesen Gedanken einer kultursoziologischen Differenz in bezug auf die Entstehung des Bilderverbotes aufgegriffen, wenn er auf die Spuren anikonischer Kulte in den Randgebieten der altorientalischen Hochkulturen hinweist[4]. Kann man folglich nachweislich von einer solchen kultursoziologischen Differenz bei der Stellung von Bildern im Kult für den Alten Orient ausgehen, so darf diese Differenz gerade zur Erklärung israelitischer Phänomene in Anschlag gebracht werden, da Israel gerade im Gegensatz zu anderen Völkern des Alten Orients[5] Traditionen bewahrt hat, die bekennen, daß Israel nicht von alters her in seinem Land ansässig gewesen ist (vgl. Patriarchenerzählungen, Exodus etc.[6]).

Auf diesem Hintergrund wird aber deutlich, daß ein derartiger Kulturunterschied zwar zu Abgrenzungstendenzen oder Auseinan-

---

3) H. HOLZINGER, KHC II, 71.

4) Vgl. O. KEEL, Jahwe-Visionen, 4o.

5) Vgl. z.B. die sum.-babyl. Königslisten, die teils sogar bis in die Vorzeit hineinreichen, vgl. D.O. EDZARD-A.K. GRAYSON, RLA VI, 77-135, bes. 77-81.

6) Vgl. E. OTTO, Geschehen, 72 Anm. 34: "Sollte die Erzväterüberlieferung keinen historischen Kern haben, sondern Rückprojektion späterer Zeit sein, so bliebe sie dennoch beredter Ausdruck des Bewußtseins der im Lande fremden Herkunft Israels. Dieses Bewußtsein bedürfte allemal der historischen Erklärung."

dersetzungen führen kann, nicht aber mit innerer Notwendigkeit zu einem ausformulierten Bilderverbot. Dazu sind andere und weitergehende Einflüsse zumindest als zusätzliche Faktoren nötig.
Dies wird auch durch Parallelentwicklungen bestätigt. Für den Zoroastrismus konnten ebenfalls bilderfeindliche Tendenzen im Kult nachgewiesen werden, die auf den Einfluß nomadischer Gruppen zurückgehen[7]. Dadurch findet die Annahme, daß es sich bei Ex 2o,23b um ein konservatives Kultgesetz handelt und nicht um ein grundsätzliches Verbot von Bildern, eine zusätzliche Bestätigung, da hier wie dort auf kultursoziologischer Differenz beruhend eine Auseinandersetzung um die Stellung von Bildern im Kult stattfindet, die nicht vom Wesen der Bilder her, sondern von der jeweiligen tradierten Kultform her geführt wird.
Diese Erklärung macht auch verständlich, warum es - gerade in den alten Quellen des AT - so viele Belege von "Bildern" u.ä. gibt. Die aus nomadischer Perspektive geradezu selbstverständliche Ablehnung, den Kult mit einem Kultbild auszuüben, trifft natürlich in keiner Weise auf kleine Idole und Amulette u.ä.[8], und vor allem nicht auf die Masseben[9] zu, da erstere nicht die direkte Kultausübung (Blutritual etc.) tangieren und letztere gerade im nomadischen Blutritual ihre besondere Bedeutung haben.

Es stellen sich nun die Fragen nach Verfasserschaft, Abfassungszeit und -motivation dieser kultrechtlichen Einleitung zum Bundesbuch. Die Abfassungszeit des Bundesbuches festzulegen ist schon schwierig, da dies in sich auch kein homogenes Gebilde darstellt[1o]. Für seinen Grundbestand wird man

7) Vgl. M. BOYCE, Iconoclasm, 93f.; A. HULTGARD, Man, 1lof.

8) Vgl. z.B. Gen 31; 35,2.4; Ri 8,21; 17-18; 1Sam 6,5; 19,13.16 u.ö.

9) Vgl. z.B. Gen 28,18.22; 31,13.45; 35,14.2o; Ex 24,4; zur wechselnden Bewertung von Masseben im AT vgl. auch K. JAROS, Stellung, 172-179.

1o) Vgl. J. HALBE, Privilegrecht, 391-5o5.

aber davon ausgehen können, daß sich in ihm der Wechsel der Lebensweise von nomadischem und städtischem Leben widerspiegelt[11]. Wenn man diesen Wandel der sozialen Verhältnisse unter soziologischer Blickrichtung ernstnimmt, dann wird man die Entstehungsbedingungen des Bundesbuches am ehesten im Umkreis des frühstaatlichen Israels suchen können, da in dieser Zeit - wie immer man sich die Anfänge Israels im einzelnen vorstellt[12] - soziale Umschichtungsprozesse in größerem Rahmen faßbar werden, die dann als Reaktion auch die konservativen Tradentenkreise des Bundesbuches hervorbringen können[13].

Gerade im Hinblick auf das oben beschriebene konservative Element der kultrechtlichen Einleitung des Bundesbuches läßt sich die Motivation der Abfassung in frühstaatlicher Zeit genauer beschreiben. Die Änderung der Lebensweise, wie sich der gesellschaftliche Umorganisationsprozeß der frühstaatlichen Zeit zurückblickend darstellt, bringt selbstverständlich einen unmittelbaren Kulturkontakt mit sich, d.h. gesellschaftliche Organisationsformen und private Lebensvollzüge der angestammten Kultur treffen bei diesem Wechsel auf die der neuen Umgebung[14]. Die Übernahme der äußeren Lebensbedingungen der urbanen Gesellschaft bedeutet aber immer auch einen gewissen Untergang bekannter Lebensformen nomadischer Ordnung. Ein solcher Prozeß bringt notwendig gerade in der ersten Generation Identifikationsprobleme mit sich, die aber vor allem durch "konservative Reaktionen" aufgefangen werden können. Diese konservativen Reaktionen bestehen vor allem im

---

11) Vgl. H.J. BOECKER, Recht, 122.

12) Vgl. die in Kap. 3 Anm. 3o4 zur Diskussion genannte Lit., sowie E. OTTO, Geschehen, passim.

13) Vgl. zur Einordnung auch J. HALBE, Privilegrecht, 5o2f.

14) E. OTTO, Geschehen, 72 beschreibt es auch in dieser Weise: "Die Seßhaftwerdung dieser Hirten beinhaltet also primär nicht die Einwanderung eines neuen Bevölkerungselementes, so sehr es auch geographische Fluktuationen, wie sie die Jakobsüberlieferung spiegelt, gegeben hat, sondern die Änderung der Lebensweise: Hirten werden zu Bauern."

Rückgriff auf den rituellen Bereich, da dieser Bereich sich in die neuen Lebensverhältnisse transponieren läßt und dadurch ein kontinuierliches Element in den Wandlungsprozeß bringt[15], wodurch der einzelne und auch die größere Gruppe einen Halt in dieser Übergangssituation finden kann.
Somit übernimmt die Religion bei diesem Wechsel der Lebensweise eine wichtige gesellschaftliche Integrationsfunktion[16], die dann aber zu einer bewußten Abgrenzung von der Religion der immer schon ansässigen Bevölkerung führt.
Aus dem konservativen Element des Kultes am Anfang kann dann in den folgenden Generationen durchaus ein völlig neues "System" werden, das weder mit der einen noch mit der anderen der vormals konkurrierenden Kultpraktiken identisch ist, denn aus der früheren Abgrenzung und der späteren Assimilierung entstehen eigene neue Formen. Davon geben sowohl der israelitische Blutritus, der in der im Tempelkult etablierten Form keine Parallelen zu haben scheint, als auch die Neuinterpretationen, die die einzelnen Erweiterungen zum Altargesetz (Ex 2o,24ff.) zeigen[17], ein beredtes Zeugnis.
Auf diese Weise bildet das ehemals Bewahrte zusammen mit dem langsam Übernommenen eine Kultform heraus, die als spezifische Kultform derjenigen bezeichnet werden kann, die nicht immer in der jetzigen Lebensweise lebten, sondern irgendwann

---

15) Zu Parallelentwicklungen in anderen Kulturen vgl. G. BALANDIER, Dynamik, bes. 23o-238.

16) Vgl. J.M. YINGER, Religion, passim, sowie vor allem N. LUHMANN, Funktion, bes. 26: "Religion hat demnach, so können wir die bisherigen Überlegungen zusammenfassen, für das Gesellschaftssystem die Funktion, die unbestimmbare, weil nach außen (Umwelt) und nach innen (System) hin abschließbare Welt in eine bestimmbare zu transformieren, in der System und Umwelt in Beziehungen stehen können, die auf beiden Seiten Beliebigkeit der Veränderung ausschließen."

17) Vgl. außer D. CONRAD, Studien, passim, jetzt vor allem M. GÖRG, Altar, bes. 295ff., der auch auf diese konservativen Kreise hinweist, die "eine Opposition gegen die fortschreitende 'Internationalisierung' des Gottesdienstes unter gleichzeitigem Verlust der Identität des JHWH-Glaubens" (297) darstellen.

einmal ihre Lebensverhältnisse gewechselt haben[18]. Was somit von der anfänglichen Absicht geblieben ist, ist nur die partielle Abgrenzung zur vormaligen resp. weiterbestehenden "Gegenposition". Dieses Phänomen betrifft natürlich nicht nur den rituellen Bereich, sondern ist weit umfassender. "Das Bewußtsein aber der ursprünglichen Andersartigkeit gegenüber der städtisch-bäuerlichen Kultur der kanaanäischen Landesbewohner als wesentliches Element dimorphischer Struktur bleibt auch nach der Änderung der Lebensweise in der Seßhaftwerdung erhalten."[19].

Es läßt sich somit sagen, daß die kultrechtliche Einleitung des Bundesbuches in frühstaatlicher Zeit mit der konservativen Intention abgefaßt wurde, den übernommenen Nomadenritus in die neue Umgebung der urbanen Kultur als Identifikationsfaktor zu übernehmen. Der gesamtgesellschaftliche Assimilierungs- und Stabilisierungsprozeß führte dann im Laufe der Zeit zu einer Neuinterpretation, die beim Altargesetz deutlich in den fortschreibenden Bearbeitungen nachzuverfolgen ist, beim vorausgehenden Verbot der Herstellung von Kultbildern nur von der späteren Entwicklung her zu rekonstruieren ist, da es wohl äußerlich - in seiner sprachlichen Form - unverändert anders "gelesen" werden konnte.

Bei der Rückfrage nach dem Anfang der Sache des Bilderverbotes muß folglich festgestellt werden, daß Ex 2o,23f in seiner rekonstruierten Grundform sachlich durchaus den Anfangspunkt der Auseinandersetzung um Kultbilder darstellen kann, wenn auch hierin noch kein ausdrückliches und reflektiertes Verbot von Kultbildern im umfassenden Sinn zu finden ist; es geht hierbei vielmehr um die Ablehnung einer besonderen Kultform für einen besonderen Personenkreis.

18) Zu den möglichen Gründen für einen solchen Wechsel vgl. E. OTTO, Geschehen, 73.

19) E. OTTO, Geschehen, 73.

Einen Schritt hinter diesen Text zurück zu tun, ist von der Sache her nicht angeraten, da dieser Text gerade aus dem Unterschied der Kultformen nomadischer und urbaner Bevölkerung verständlich ist, so daß die sachliche "Vorgeschichte" von Ex 2o,23b gerade so miteingeholt ist. Im Inneren des nomadischen Lebensbereiches hätte ein solches Verbot gar keinen Sinn; es lebt geradezu aus den Problemen des Kulturkontaktes.

Zusammenfassend kann man somit feststellen, daß in der rekonstruierten Bundesbucheinleitung die Wurzeln für das Bilderverbot begraben liegen, da hier in konservativer Absicht die Art der Gottesverehrung der urbanen Bevölkerung abgelehnt wird zugunsten der nomadischen Kultbräuche. Es wird noch im einzelnen zu zeigen sein, welche Zweige in welcher Art und unter welchen Bedingungen aus dieser Wurzel gewachsen sind, aber schon an diesem Punkt zeichnet sich die Grundtendenz ab, daß nämlich dieses Verbot einer bestimmten Kultform (mit Kultbildern) in späterer Zeit anders, nämlich auf die darin erwähnten Objekte (die Kultbilder) allein bezogen, verstanden werden konnte, so daß der Schritt vom konservativen Kultgesetz zum antisynkretistischen Bilderverbot sachlich zwar groß, der sprachlichen Formulierung nach jedoch sehr klein ist.

4.2. Konsequenzen aus den Anfängen in der frühen Königszeit

Für die weitere Entwicklung der Frage nach der Bildlosigkeit des israelitischen Kultes ist es wichtig, die unter 4.1. ausfindig gemachten konservativen Kreise, die für die Abfassung von Ex 2o,23b verantwortlich sind, richtig einzuschätzen.

Man wird wohl kaum davon ausgehen können, daß es sich bei diesen Kreisen um Randgruppen, Sektierer o.ä. handelt, da das, was sich von ihrem Gedankengut im AT niedergeschlagen hat, durchaus nicht auf intellektuellen Konstruktionen beruht, sondern eine Antwort darstellt auf brennende Fragen, die sich aus einer sozialen Umorganisation ergeben haben, so daß man auch die Folgewirkung dieses theologischen Bemühens um den gesellschaftlichen Integrationsprozeß kaum unterschätzen kann.

Textmaterial aus dem Bereich der Bilderverbotsformulierungen hat sich für die frühe Königszeit nicht nachweisen lassen (s.o.Kap.3), so daß man darauf angewiesen ist, die Erwähnungen über den Kult dieser Zeit in eine mögliche Entwicklungslinie zu integrieren und somit von den Vorbedingungen und den Nachwirkungen her abzusichern. Aus den unter 4.1. beschriebenen Vorbedingungen resultiert zumindest für die Folgezeit, daß die Übernahme oder Anfertigung von Kultbildern nicht unproblematisch verlaufen kann. Was diesbezüglich aus der frühen Königszeit für die vorliegende Untersuchung wichtig ist, ist die Beurteilung der Lade, der Keruben im Jerusalemer Tempel und des Stierbildes von Bethel[2o].
Die alttestamentlichen Traditionen über die Lade sind vielschichtig und schillernd, und es fällt schwer, sie auf einen Nenner zu bringen, um die Bedeutung der Lade auch nur annähernd exakt beschreiben zu können[21]. Wird schon die Frage nach der Herkunft - Nomadentum oder Kulturland - für die Lade kontrovers diskutiert[22], so ist auch in der Frage ihrer Bedeutung - Kriegspalladium oder Gottesthron - kaum ein Kon-

2o) Zu Dan s.o. Kap. 3 Anm. 232.

21) Vgl. im einzelnen den Überblick bei H.-J. ZOBEL, ThWAT I, 391-4o4 (Lit.!); Th.A. BUSINK, Tempel I, 276-285.

22) Zu den außerbiblischen Parallelen vgl. H.-J. ZOBEL, ThWAT I, 396f.

sens in Sicht[23]. Für den vorliegenden Zusammenhang braucht aber nicht auf die Einzelheiten dieses Fragenkomplexes eingegangen zu werden; es genügt, einige sichere Züge ihrer Bedeutung aufzuhellen. Bei aller Unsicherheit bezüglich der Lade kann aber die Vielseitigkeit der Überlieferung am besten dadurch erklärt werden, daß die Lade im Laufe der Geschichte verschiedene Bedeutungen gehabt hat[24], was sich auch daran zeigt, daß die Lade ganz unterschiedlich benannt wird (z.B.: ארון הברית; ארון ברית יהוה/אלהים; ארון (ה)אלהים (יהוה); ארון העדות). Bei allen Divergenzen bezüglich Terminologie und Tradition der Lade wird doch sehr deutlich, daß in allen Phasen der Geschichte der Lade - wenn auch mit abweichender Akzentsetzung - eine Präsenztheologie mit ihr in Verbindung steht[25]. Ob im Kriegsgeschehen (z.B. 1 Sam 4ff.)[26] oder im Tempel[27], immer wurde die Nähe Gottes mit ihr verbunden[28]. Daraus folgt, daß die Lade selbst, die kein Bild darstellt, aus einem Kontext zu stammen scheint, der zumindest keine ausgeprägte Ikonographie im Mittelpunkt des Kultes hatte. Daß David die Lade nach Jerusalem holt (2 Sam 6), macht ihren Stellenwert in früherer Zeit ganz deutlich. "Denn nur ein Kultobjekt mit schon gefestigter und einmaliger Tradition konnte dem nicht israelitischen Jerusalem zu jener kultischen Rolle verhelfen, die bald die Stütze des Königtums nicht mehr brauchte (...) Sie (= die Bedeutung der Lade für Jerusalem) versteht sich nur, wenn die Lade vor David *das* zentrale Bundesheiligtum gewesen war und ein we-

23) Vgl. bes. J. MAIER, Ladeheiligtum, passim; R. SCHMITT, Zelt, passim; O. EISSFELDT, Lade, passim; J. DUS, Geschichte, passim, sowie den Überblick bei H.-J. FABRY, ThWAT IV, 266f.

24) Vgl. W.H. SCHMIDT, Glaube, 110.

25) Darauf hat bereits W. ZIMMERLI, Bilderverbot, 249 nachdrücklich hingewiesen.

26) Vgl. F. SCHICKLBERGER, Ladeerzählung, passim.

27) Vgl. M. HARAN, Temples, bes. 246-259.

28) W.H. SCHMIDT, Glaube, 112 bezeichnet die Lade sogar als "Offenbarungsstätte", vgl. auch K.-H. BERNHARDT, Gott, 149.

sentlicher Teil der kultischen Überlieferung Gesamtisraels an ihr haftete, der durch David nach Jerusalem gezogen wurde und von hier aus weiterwirkte."[29]. Wird im Rückblick von David her erst der Stellenwert der Lade richtig eingeschätzt werden können, so bestätigt sich die mit ihr verbundene Präsenztheologie gerade auch von der weiteren Entwicklung im Rahmen des Tempelbaus unter Salomo. Bei allen Schwierigkeiten in bezug auf eine Festlegung des Bautyps des Jerusalemer Tempels[3o] ist eines jedoch sicher, daß die Lade nicht in die Grundkonzeption dieses Tempels gehört, sondern aus einem anderen Kontext hierher eingebracht wurde[31]. Aber gerade die Aufnahme in den Tempel zeigt, daß es sich bei der Lade nicht um irgendein Kultobjekt handelt, sondern daß sie eine Zentralrolle einnimmt, denn im Tempelbaubericht 1 Kön 6 wird zwar von den Keruben gesprochen, jedoch wird der Standort der Lade so beschrieben, daß es den Anschein hat, daß sie die Stelle des Gottesbildes einnimmt im Innersten des Tempels. Es zeigt sich aber, daß die Lade im Tempel von den für den Tempel konzipierten Keruben (s.u.) zurückgedrängt wird, wovon spätere Texte, wie die Glossierung in 1 Kön 8,7 oder auch die Beschreibung im Parallelbericht 2 Chr 3,8ff., ein beredtes Zeugnis ablegen. Geht man jedoch davon aus, daß die theologische Konzeption, die mit den Keruben verbunden ist, nicht völlig verschieden ist von der, die mit der Lade verbunden ist - und für diese Verbindung spricht die Kombination von Keruben und Lade[32] -, dann läßt sich die erwähnte Präsenztheologie der Lade auch von der Bedeutung des "Kerubenthrones" her genauer fassen.

29) M. NOTH, Jerusalem, 184f.

3o) Vgl. zur Diskussion vor allem Th.A. BUSINK, Tempel I, 566-589; V. FRITZ, Tempel, passim; M. METZGER, Tempel, passim.

31) Vgl. O. KEEL, Jahwe-Visionen, 29; K.-H. BERNHARDT, Bilderverbot, 76.

32) Dies zeigt sich auch in dem Gottesepitheton ישב (ה) כרבים , das wohl erst von der Konzeption des Jerusalemer Tempels her auf die Lade übertragen wurde (s.u.); vgl. M. GÖRG, ThWAT III, 1o27f.; G. HENTSCHEL, Bau, 25-32; oder die Verbindung von Thron und Fußschemel (Lade), dazu H.-J. FABRY, ThWAT II, 355f.

Vorab läßt sich aber für die Lade zusammenfassend feststellen, daß sie als *bildloses Kultobjekt* gut zu dem paßt, was unter 4.1. zu den Entstehungsbedingungen des bildlosen Kultes gesagt wurde; denn wenn die Religion der vorstaatlichen Zeit des späteren Israel keine gemachten Kultbilder kannte, dann ist ein derartiges Kultobjekt in diesem Kontext sinnvoll. Somit stünde die Lade in einer nicht genauer zu beschreibenden Form in der Tradition eines bildlosen Kultes[33]. Die Auswirkungen dieser Vorstellungen sind beim Kerubenthron unter Salomo direkt greifbar.
Keel hat im einzelnen darauf aufmerksam gemacht, daß die Keruben im Jerusalemer Tempel nicht als Wächter und Schutzwesen, sondern als Träger der Gottheit aufgefaßt werden müssen[34]. Nimmt man diese Erklärung auf, dann läßt sich für das anstehende Problem schließen, daß das Kerubenpaar den Thron des unsichtbaren Gottes bildete. Konnte für diesen Kerubenthron - was für den Tempel als Ganzes auch zutrifft - der kanaanäisch-phönizische Einfluß nachgewiesen werden[35], so ist doch auch zu beachten, daß gerade im Hinblick auf die theologische Konzeption ein Vergleichsmoment zwischen Lade und Kerubenthron auszumachen ist, das selbst wohl Grundlage dessen ist, daß beide trotz ihrer unterschiedlichen Herkunft und Funktion letztlich im Salomonischen Tempel zusammengebracht werden konnten. Entscheidendes Vergleichsmoment ist die beiden gemeinsame Präsenztheologie. Lade und Kerubenthron setzen eine unsichtbare Gottheit voraus, die in engem Konnex mit dem einen und/oder anderen steht.
Dies wird umso deutlicher, wenn man das von Keel gesammelte

33) Auf die Bedeutung der Ladetheologie für die Erklärung der Herkunft des Bilderverbotes wurde bereits häufig in unterschiedlicher Weise hingewiesen, vgl. bes. K.-H. BERNHARDT, Gott, 144-151; T. METTINGER, Veto, 22-24.

34) Vgl. O. KEEL, Jahwe-Visionen, 23-29; bes. auch seine Rekonstruktionszeichnung auf Seite 26; zur Diskussion vgl. Th.A. BUSINK, Tempel I, 285-287 und M. GÖRG, Keruben, passim.

35) Vgl. im einzelnen die Hinweise bei O. KEEL, Jahwe-Visionen, 29f.

kanaanäische Vergleichsmaterial genau berücksichtigt; denn dort findet sich immer die entsprechende Gottheit auf dem Kerubenthron dargestellt, wohingegen bei den sogenannten leeren Thronen[36] Kerubenthrone m.W. nicht bekannt sind. Es ist folglich möglich, daß die im Jerusalemer Tempel anzutreffende Kombination von Kerubenthron und leerem Thron aus der spezifischen Jerusalemer Tradition zu erklären ist.
Wenn die oben skizzierte Konzeption der Lade und ihrer Tradition stimmt, dann wird Salomo bei aller tyrischen Tradition in seinem Tempelbau doch wohl für das Zentrum des Tempels unter einem israelitischen Traditionsdruck gestanden haben, daß es nämlich keine JHWH-Bildtradition gab, so daß notgedrungen die mit der Lade verbundene Präsenztheologie für den Jerusalemer Tempel ihren Anspruch stellte. Die Kompromißformel für diesen Konflikt zwischen Tempel- und Nationaltradition ist der leere Kerubenthron. Die Keruben bilden einen dem Tempeltyp angemessenen sinnfälligen Mittelpunkt und übernehmen als leerer Thron die theologische Konzeption der Lade, die sich nur schwierig in den Tempel einpassen ließ[37].
Folglich kann der Jerusalemer Kerubenthron durchaus als Kompromißlösung angesehen werden; denn er liefert die nötige und adäquate Tempelausgestaltung und trägt dennoch dabei der überlieferten JHWH-Verehrung Rechnung, indem er die Präsenztheologie der Lade übernimmt. Für das anstehende Thema bestätigt dieser Befund die Annahme eines ursprünglich bildlosen Kultes, wie er oben unter 4.1. nachzuzeichnen versucht wurde; denn gerade diese Tradition scheint ihren Druck auf die Ausgestaltung des Tempels unter Salomo ausgeübt zu haben. Wir können somit für die frühe Königszeit Hinweise auf einen bildlosen Kult sammeln, der seine Wurzeln jedoch nicht

---

36) Vgl. dazu im einzelnen das bei O. KEEL, Jahwe-Visionen, 37-45, aufgeführte Material.

37) Vgl. die Vorstellung der Lade als Thronsockel, dazu M. GÖRG, Lade, passim; M. HARAN, Temples, 254f.; H.-J. FABRY, ThWAT II, 355f.

in einer ausformulierten Bilderfeindlichkeit hat, sondern in der religiösen und sozialen Entwicklung dieses Volkes, so daß auch durchaus verständlich ist, warum es vielleicht die eine oder andere bildliche Darstellung gegeben haben mag. Gab es auch kein Kultbild des im Jerusalemer Tempel verehrten Gottes JHWH, so spricht nichts gegen andere Symbole und Bilder, wie z.B. den נחשתן, von dem nicht bekannt ist, wann er in den Tempel kam (s.u.4.3.)[38].
In den Rahmen dieser Erklärung paßt sich auch die Vorstellung vom Stierbild in Bethel gut ein[39]. Wenn Jerobeam I ein Pendant zu Jerusalem in Bethel schaffen wollte, dann mußte er dies gerade für das Kultzentrum, d.h. die theologische Konzeption der JHWH-Verehrung, zu erreichen versuchen. Durch die Wahl des Stierbildes scheint ihm das besonders gut gelungen zu sein, weil er durch es eine sehr alte Ortstradition (s.o. Exkurs 2) aufnahm, und zusätzlich konnte die Präsenztheologie von Lade und Kerubenthron sehr gut auf dieses Stierbild übertragen werden[4o]. Als Postamenttier weist der Stier auf den nicht abzubildenden JHWH hin und übernimmt gleichzeitig den in Bethel von der El-Verehrung vielleicht vorgegebenen Stierkult in gewissem Rahmen[41]. Für die nachfolgende Entwicklung ist wichtig, festzuhalten, daß der Stier als Göttersymbol im Alten Orient weit verbreitet ist[42]

---

38) Vgl. auch W. ZIMMERLI, Bilderverbot, 254f.

39) Zum Problem eines zweiten *Reichs*heiligtums in Dan s.o. Kap 3 Anm. 232 sowie W. ZIMMERLI, Bilderverbot, 25o-253.

4o) So urteilt auch W. ZIMMERLI, Bilderverbot, 251.

41) Vgl. H. UTZSCHNEIDER, Hosea, 88-98 zum Stierbild als Postament und zu dem im vorliegenden Zusammenhang wichtigen Element der "Jahwisierung" der kanaanäischen Religion und Theologie im palästinensischen Gebiet, auf das UTZSCHNEIDER aufmerksam macht; sowie M. NOTH, BK IX/1, 283 und auch den Exkurs 2.

42) W. VON SODEN, RGG^3 IV, 372f.; M. WEIPPERT, Gott, passim; O. KEEL, Welt, Reg. s.v. Stier.

und deshalb als Postament des Gottes JHWH durchaus nicht eindeutig ist[43].
Blickt man nun zusammenfassend zurück auf den Kult der frühen Königszeit, so ist festzustellen, daß es keinen Hinweis auf ein JHWH-Kultbild gibt. Die erwähnten zentralen Kultobjekte scheinen zumindest einen gemeinsamen Punkt zu besitzen, nämlich die Funktion, die Präsenz einer nicht abzubildenden Gottheit anzuzeigen. Die Argumente laufen für Lade, Kerubenthron und Stierbild dahin zusammen, daß das allen Gemeinsame die theologische Konzeption ist, das je eigene hingegen aus der unterschiedlichen Kombination der Traditionen entstanden ist.
Für die Ablehnung einer Abbildung des Gottes JHWH kann der Traditionsdruck als stärkstes Argument angeführt werden, denn die unter 4.1. dargestellte Entwicklung eines ursprünglichen - aus kultursoziologischen Gründen - bildlosen Kultes ist sicherlich nicht wirkungslos geblieben. Mit einem Bilderverbot im eigentlichen Sinn hat all dies selbstverständlich nichts zu tun, da das Fehlen eines Kultbildes allein aus der Tradition der JHWH-Verehrung zu erklären ist und nicht aus einer Auseinandersetzung um die Frage eines Kultes mit oder ohne Kultbild.

4.3. Der reine JHWH-Glaube und die erste Bilderkritik

Hat sich also für die frühe Königszeit eine recht unproble-

43) H. UTZSCHNEIDER, Hosea, 98 Anm. 2 erwägt, das Stierbild als genuines JHWH-Bild anzusehen. Der Hinweis auf Num 23,22 und Num 24,8 bestätigt dies jedoch noch nicht, da gerade auch bei Jerobeam I. die Verknüpfung von Exodusgottheit und Stierbild stattfindet, wobei letzteres aus der Ortstradition von Bethel zu stammen scheint (s.o. Exkurs 2), so daß die Untersuchung spezieller Nordreichtradition vorausgehen müßte.

matische Entwicklung der bildlosen JHWH-Verehrung, die sich dadurch auszeichnete, daß sie die unterschiedlichsten Traditionen aufnahm, aufweisen lassen, so geht dies auch Hand in Hand mit der Art der JHWH-Verehrung, wie sie sich in dem aus der gleichen Epoche stammenden Jahwistischen Geschichtswerk zeigt[44]. Dies bestätigt das rekonstruierte Bild auch insofern, als bei J kein Text auszumachen ist, der auf Ablehnung oder Vernichtung von Bildern oder Kultobjekten Bezug nimmt. Für die anstehende Thematik der Entwicklung des Bilderverbotes findet sich im 9.Jh.v.Chr. wieder reichliches Material.

Von den Königen des 9.Jh.s Asa (1 Kön 15,9-14) und Josaphat (1 Kön 22,41-51) berichten die Königsbücher zwar schon Reformmaßnahmen im Kultbereich; diese Darstellungen erweisen sich bei genauerer Analyse aber als Projektionen der dtr. Reformidee in frühere Zeit[45]. Wenn diese Kultreformtexte für die religionsgeschichtliche Betrachtung des 9.-8. Jh.s somit auch nicht in Betracht kommen, so finden sich jedoch gerade in dieser Zeit die meisten Hinweise für eine wichtige Entwicklungsphase der JHWH-Religion; denn in die Zeit des 9. Jh. fällt der Übergang[46] von einer integrierenden Monolatrie zu einer intoleranten Monolatrie[47].

---

44) F.-L. HOSSFELD, Einheit, weist besonders auf die integrierenden Tendenzen der jahwistischen Theologie hin: "Insofern leistet der Jahwist die ersten theologisch entscheidenden Schritte, indem er für den Glauben Israels die komplexe Einheit Jahwes etabliert und zwar im polytheistischen Kontext, ohne diese Einheit auf eine exklusive Einzigkeit im Sinne einer intoleranten Monolatrie hin zu bedenken." (3.4.)

45) Vgl. vor allem die eingehenden Analysen von H. SPIECKERMANN, Juda, 184-189: "Asas religiöser Purismus ist also dtr Provenienz und wäre im 9. Jh. kaum verstanden worden, wie umgekehrt auch im 6. Jh. die primär politisch bestimmte Handlungsweise Asas entweder nicht mehr erkannt oder nicht mehr konzediert wurde." (186)... "Somit hat SD (= später Dtr.) auch Josaphat zum Initiator (wenn auch keiner Reform, so doch) eines Reformaktes und dadurch zum würdigen Nachfolger seines Vaters gemacht." (188f.); vgl. auch H.-D. HOFFMANN, Reform, 87-96.

46) Es müßten in einer eigenen Studie die Gründe untersucht werden, die gerade im 9. JH. zu dieser Entwicklung geführt haben.

47) Vgl. dazu F.-L. HOSSFELD, Einheit, passim, bes. 4.).

Es ist vor allem die Person des Propheten Elia, die für diesen Prozeß innerhalb der JHWH-Religion des 9.Jh.s steht. In den Traditionen um die Figur des Elia ist erstmals die direkte Auseinandersetzung zwischen JHWH und Baal im Nordreich greifbar[48]. Bei aller Schwierigkeit, historisch Sicheres über Elia aus den Königsbüchern zu gewinnen[49], ist doch festzuhalten, daß sich die breit belegte Auseinandersetzung um JHWH- oder Baal-Verehrung im 9.Jh. sehr massiv um den Propheten Elia zentriert. Daraus ergibt sich geradezu von selbst die Frage: Ist Elia der Initiator dieser intoleranten Monolatrie, d.h. zieht er erstmals die Konsequenzen eines religiösen Assimilierungs- und Integrationsprozesses und fordert als erster die absolute Alleinverehrung JHWHs, oder ist Elia ein Restaurator, d.h. will er einen in Vergessenheit geratenen Alleinverehrungsanspruch JHWHs wiederbeleben? Die Frage scheint schwer zu beantworten zu sein, aber auf dem Hintergrund der bisherigen Erörterungen zur Entwicklung des bildlosen israelitischen Kultes eröffnet sich zumindest eine mögliche Antwort, die darzulegen vermag, daß Elia weder das Eine ist noch das Andere, sondern von beidem etwas hat.

Geht man zurück auf die oben (s.o.4.1. und 3.2.) beschriebene kultrechtliche Einleitung des Bundesbuches und auf den dort dargelegten Versuch zur Bestimmung des Tradentenkreises dieser Gesetze sowie deren Motivation, dann zeichnet sich eine Grundtendenz ab, die auch noch resp. wieder bei Elia zum Tragen kommt. Es handelt sich um die Festlegung von Opfer- resp. Kultbestimmungen.

---

48) Dies wird durch die Beobachtungen bestätigt, daß bei der Namengebung bis ins 9. Jh. hinein JHWH- und baalhaltige Namen sowie baalgestaltige Lokalgottheiten begegnen und daß bei den großen Propheten des Südreiches - Micha, Jesaja und Amos - diese Auseinandersetzung fehlt, vgl. H. SPIECKERMANN, Juda, 2oo-212, sowie F.-L. HOSSFELD, Einheit, 4.).

49) Vgl. bes. J. HENTSCHEL, Elijaerzählungen, passim; Ders., Wurzeln, passim; R. SMEND, Elia, passim; O.H. STECK, Überlieferung, passim.

Für die Auseinandersetzung Elias um die JHWH- oder Baalverehrung gilt die Karmelerzählung 1 Kön 18 als einer der wichtigsten Texte[5o]. Hentschel hat nun gezeigt, daß eine ältere Schicht der Erzählung, anders als der jetzt vorliegende Endtext, der als "Erweis des wahren Gottes"[51] bezeichnet werden kann, die "charakteristischen Unterschiede von Jahwe- und Baalskult"[52] thematisiert. Daraus folgt, daß das Zentralthema der Konfrontation von JHWH und Baal bei Elia nicht die theoretische Erörterung der Göttlichkeit des einen oder anderen Gottes ist, sondern die Entscheidung zur Monolatrie, wie dies die Erzähleinleitung 1 Kön 18,21 deutlich zeigt, indem sie mit der Wendung הלך אחרי eindeutig auf die Gottesverehrung abzielt. Elia bringt demnach einen Anspruch JHWHs auf Alleinkompetenz für Israel zum Ausdruck, der nur durch ausschließlichen JHWH-Kult zu beantworten ist.

Dieses Votum des Elia für JHWH liegt ganz auf der Linie (wenn auch in der Verlängerung) dessen, was über die rekonstruierte kultrechtliche Einleitung des Bundesbuches gesagt wurde. Denn, wie dort (s.o.3.2.) beschrieben, ging es konservativen Kreisen gerade darum, im Zuge eines notwendigen sozialen Wechsels der Lebensweise, im kultischen Bereich ein Kontinuum zu haben, das einer möglichen Identitätskrise in diesem Wandlungsprozeß entgegenstehen konnte (s.o.4.1.). Daraus entsteht von selbst ein Nebeneinander unterschiedlicher Kultformen in der neuen Umgebung, d.h. auch in der Folgezeit lassen sich Herkunft und Zugehörigkeit verschiedener Bevölkerungsgruppen durchaus an der Art der Kultausübung ablesen, selbst wenn eine Zugehörigkeit resp. Entscheidung zu einem bestimmten Gott nicht eigens betont wird[53]. Die Forderung

---

5o) Vgl. zuletzt J. HENTSCHEL, Wurzeln, 45-49; S. TIMM, Dynastie, 6o-87.

51) J. HENTSCHEL, Wurzeln, 46.

52) J. HENTSCHEL, Wurzeln, 46.

53) In einer polytheistisch denkenden Umwelt hat ein solcher Gedanke auch gar keinen Raum; er kann folglich nur auf dem Boden anderer - sozialer oder kultureller - Differenzen wachsen.

einer bestimmten Kultausübung ohne Kultbild mit Schlachtung und Blutritus, wie sie die Bundesbucheinleitung erhebt, stellt bereits eine Abgrenzung dar, denn die Negativformulierung des Prohibitivs setzt das Vorhandensein des Verbotenen voraus, so daß deutlich wird, daß das konservative Interesse der Bundesbucheinleitung Voraussetzung der späteren Monolatrieforderung ist. Ihre Bestätigung findet diese These auch darin, daß im Zentrum des Bundesbuches in Ex 22,19[54] auch wieder der Bezug zum Kult eindeutig als Abgrenzungskriterium dient: זבח לאלהים יחרם בלתי ליהוה לבדו[55]. Halbe hat gerade auf die Verbindungslinien dieses V.19 mit Ex 2o,24 - der besprochenen Bundesbucheinleitung[56] - und mit Ex 23,18 - dem doppelten Prohibitiv zum Schlachtopfer[57] im Anhang des Festkalenders von Ex 23 - hingewiesen[58], so daß auch von hierher deutlich wird, daß die Kultausübung das wichtigste Unterscheidungsmoment dieser Zeit und Lebenssituation darstellt.

Geht man von der vorgeschlagenen Erklärung dieser Kultbestimmungen des Bundesbuches aus, daß sie nämlich ein konservatives Element innerhalb eines sozialen Wandlungsprozesses darstellen und somit letztlich vom nomadischen Kult[59] her

54) Vgl. dazu die Analyse von J. HALBE, Privilegrecht, bes. 416-421; anders H.J. BOECKER, Recht, 121, der die Hauptzäsur nach Ex 22,16 macht, was jedoch für die hier anstehende sachliche Gewichtung von Ex 22,19 außer acht gelassen werden kann; vgl. F.-L. HOSSFELD, Dekalog, 226.

55) Zum Problem der Texte vgl. N. LOHFINK, ThWAT III, 193f.

56) Vgl. zur Rekonstruktion des Grundtextes oben 3.2.3.

57) Der Vers hat eine Parallele in Ex 34,25, vgl. dazu N.H. SNAITH, Ex 23,18, passim. Vielleicht steht hinter dem Verbot, Gesäuertes mit blutigen Opfern gemeinsam darzubringen, eine nomadische Tradition, vgl. H. HORN, Traditionsgeschichte, 212.221. Im jetzt vorliegenden Endtext sowohl von Ex 23,18 als auch von Ex 34,25 wird dieser Prohibitiv auf das Passah bezogen, vgl. D. KELLERMANN, ThWAT II, 1o63f.

58) J. HALBE, Privilegrecht, 418.

59) Auch hier gilt, was in Kap. 3 Anm. 3o4 zur Definition "Nomade" gesagt wurde.

zu erklären sind[6o], dann wird auch gut verständlich, warum die Kreise, die im 9.Jh. den etablierten Synkretismus als Fehlform erkennen, an das Gedankengut der Tradenten des Bundesbuches anknüpfen, so daß sich ihr Programm der JHWH-Monolatrie zuerst einmal um die rechte (altüberlieferte) Form der Kultausübung zentriert, wie dies die Erzählungen von 1 Kön 18 (s.o.) oder auch Ri 6,25-32[61] anschaulich schildern.

Die eingangs gestellte Frage nach der Stellung des Elia, dessen Namen ("Mein Gott ist JHWH") man durchaus als Programm verstehen kann, muß nun in dem Sinn beantwortet werden, daß Elia sowohl Restaurator als auch Initiator in gleicher Weise ist. Seine Person steht für den Neuanfang einer *intoleranten Monolatrie* im 9.Jh. als Antwort auf den Synkretismus seiner Zeit; zu dessen Durchsetzung greift er aber auf die ältere Forderung eines eigenständigen, tradierten, israelitischen Kultes zurück. Elia läßt folglich aus alten traditionswahrenden Kultbestimmungen den Tatbestand des späteren Fremdgötterverbotes entstehen. Mit diesem Schritt sind im 9.Jh. die Grundlagen für die Auseinandersetzung mit ande-

---

6o) Vor allem die Besonderheit der Behandlung des Blutes im Kult (vgl. C. DOHMEN, ThWAT IV, 799), die auch für alle weiteren alttestamentlichen Kultgesetze wichtig bleibt (vgl. A. SCHENKER, Zeichen, passim), läßt sich am besten aus dem nomadischen Kult erklären und bestätigt damit die These vom Wechsel der Lebensverhältnisse (s.o. 4.1.).

61) Die dtr. stark überarbeitete Geschichte bewahrt wohl einen älteren Kern, der der gleichen Zeit und den gleichen Tradentenkreisen zuzuordnen ist wie 1 Kön 18, vgl. H. SPIECKERMANN, Juda, 2o5-2o7; C. SCHMIDT, Erfolg, 16f. und zum Verhältnis beider Texte zueinander R. SMEND, Elia, passim. Als Beleg für eine Auseinandersetzung in der Richterzeit führt H.D. PREUß, Verspottung, 67-72 den Text an, wohingegen H.-D. HOFFMANN, Reform, 275ff. ihn nur als theologische Beispielerzählung des Dtr. gelten läßt; einen unterschiedlichen Grundbestand arbeiten W. RICHTER, Untersuchungen, 163-168 und L. SCHMIDT, Erfolg, 5-21, heraus.

ren Religionen in Israel gelegt worden[62].
Bilder im Kult, wie vor allem das Stierbild von Bethel, sind für Elia und seine Zeitgenossen noch kein theologisches Problem, was wiederum für die vorgetragene These spricht, daß das Stierbild von Bethel als legitimes Postament des Gottes JHWH angesehen wurde. Elia geht es noch nicht um die Einzelheiten der JHWH-Verehrung, sondern um die Grundsatzentscheidung: JHWH *oder* Baal und nicht JHWH *und* Baal. Die Auseinandersetzung um Kultobjekte unterschiedlicher Provenienz steht zu dieser Zeit noch nicht an[63]. Dazu passen dann auch Gottesepitheta wie אביר (Gen 49,24; Jes 1,24; 49,26; 6o,16; Ps 132,2.5) oder אבן (Gen 49,24), wenn diese vielleicht auch erst aus der Retrospektive einer späteren Theologie stammen, die aber mit viel Sensibilität für die historische Entwicklung der eigenen Glaubensgeschichte die Anfänge beschreibt. Ist für Elia somit die Frage der Bildlosigkeit des Kultes auch noch gar kein Problem, so ist der gemachte Abstecher zu den Anfängen der intoleranten Monolatrie zur Zeit Elias jedoch von der Wirkung dieser Position her gerechtfertigt;

62) Schwierigkeiten bei der Datierung bietet die Formulierung des Hauptgebotes im Privilegrecht Ex 34,14, jedoch wird man sie von der Sache her am besten ins 8. Jh. datieren, vgl. E. ZENGER, Israel, 19o; F.-L. HOSSFELD, Einheit, 4.). Die Aufforderung zur Vernichtung fremder Kultmale Ex 34,13 ist jedoch viel später in das Privilegrecht gelangt, vgl. die folgende Anm.

63) Das häufig als besonders alt gewertete Gebot Ex 34,13, Altäre, Masseben und Ascheren zu zerstören, erweist sich bei genauerer Analyse deutlich als Nachtrag: Innerhalb des sg. formulierten Privilegrechtes fällt V.13 durch seine pl. Formulierung ganz deutlich aus dem Kontext und das Vokabular und die Thematik weisen sehr deutlich in den dtr. Bereich, was durch die dreimalige Verwendung des *nun*-paragicum in V.13 unterstrichen wird (vgl. Exkurs 3). Die inhaltlichen Argumente von J. HALBE, Privilegrecht, 117f. für eine vordeuteronomische Ansetzung von Ex 34,13 sind insofern nicht ausschlaggebend, als gerade die sachlichen Parallelen Ri 2,2; Ex 23,24; Deut 7,5; 12,3 (vgl. auch G. SCHMITT, Frieden, 13-45; F. GARCIA LOPEZ, Peuple, 443f.) zeigen, daß eine *relativ freie* Formulierung dieses Gebotes anzutreffen ist und mit H. SPIECKERMANN, Juda, 217 Anm. 123 wird man die Sache wohl der Wirkungsgeschichte des dtn. Verbots der Errichtung von Ascheren und Masseben zuordnen, so daß "diese Stellen einer literarischen Schicht angehören, die auf die josianische Reform zurückblickt". Vgl. auch unten zu Deut 16,21.

denn was in der Folgezeit auch an Bilderkritik entsteht, hat letztendlich seine Wurzeln in diesen theologischen Entwicklungen des 9.Jh.s.

In den Bereich dieser Thematik und auch in diese Zeit paßt die JE-Vorlage von Ex 32 (s.o.3.1.4.1.). Sie hat das Problem der Führung Israels zum Thema und steht durch die Erzählung von der Ablehnung dieser Führung, die sich in der Person des Propheten und Anführers Mose präsentiert, und der hybriden Absicht zur Herstellung von anderen Führungsgöttern (Ex 32,1) ganz auf der Linie dieser genannten Anfänge der intoleranten Monolatrie. Der "narrative Kern" von der Herstellung eines Führungssymbols durch Aaron zeigt bereits den hier schlummernden theologischen Zündstoff. Die im 3. Kapitel nachgezeichnete Redaktionsgeschichte von Ex 32 bestätigt dies und verdeutlicht darüber hinaus den Stellenwert dieser Erzählung (JE-Vorlage) als Verbindungsstück zwischen dem Alleinverehrungsanspruch JHWHs im 9.Jh. und der ersten Bilderkritik im 8.Jh.

Dieses Gedankengut der exklusiven JHWH-Verehrung kommt, für uns besser faßbar, beim Propheten Hosea in der Mitte des 8. Jh.s v.Chr. noch stärker zum Tragen. In vielerlei Weise drückt Hosea seine Beurteilung des Synkretismus' seiner Zeit aus. Im Zentrum seiner Botschaft steht, wie schon bei Elia, die Forderung der Alleinverehrung JHWHs und die Ablehnung aller Fremdgötter. Es fällt auf, "daß kein anderer Prophet im Alten Testament Israels Schuld so unmittelbar auf das Gottesverhältnis bezieht, so direkt als Bruch des ersten Gebotes beschreibt wie eben Hosea"[64]. Diese Grundaussage Hose-

64) J. JEREMIAS, ATD XXIV/1, 2o, wenn auch hier aufgrund einer Analyse der Wachstumsphasen des Dekalogs besser vom *Tatbestand des ersten Gebotes* gesprochen würde.

as findet sich besonders einprägsam in Hos 13,4 formuliert: Ich aber bin JHWH, dein Gott, vom Land Ägypten her, und einen Gott neben mir kennst du nicht, einen Retter außer mir gibt es nicht. Wie im Dekalog ist hier die Grundforderung nach Alleinverehrung JHWHs eingebunden in die Selbstvorstellung JHWHs (vgl. Hos 12,lo)[65].
Für Hosea wird nun der religiöse Synkretismus nicht nur in der Kultpraxis deutlich (vgl. Hos 2,7-15; 4,4-9; 5,1-17 u. ö.), sondern erst recht auch in der Übernahme resp. Anfertigung von Amuletten und Götterbildern; er benutzt dazu bezeichnenderweise den Terminus עצבים, dessen besondere Bedeutung durch den Zusammenklang der beiden homonymen Wurzeln עצב I 'bilden, gestalten' und עצב II 'kränken, betrüben' entsteht und sich somit besonders gut in die Gesamtverkündigung Hoseas einpaßt. Findet sich die für die späteren Schriften des AT typische Bilderpolemik auch noch nicht bei Hosea[66], so ist in der Kritik an den עצבים aber ein erster Ansatz dieser Entwicklung zu finden. Der Begriff עצבים dient im AT als Sammelbegriff für die Götterbilder der nichtisraelitischen Religionen, was an 9 von 17 Stellen explizit gesagt wird[67]. Die ältesten Belege des Begriffs sind wohl bei Hosea zu finden (4,17; 8,4; 13,2; 14,9); dabei sind alle Belege auf Ephraim bezogen, dessen Verbindung zu Fremdvölkern und -kulten auch sehr häufig moniert wird (vgl. 4,17; 5,8.

65) Vgl. J. JEREMIAS, ATD XXIV/1, 163; F.-L. HOSSFELD, Dekalog, 264.

66) Dies gilt aber nur für die "klassischen" polemischen Wendungen (Hos 8,6; 11,2; 13,2; 14,4, zum sekundären Charakter dieser Stellen s.o. Kap.3 Anm. 249, bes. zum rekonstruierten Grundbestand von Hos 13,2 Anm. 243) und eben nicht für den sachlichen Gesamtbereich (vgl. B. LANG, Jahwe-allein-Bewegung, 66), was die Verwendung des Begriffs עצבים deutlich zeigt, s.u.

67) Vgl. 1 Sam 31,9; 2 Sam 5,21; Jes 46,1; 5o,2; Ps 1o6,36.38; 115,4; 135,15; 1 Chr 1o,9. Die spezielle Bedeutungsnuance verliert sich natürlich in späten Texten (vgl. Sach 13,2; 2 Chr 24,18) sowie in Texten mit gesteigerter Polemik, die Begriffe aus dem Wortfeld anhäufen (vgl. Jes 1o,1of.; 48,5; Mi 1,7); vgl. auch J.P. FLOSS, Jahwe, 161f.

11.13; 7,8.11; 8,11; 12,2), so daß deutlich wird, daß auch die Hinwendung zu עצבים als Verbindung zu Fremdgöttern von Hosea gewertet wird, auch wenn sie von Ephraim selbst hergestellt werden (8,4; 13,2). Aus diesem Zusammenhang erhellt die Eigenheit der *Bilderkritik* bei Hosea. Hosea erkennt die Ambivalenz des Bildes, d.h. unabhängig von den damit verbundenen Vorstellungen ist jedes Bildmaterial immer schon "besetzt". Bestimmte Symbole und Darstellungen könnten zwar ihren legitimen Raum im JHWH-Kult haben; da die Ikonographie aber die nötige spezifische Differenz zwischen JHWH- und Baal-Kult nicht liefern kann, muß für Hosea das Bild als polyvalenter Träger religiöser Ideen abgelehnt werden. Hosea kritisiert somit nicht das Bild als Bild, sondern das Bild als Träger unterschiedlicher und für ihn nicht zu vereinbarender religiöser Ideen. Es ist die Ambivalenz des Bildes, die Hosea veranlaßt, *eine solche Bilderkritik* in seine massive Forderung nach Alleinverehrung JHWHs miteinzubeziehen. Dazu paßt auch, daß Hosea der erste Prophet ist, der gegen das Stierbild von Bethel angeht. Ist im einzelnen auch unsicher, wie weit die Polemik gegen dieses Stierbild bei Hosea geht[68], so läßt sich der Angriff gegen es auch nicht aus der Verkündigung Hoseas isolieren; denn diese Kritik am Stierbild von Bethel liegt ganz auf der Linie der beschriebenen Kritik an den עצבים. Die Verehrung des nichtdargestellten JHWH über dem Stierbild mag schnell kombiniert werden können mit der Baalverehrung, da Baal häufig als Stier dargestellt wird[69]. Utzschneider hat diesen Punkt der Verkündigung Hoseas sehr ausführlich herausgearbeitet, daß nämlich Hosea das Stierbild auch deshalb als erster kritisiert,

---

68) Der hoseanische Grundbestand der einzelnen Erwähnungen des Stierbildes von Bethel (Hos 8,5; 1o,5; 13,2) wird recht unterschiedlich beurteilt, vgl. H.W. WOLFF, BK XIV/1, z. St.; A. DEISSLER, NEB, z. St.; J. JEREMIAS, ATD XXIV/1, z. St.; I. WILLI-PLEIN, Vorformen, z. St.; H. UTZSCHNEIDER, Hosea, 87ff.

69) S.o. Exkurs 2.

weil er erkennt, "daß die Repräsentanz an die Stelle des Repräsentierten getreten ist"[7o].
Daraus folgt, daß sich die Kritik Hoseas an den עצבים und dem עגל gegenseitig interpretiert; die עצבים sind direkte Hinweise auf andere Götter, im Kult des Stierbildes[71] kommt das gleiche zum Ausdruck, wenn dies auch ursprünglich ein legitimes JHWH-Postament ist (s.o.4.2.). Bei Hosea wird erstmalig - in konsequenter Fortführung des Anliegens Elias - faßbar, daß die Kritik an Bildern ihren Ursprung in der Forderung nach Alleinverehrung JHWHs hat. Für eine intolerante Monolatrie ist somit jedes Bild eine Gefahr, da es von selbst über den internen Bereich hinausweist; denn es kann schnell seinen Verweischarakter verlieren und sich verselbständigen und bietet dann die Gefahr der Assimilierung an andere Völker und Religionen. Diese Ambivalenz des Bildes läßt die ersten Streiter für den Alleinverehrungsanspruch JHWHs zu der ersten Bilderkritik kommen. Das Fehlen einer eigenständigen JHWH-Bildtradition (s.o.4.1./2.) hat so einerseits das Problem heraufbeschworen, da jede bildliche Darstellung eben nach "Vorbildern" suchen muß und andererseits den Weg von der ersten verhaltenen Kritik bis zur radikalen Ablehnung positiv unterstützend begleitet.
JE hat diese theologische Wertung Hoseas in bezug auf das Stierbild von Bethel übernommen, und durch seine Konzeption von Ex 32[72] hat er ihr ein ganz besonderes Gewicht verliehen, so daß der über lange Zeit hinweg als legitim gegoltene Kult in Bethel für die nachfolgende Zeit als die Sünde

---

7o) H. UTZSCHNEIDER, Hosea, lo2.

71) Vielleicht ist die Wendung von 1 Kön 19,18 (das Knie vor Baal beugen und ihn küssen) ein Hinweis auf einen derart pervertierten Kult, bei dem das Stierpostament selbst verehrt wird, vgl. auch die dtr. Ergänzung in Hos 13,2, dazu Kap. 3 Anm. 243.

72) Vgl. dazu im einzelnen Kap. 3, bes. 3.1.4.

Israels schlechthin gewertet werden konnte, die zum Untergang des Nordreiches geführt hat. Auf diese Weise haben natürlich auch Hosea und JE die Weichen für die Entwicklung und Bedeutung des späteren Bilderverbotes entscheidend gestellt.
In der Sprache des späteren Dekaloges kann man folglich sachlich zusammenfassend sagen: das Fremdgötterverbot hat als Spezialfall das Bilderverbot im 8.Jh. geboren. Die weitere Entwicklung im AT zeigt, daß dieses "verwandtschaftliche" Verhältnis zwischen beiden Tatbeständen die Entwicklung beider immer geprägt hat.

4.4. Von der ersten Bilderkritik zum Kultbildverbot

Die nachgezeichneten Entwicklungen des 9. und 8.Jh.s, das Aufkommen einer intoleranten Monolatrie, das vor allem mit der Person des Propheten Elia verbunden ist sowie die Erkenntnis der Ambivalenz von Bildern und die Kritik an ihnen durch den Propheten Hosea, weisen eindrücklich auf eine Krisensituation hin, denn sie sind nur als *Reaktion* auf eine vorhandene Situation zu verstehen; für die Annahme hingegen, daß sich hier Charakteristika der JHWH-Religion zu Wort melden, gibt es keine sicheren Belege; ein derartig charakteristisches Bild der JHWH-Religion hat sich erst als Folgewirkung dieser Entwicklungen u.a. herauskristallisieren können. Die Situation der Krise ist aus einer schrittweisen Vermischung von kanaanäischer und israelitischer Kultur entstanden, sie hatte ihren Ausgangspunkt in der Zeit des davidisch-salomonischen Großreiches genommen, und dieses Nebeneinander der beiden Gesellschaftssysteme und Kulturen hat die gesamte Zeit der staatlichen Existenz Israels und Judas

mitgeprägt[73]. Zur eigentlichen Krise konnte dieses Nebeneinander erst durch die im 9. und 8.Jh. heranreifende Erkenntnis werden, daß die Eigenständigkeit Israels/Judas mit dem Verlust der religiösen Einheit des JHWH-Glaubens in Gefahr gerät. Der Untergang des Nordreiches 722 v.Chr. bestärkt diese Sicht, wie dies besonders die geschichtstheologische Reflexion des Jehowistischen Geschichtswerkes zeigt, das unter dem Eindruck dieses Ereignisses als eine gründliche Überarbeitung und Erweiterung des Jahwistischen Geschichtswerkes mit Hilfe elohistischer Fragmente entsteht.
Einsicht und Mahnung bringen aber noch keine grundlegende Veränderung. Die Krise dauert weiter an, denn neben dem mächtigen Einfluß, den die Assyrer vor allem in der zweiten Hälfte des 8.Jh.s auf das Südreich ausüben, steht die Anziehungskraft der assyrischen Religion, die durch die gewaltigen militärischen Siege verstärkt wird.

Für den Schritt zum eigentlichen Bilderverbot ist diese Zeit - vor allem das 7.Jh.v.Chr. - entscheidend, denn die Ereignisse dieses Jahrhunderts sind es vor allen Dingen, die die Weichen zur weiteren Entwicklung der bildlosen JHWH-Verehrung stellen. Die bereits zuvor (s.o.) festgestellte Präponderanz des Kultischen im Bereich der anstehenden Thematik des Bilderverbotes tritt auch im 7.Jh. ganz deutlich hervor, da es die "Kultreformen" der Könige Hiskia und Josia sowie die dtn. Kultzentralisation sind, die die Entwicklung zum Bilderverbot hin vorantreiben.
Die Historizität der Versuche Hiskias, die assyrische Oberherrschaft im politischen und religiösen Bereich zurückzudrängen (vgl. 2 Kön 18-2o), ist im einzelnen schwer zu beurteilen[74]; jedoch ist nicht daran zu zweifeln, daß Hiskia ei-

---

73) Vgl. im Ganzen dazu W. DIETRICH, Israel, passim.

74) Vgl. bes. M. HUTTER, Hiskija, passim; H. SPIECKERMANN, Juda, 17o-175.

ne erste Zentralisation des Kultes[75] sowie eine "Reinigung" des Kultes betrieben hat. Dieser "Reinigung" des Kultes fällt das Schlangensymbol des Jerusalemer Tempels, der sogenannte נחשתן[76], zum Opfer. Die Deutung dieses Schlangensymbols differiert stark; mit Keel wird man den Nechuschtan aber weder mit den Seraphim von Jes 6 noch mit den in Hazor, Megiddo, Geser und Timna gefundenen bronzenen Schlangen verbinden können[77]. Da die Schlangensymbolik im gesamten Alten Orient weit verbreitet ist und die Einzelheiten der Überlieferung über den Nechuschtan demgegenüber sehr spärlich sind (die Verbindung von 2 Kön 18,4 zur Erzählung von der Herstellung einer ehernen Schlange durch Mose in Num 21 stellt ein eigenes Problem der literarischen Abhängigkeit beider Texte dar[78]), bleibt jede Deutung sehr hypothetisch. Jedoch gibt der Text von 2 Kön 18,4 einen Hinweis auf die Legitimität und das Alter dieses Schlangensymbols, da der Hinweis auf den mosaischen Ursprung dieses Schlangensymbols unmöglich dtr. Herkunft sein kann. Daß ein dtr. Verfasser, der aller mosaischen Überlieferung höchste Autorität beimißt, der Zerstörung eines von Mose selbst hergestellten Objektes in überaus positiven Tönen das Wort redet, ist undenkbar[79],

75) Die Ausgrabungen am JHWH-Tempel in Tell Arad und in Beerscheba belegen, daß zur Zeit Hiskias zumindest die Opfer außerhalb Jerusalems eingestellt werden sollten, vgl. Y. AHARONI, Arad, passim; O. KEEL/M. KÜCHLER, Orte, 2o5-2o8 (zum Hörneraltar von Beerscheba).227-233 (zum Tempel von Tell Arad); D. CONRAD, Miszellen, passim.

76) Zum Begriff selbst vgl. HAL,653 (Lit.).

77) Vgl. O. KEEL, Jahwe-Visionen, 81ff.; P. WELTEN, BRL^2, 28o-282.

78) Vgl. H. MANESCHG, Erzählungen, 59-1oo. Einige seiner Schlußfolgerungen, besonders in bezug auf das Verhältnis von Num 21 zu 2 Kön 18,4,sind jedoch auf dem Hintergrund der Ausführungen O. KEELs, Jahwe-Visionen, 81ff.,sowie der obigen Erläuterungen zum Bilderverbot fraglich.

79) H.-D. HOFFMANN, Reform, 148f.,sieht in dem Hinweis auf die Herstellung durch Mose eine Glosse, die die "Tendenz der Kultgeschichte" (148), d. h. eine dauernde "Übertretung des ersten und zweiten Gebotes" (149), verdeutlichen will, jedoch sprengt der Hinweis auf Mose, den menschlichen Exponenten der Sinai-/Horebgesetzgebung, den Rahmen, denn eine so beschriebene Tendenz hätte für einen Dtr. durch alles, nur nicht durch Verweis auf Mose zum Ausdruck gebracht werden können.

so daß man wohl 2 Kön 18,4bα unbedingt zum Grundtext dieses Abschnittes zählen muß[8o] und damit dieser Notiz ihren historischen Wahrheitsgehalt nicht absprechen kann. Wenn aber im Tempelbaubericht und auch in Texten, die die spätere Königszeit betreffen, Hinweise auf die Einführung dieses Nechuschtan fehlen, dann wird man den Hinweis auf die Herstellung durch Mose wohl als Deutungshilfe dieses Kultobjektes lesen dürfen, d.h. es handelt sich bei dem Schlangensymbol wohl um ein altehrwürdiges, niemals anstössiges, Kultsymbol. Da das Schlangensymbol auch im Kult der vorislamischen Araber begegnet[81], ist es durchaus denkbar, daß dieses Kultsymbol (als Zeichen für Heilung?[82]) aus der vorstaatlichen Zeit Israels stammt und problemlos, da als Kultsymbol und nicht als Gottesbild verstanden, seinen Platz im Tempel hatte, ohne daß ihm von den Tradenten bis zur Zeit Hiskias besondere Bedeutung beigemessen wurde.
Auf diesem Hintergrund verschärft sich natürlich die Frage nach dem Sinn der Vernichtung dieses Symbols durch Hiskia. Eine Antwort auf diese Frage findet sich auf der Linie der hoseanischen Kritik am Stierbild von Bethel (s.o.4.3.), das lange Zeit hindurch wohl auch als legitimes Symbol seinen Platz im JHWH-Kult hatte. Die Erkenntnis der Ambivalenz jedweden Bildes im Kult wird bei Hosea und bei Hiskia den Ausschlag für die Ablehnung des jeweiligen Bildes gegeben haben. Bei der Bedeutung, die dem Schlangensymbol in der assyrischen Religion zukommt[83], ist die Zerstörung des Nechuschtan äußeres Zeichen der absoluten Konsequenz, mit der

---

8o) Vgl. zur literarischen Schichtung von 2 Kön 18,1-7 H. SPIECKERMANN, Juda, 17o-175.42o.

81) Vgl. J. WELLHAUSEN, Reste, 212-214; M. HÖFNER, Religionen, 314.38o, sowie die Hinweise von H.-P. MÜLLER, Rez. 1979, 159,zur Auseinandersetzung mit KEELs Deutung der Seraphim und Schlangen.

82) Die mögliche Verbindung zu Num 21 legt dies nahe, vgl. V. FRITZ, Israel, 93-96; W. ZIMMERLI, Bilderverbot, 254f.

83) Vgl. B. HROUDA, RLA III, 488; B. MEISSNER, Babylonien II, Reg. s.v. Schlange; E. EBELING, RLV XI, 266.

Hiskia die Auflehnung gegen die assyrische Überfremdung angeht. Allein die Möglichkeit der Verbindung des Schlangensymbols zum assyrischen Kult veranlaßt ihn, dies ehrwürdige Kultsymbol aufzugeben[84]. Daß durch ein solches Symbol die Möglichkeit der Verbindung zu fremden Göttern und Kulten auch nur aufscheint, mag auch einem dtr. Redaktor Rechtfertigung genug sein, selbst ein Kultobjekt mosaischen Ursprungs aufzugeben. Somit wird deutlich, daß die dtr. Geschichtsschreibung nicht versucht, einem tradierten Kultobjekt nachträglich die Legitimation zu entziehen, sondern die Unterschiedlichkeit der historischen Situation (Wüstenzeit - Zeit der Überfremdung) in Anschlag zu bringen, wenn es um die Beurteilung der Kultpraxis geht[85], d.h. die aktuelle Situation des JHWH-Glaubens fordert womöglich sogar Opfer im Bereich der Tradition.
Die "Reform" des Hiskia ist somit nicht als *Bildersturm* zu werten, sondern es handelt sich bei der Vernichtung des Nechuschtan um eine Einzeltat, die im größeren Rahmen seiner antiassyrischen Politik steht und die ihren inneren Motor in dieser politischen Tendenz hat; das Schlangensymbol des Jerusalemer Tempels ist nur aufgrund seiner "Uneindeutigkeit" in bezug auf eine Festlegung und Abgrenzung des JHWH-Kultes aufgegeben worden.

Eine generelle Bilderfeindlichkeit im Sinne einer Ablehnung künstlerischer Darstellungen läßt sich im 7.Jh. nicht feststellen. Der Schluß von Sauer[86], der das Auftauchen von

---

84) Vgl. auch die in die gleiche Richtung gehende Deutung von H. SPIECKERMANN, Juda, 173 Anm. 33.

85) Vielleicht ist die (legitimierende?) Erzählung von Num 21 in ihrem Grundbestand von diesem Interesse ausgelöst worden; die Begrenzung auf die konkrete Situation im Bereich der Wüstenwanderung (vgl. VV.4 und lo), für die das Schlangensymbol Geltung besitzt, könnte dafür sprechen.

86) G. SAUER, BHHW III, 1789; aufgegriffen wird dieser Hinweis auch von O. KEEL, Jahwe-Visionen, 44 Anm. 74; F.-L. HOSSFELD, Dekalog, 271 Anm. 212.

bildlosen Siegeln vom 7.Jh. an als Folge des Bilderverbotes wertet, ist unbegründet, da es für ein derartiges, sachlich weitumfassendes Bilderverbot gar keinen Hinweis gibt. Der Wechsel von Bild und Inschrift bei den Siegeln des 9./8.Jh.s und des 7./6.Jh.s kann hingegen durchaus anders gedeutet werden. Es ist denkbar, daß dieses Phänomen der Siegelgestaltung eine Widerspiegelung sozialer Verhältnisse darstellt, wie sie besonders durch den unaufhaltsamen Vormarsch der assyrischen Weltmacht in dieser Zeit ausgelöst werden. Der Bevölkerungszuwachs in Jerusalem nach dem Untergang des Nordreiches[87] ist nur ein - jedoch beredtes - Zeugnis für diese sozialen Veränderungen. Für die Auswertung der Siegelgestaltung müßten somit stärker die sozialen Bedingungen der Art und Weise der Siegelbenutzung sowie des Personenkreises, der solche benutzt, berücksichtigt werden.

Der von Hiskia eingeschlagene Weg fand sein Ende unter seinem Sohn Manasse, der im Gegenzug fremde Kulte wieder einführte und durch die Wiederbelebung kanaanäischer Riten den vormals verbreiteten Synkretismus wieder entstehen ließ[88]. Aufgefangen wurde diese Situation der äußeren und inneren Krise - Assyrerherrschaft und soziale sowie religiöse Spannungen in Juda[89] - durch die deuteronomische Bewegung. "Tatsächlich ist es jener Bewegung, die hinter dem Deuteronomium stand, an einer Zeitenwende der Geschichte Israels gelungen, das vorherrschende Lebensgefühl in ihre Theologie einzubringen und so durch eine 'konstruktive Restauration' die jahwistische Glaubenswelt wieder attraktiv zu machen."[9o]. Die theologisch bedeutsame Verbindung von Ausschließlichkeitsanspruch JHWHs und Erwählungsgedanken hat in der dtn.

---

87) Vgl. M. BROSCHI, Expansion, passim.

88) Vgl. W. DIETRICH, Israel, 95-1o3; H. SPIECKERMANN, Juda, 16o-17o.

89) Vgl. bes. W. DIETRICH, Israel, 99f.

9o) G. BRAULIK, Freude, 16.

Theologie[91] zu starken Abgrenzungstendenzen geführt. Die in der Nordreichprophetie bei Hosea bereits festgestellte Einsicht in die Ambivalenz der Bilder kommt in der dtn. Theologie verstärkt zum Tragen[92], da die gewünschte Abgrenzung von allen anderen Religionen und Kultpraktiken fordert, daß jedwedes Bild und auch Kultobjekt, das Hinweis auf fremde Götter sein kann, abzulehnen ist.
Bedeutendster Niederschlag derartiger dtn. Abgrenzungstendenzen sind die beiden Prohibitive von Deut 16,21f.:

לא תטע לך אשרה כל עץ אצל מזבח יהוה אלהיך
אשר תעשה לך
ולא תקים לך מזבה אשר שנא יהוה אלהיך

Diese beiden Prohibitive formulieren sehr konkret[93] und zielen wohl darauf ab, Kultobjekte, die auch in anderen Religionen ihren Platz haben, für den JHWH-Kult zu verbieten, wenn sie auch vormals - was für die Masseben zweifelsfrei gilt - ihren legitimen Ort im JHWH-Kult hatten. Hinter diesen Verboten der Errichtung dieser Kultobjekte stehen die notwendigen Abgrenzungsabsichten, wie sie der Ausschließlichkeitsanspruch fordert[94].
Zur Wirkungsgeschichte dieser dtn. Verbote gehört das dtr. Gebot der Ausrottung fremder Kultmale (Ex 34,13; Deut 7,5; 12,3)[95]. Es gilt für die anstehende Thematik nur zu beachten, daß sowohl die Verbote der Errichtung als auch die Ge-

---

91) Vgl. G. BRAULIK, Freude, 17ff.

92) Zur Verbindung von Hosea und der dtn. Bewegung vgl. M. WEINFELD, Deuteronomy, 366-37o.

93) In der Wendung von V.21 ist wohl assyrischer Sprachgebrauch anzutreffen, so daß es nicht um das Pflanzen eines lebendigen Baumes geht, sondern um das Aufstellung des Kultobjekts, vgl. H. SPIECKERMANN, Juda, 216.

94) Vgl. M. ROSE, Ausschließlichkeitsanspruch, bes. 51-59; dort auch zur literarischen Schichtung von Deut 16,21f.

95) Vgl. H. SPIECKERMANN, Juda, 217 Anm. 123, sowie oben Anm. 63.

bote der Zerstörung in den Abgrenzungstendenzen des Ausschließlichkeitsanspruches ihren Grund haben und nicht in einem wie auch immer gearteten Bilderverbot. Dies hat in diesem Kontext noch keinen Platz, und es ist bezeichnend, daß die Texte auch keine Verbindung zu einem Bilderverbot andeuten. Im Kern der dtn. Auseinandersetzung um fremde und in ihrer Deutung ambivalente Kultobjekte steht nicht ein vergessenes JHWH-Gebot, sondern allein die Forderung der Alleinverehrung JHWHs.
Ganz in das so abgesteckte Feld der dtn. Abgrenzungstendenzen paßt sich auch die Reform des Josia (2 Kön 22-23) ein. Das gesamte Reformwerk Josias[96] steht im Zeichen dieser dtn. Forderung nach ausschließlicher Alleinverehrung JHWHs[97]; diese hat die Abschaffung fremder Kulte und die Reinigung des JHWH-Kultes von allen mehrdeutigen Kultobjekten und -praktiken bewirkt. Wenn also im Reformbericht (2 Kön 23,4-2o.24) von der Vernichtung von Kultobjekten wie Ascheren und Masseben die Rede ist, dann ist dies von der Forderung der Kulteinheit und -reinheit her zu deuten und nicht als sachliche Ausdehnung eines Bilderverbotes[98]. Für das Vorhandensein eines Bilderverbotes bietet die Reform des Josia direkt keinen Hinweis.

Das eigentliche Bilderverbot hat seinen Entstehungsort im Grundtext des Dekalogs (Deut 5,8)[99], aber es ist keine kontextlose Neuschöpfung, sondern hat durchaus seine sachlichen und sprachlichen Vorläufer und ist insgesamt die ausformulierte Konsequenz der oben nachgezeichneten Entwicklung. Sachlich liegen die Wurzeln des Bilderverbotes zum einen in

---

96) Vgl. im einzelnen dazu H. SPIECKERMANN, Juda, 3o-16o sowie H.-D. HOFFMANN, Reform, 169-27o.

97) Zum Verhältnis von Ausschließlichkeitsanspruch und Reform des Josia vgl. M. ROSE, Ausschließlichkeitsanspruch, 156-169.

98) So B. LANG, Jahwe-allein-Bewegung, 72.

99) Vgl. dazu im einzelnen 3.7.3.

der fehlenden JHWH-Bildtradition (s.o.4.1./2.), zum anderen in den antisynkretistischen und monolatrischen Bestrebungen vom 9.Jh. an, die ihren Ausgang in der Nordreichprophetie nehmen und von dort her in die dtn.-dtr. Theologie münden und die spätestens seit Hosea die Ambivalenz von Bildern, Symbolen und anderen Objekten im Kult als Gefahr für die Alleinverehrung JHWHs erkannt haben. Es ist wohl die Einsicht in die Mißstände der eigenen Situation, die den konsequenten Rückgriff auf die Anfänge veranlaßt und daraus das Bilderverbot als die geeignete Antwort auf die Krise entstehen läßt[loo].

Somit sind zwei Momente auszumachen, die die Formulierung des Bilderverbotes ausgelöst haben. Zum einen gibt die Krisensituation der späten Königszeit den Anstoß, zum anderen bietet die Tradition Anhaltspunkte für einen bildlosen Kult. Die Bewertung der Krisenerfahrung des 7.-6.Jh.s kann bereits auf die Urteile zum Untergang des Nordreiches zurückgreifen. Dort hatte Hosea die politische Krise von der Frage nach dem Gottesverhältnis her gedeutet und dies erstmals am Stierpostament von Bethel festgemacht; diese Sicht wird von JE bei seiner Reflexion zum Untergang des Nordreiches aufgegriffen, und in seiner Ausgestaltung von Ex 32 (s.o.3.1.) findet diese Beurteilung ihren deutlichsten Niederschlag. Dieses Interpretationsmuster konnte von der dtn. Bewegung insofern verstärkt in Anschlag gebracht werden, als ihr Traditionsbewußtsein zusätzlich die alten Traditionen einer kultbildlosen JHWH-Verehrung wieder zu beleben vermochte.

Da aber die Reform des Josia noch gar keinen Hinweis auf ein Bilderverbot enthält, sondern sich noch ganz im Rahmen der dtn. Abgrenzungstendenzen bewegt, wird mit der Formulierung des Bilderverbots wohl erst in frühdtr. Zeit zu rechnen

---

loo) Vgl. auch die in die gleiche Richtung deutende Vermutung von T. METTINGER, Veto, 22: "Often a dogma is first formulated as an answer to a crisis. Might this perhaps be the case here as well?".

sein[101], d.h. das beginnende Exil wird die notwendige theologische Beurteilung der Lage herausgefordert haben. Spieckermann vermutet, daß, wenn der Dekalog erst im 7.Jh. entstanden sei, dann "könnte das Bilderverbot als gezielte Reaktion auf die Aufstellung eines פסל für אשרה = Ištar im Tempel verstanden werden"[102]. Ist es auch überaus schwierig, absolute Daten für die Entstehung des Dekaloggrundtextes anzugeben, so ist die Kenntnis seiner Entstehungsbedingungen doch wichtiger. Für das Bilderverbot heißt das, daß die Tat Manasses als Reaktion ein in gewissem Rahmen auf Allgemeingültigkeit abzielendes Gebot - wie es die Dekalogkomposition beabsichtigt - veranlaßt hat, was nicht sehr wahrscheinlich ist; eher wird die unter dem Eindruck der Ereignisse und Erfahrungen neu gestaltete Geschichtsschreibung (Sinaitheophanie) für das Deut den Anlaß gegeben haben. Jedoch ist der Hinweis auf Manasse zumindest für die Wahl der Formulierung wichtig.
Wenn der früh-dtr. Verfasser des Dekaloggrundtextes für das Bilderverbot auf die alte Tradition der kultbildlosen JHWH-Verehrung rekurriert, dann ist es durchaus möglich und wahrscheinlich, daß die Formulierung von Ex 2o,23 für die dekalogische Bilderverbotsformulierung Pate gestanden hat[103]. Hinzuzuziehen ist auch noch der JE-Textanteil von Ex 32 (vgl. bes. V.1!), zumal die JE-Sinaitheophanie die Grundlage für die Dtn-Horebtheophanie (vgl. Deut 5!) bildet und die Bearbeitung der JE-Vorlage durch JE den ersten Anhaltspunkt für den Zusammenhang der Tatbestände von Fremdgötter- und Bilderverbot bietet (s.o.).

1o1) So auch von F.-L. HOSSFELD, Dekalog, 283,ohne weitere Erläuterungen angenommen.

1o2) H. SPIECKERMANN, Juda, 167.

1o3) Für diese Annahme spricht auch, daß es gerade dtr. Kreise sind, die das Bundesbuch wieder zu Ehren bringen und es sogar in den Pentateuch einbringen und dabei die kultrechtliche Einleitung VV.23-24 überarbeiten (vgl. dazu 3.2.2./3.).

Ex 2o,23 enthält das Grundmuster der Formulierung: Prohibitiv (עשה) mit dativus commodi; allein das Objekt ist unterschiedlich zwischen Ex 2o,23 und Deut 5,8. Für den Wechsel bei der Benennung des Objekts könnte nun die Überlieferung von Manasses Kultfrevel ausschlaggebend gewesen sein oder zumindest einen Anstoß gegeben haben; denn wenn die Erfahrungen mit Bildern, Symbolen etc. im Kult dazu führten, für den Dekaloggrundtext ein Kultbildverbot zu formulieren, dann gehört das, was Manasse an "Kultreform" im negativen Sinn durchgesetzt hat, sicherlich zu den tiefgreifendsten Erfahrungen auf diesem Sektor in dieser Zeit. In 2 Kön 21,7 wird berichtet, daß Manasse ein Kultbild der Ascherah (פסל האשרה) errichten ließ; dieses Objekt heißt nun in 2 Chr 33,7 פסל סמל und in 2 Chr 33,15 nur noch einfach הסמל. Wenn man nun mit Jeremias[1o4] noch Nah 1,14 als Spruch gegen Manasse miteinbezieht, dann kommt noch die Bezeichnung פסל ומסכה für dieses Objekt hinzu, und aus verschiedenen Gründen[1o5] könnte die letztgenannte Wendung sogar die älteste in dieser Reihe sein.

Für den Dekaloggrundtext bedeutet dies, daß der Verfasser zur Wahl des Begriffes פסל vielleicht durch die Tat Manasses angestoßen wurde, bei seiner Formulierung aber die Absicht hatte, kurz und vor allem sachlich umfassender zu formulieren. Sein Rückgriff auf Ex 2o,23 veranlaßt ihn dazu, dieses ursprünglich konservative Kultgesetz (s.o.3.2.4.) nun neu als Verbot mit antisynkretistischer Ausrichtung zu lesen. Die von Ex 2o,23 vorgegebene Wendung vom "Machen silberner und goldener Götter" schien diesem Verfasser wohl inhaltlich unpassend und zu eng gefaßt, da er ja gerade als Antwort auf die geschichtliche Entwicklung durch sein Dekaloggebot jedwede Dar-

---

1o4) Vgl. J. JEREMIAS, Kultprophetie, 22ff.; Deutungen, die davon ausgehen daß hier zwei (Arten von) Bilder erwähnt seien (so W. RUDOLPH, KAT XIII/3, 159),gehen fehl, vgl. 2.2.3.

1o5) Zum einen wird der Spruch noch ins ausgehende 7. Jh. zu datieren sein und zum anderen spricht die Formulierung selbst dafür; vgl. zur Bewertung des Hendiadyoin 2.2.3.2.

stellung im Kult (Götterbild, Postamente etc.) unterbinden wollte. Die Wahl des Begriffes פסל bot ihm prägnante Kürze, Bedeutungsbreite bei gleichzeitiger Bedeutungsklarheit (= für den Kult gefertigtes Bild[106]) und die Anspielung an die Tat Manasses als Unterton.

Somit ist die Erstformulierung des Bilderverbotes im frühdtr. Grundtext des Dekalogs zu finden. Es handelt sich dabei nicht um ein Kunstverbot, sondern um ein reines *Kultbildverbot*. Die Formulierung dieses Kultbildverbotes ist zu verstehen als Zeichen der Konsequenzen einer langen geschichtlichen Erfahrung sowohl mit Bildern im Kult als auch mit dem Alleinverehrungsanspruch JHWHs unter Rückbesinnung auf alte Traditionen der bildlosen JHWH-Verehrung. Zum Zeitpunkt seiner ersten Formulierung ist das Bilderverbot folglich eine Konkretion der Forderung nach Alleinverehrung JHWHs, da jedes Bild oder Symbol im Kult auch Hinweis auf andere Götter sein kann[107]. Die ältere Dekalogfassung in Deut 5 faßt somit auch Fremdgötter- und Bilderverbot als *ein* Verbot bei der Herstellung der "Zehn Gebote" auf[108].

Die oft diskutierte Frage, ob das Bilderverbot JHWH-Bilder oder Fremdgötterbilder verbiete[109], stellt sich auf diesem Hintergrund gar nicht mehr, da der Tatbestand des ersten Gebots das zweite erst aus sich entlassen hat, so daß selbstverständlich jedwedes Kultbild verboten ist.

---

lo6) Zur Semantik vgl. im einzelnen 2.2.1.

lo7) Diese Erkenntnis der Ambivalenz der Bilder kommt ganz besonders stark zum Tragen, wenn man das Fehlen einer spezifischen JHWH-Ikonographie berücksichtigt.

lo8) Vgl. F.-L. HOSSFELD, Dekalog, 283, sowie oben 3.7.3.

lo9) S.o. Kap. 1 Anm. 28.

4.5. *Die Wirkungen und Entwicklungen des dekalogischen Bilderverbotes*

Ist das Bilderverbot als solches auch erst relativ spät formuliert worden, so ist es dennoch auch inneralttestamentlich nicht ohne Wirkung geblieben. Es konnte bei den Textanalysen des 3. Kapitels bereits festgestellt werden, daß der weitaus größte Teil der dort analysierten Texte der Nachgeschichte des dekalogischen Bilderverbotes zuzuordnen ist. Die inneralttestamentlichen Fortentwicklungen des Bilderverbotes lassen sich sachlich grob in drei Gruppen zusammenfassen. Zum ersten findet es sich in den dtr. Pentateuchredaktionen wieder, zum zweiten in späten inhaltlichen Ausgestaltungen des Bilderverbotes auf dem Hintergrund des Monotheismus, und zum letzten wirkt es im Bereich der späten Götterbildpolemik (bes. in DtJes, Jer lo und der späten Weisheitsliteratur). Für den ersten Bereich ist vor allem die dtr. Redaktion zu nennen, die das Bundesbuch in den Pentateuch einsetzt und durch ihre "Neuinterpretation" der Einleitung von Ex 2o,23 (s.o.) das Bilderverbot erstmals in den Kern der Sinaitheophanie einbringt. Von dort aus schlagen dtr. Redaktoren den Bogen zur Erzählung von Ex 32, die selbst von der dtr. Parallelfassung in Deut 9f. her, welche bereits vollständig vom Blickpunkt des dekalogischen Bilderverbotes her konzipiert ist[11o], dtr. überarbeitet wurde und sehen somit die Sünde von Ex 32 in der Übertretung des Bilderverbotes, wie es die dtr. Fassung von Ex 2o,23 vorausschickt. In Konsequenz tragen diese dtr. Redaktoren dann auch dieses Bilderverbot - dem Kontext angepaßt - in Ex 32 nach[111]. Darüber

---

11o) Die früh-dtr. Fassung von Deut 9f. folgt aber zeitlich wohl nicht dem Dekaloggrundtext, sondern stammt wahrscheinlich vom gleichen Verfasser.

111) Zur Vertretung des Bildes durch das Wort des Gesetzestextes, wie sie diese dtr. Redaktion in der Beschreibung der Herstellung der neuen Tafeln zum Ausdruck bringt, s.o. 3.1.4.3.

hinaus benutzt diese Redaktion die von ihr zur Erzählung von der Übertretung des 2.Gebotes gestaltete Geschichte von Ex 32 als Bewertungsgrundlage für die Beurteilung Jerobeams I, indem sie ein Bezugssystem zwischen den Texten von 1 Kön 12 und Ex 32 herstellt.
Aus der umfangreichen, vom dekalogischen Bilderverbot her inspirierten, dtr. Redaktionsarbeit erhellt, welche Bedeutung dem Bilderverbot in der exilischen Zeit zugemessen wurde. Diese herausragende Stellung des Bilderverbotes hängt nicht zuletzt mit dem sich in dieser Zeit klarer herauskristallisierenden Monotheismus[112] zusammen. Der sich stärkende Monotheismus hat natürlich zur Folge, daß das ehemals so wichtige Fremdgötterverbot geradezu überflüssig wird. Da aber dennoch fremde Religionen weiterbestehen, übernimmt das aus dem Fremdgötterverbot als Spezialfall entstandene Bilderverbot nun die Führung in der Auseinandersetzung mit anderen Religionen. Die Leugnung der Existenz fremder Götter bedeutet nicht ipso facto das Verblassen der ausstrahlenden Faszination der fremden Religionen, so daß die gewünschte Abgrenzung in der streng monotheistisch denkenden Religion Israels in der Exilszeit nur über die Forderung des Bilderverbots erreicht werden kann. Dies zeigt sich besonders deutlich in späten Texten wie Lev 26,1, die sogar noch das dtr. Verbot von Kultsteinen mit dem Bilderverbot verbinden. Überhaupt ist in den späten Texten insgesamt die Tendenz festzustellen, das Bilderverbot des Dekalogs inhaltlich von einem Kultbildverbot zu einem Verbot jedweder Darstellung im kultischen Bereich auszuweiten. Diese Ausdehnungsabsicht findet sich - wie im einzelnen im 3. Kapitel gezeigt werden konnte - in den beiden Stellen des Heiligkeitsgesetzes (Lev 19,4; 26,1), in Deut 4, besonders in V.16, und in den Redaktionen des Dekalogs, die für die novellierte Fassung von Ex 2o verantwortlich sind.

---

112) Vgl. H. VORLÄNDER, Monotheismus, passim; H. WILDBERGER, Monotheismus, passim.

Aus diesem Zusammenhang von Fremdgötter-, Bilderverbot und Monotheismus wird deutlich, daß die in späten Texten des AT zu findende Polemik gegen Götterbilder überhaupt[113] nicht vom Bilderverbot herkommt[114], sondern als späte Parallelentwicklung zu diesem zu werten ist; denn Polemik und Verbot haben beide in gleicher Weise die Absicht, eine vorhandene Gefahr zurückzudrängen, so daß das Nebeneinander von Götterbildpolemik und Bilderverbot in späten Texten des AT durchaus verständlich ist. Gemeinsam ist beiden nur das Endprodukt, die Ablehnung von Bildern; die Motivationen hierzu sind jedoch völlig verschieden (s.u.Kap.5).

4.6. Zusammenfassende These zur Entstehung und Entwicklung des Bilderverbotes im AT

Die sachlichen Wurzeln des alttestamentlichen Bilderverbotes liegen in der kultbildlosen Religionsform (halb-)nomadischer Gruppen des späteren Israel. Diese Kulturdifferenz der verschiedenen Bevölkerungsgruppen Palästinas hat aber noch nicht zur Auseinandersetzung um die Stellung von Bildern im Kult geführt. Diese Auseinandersetzung begann erst sehr viel später, nachdem im 9./8.Jh.v.Chr. die JHWH-Religion langsam zur intoleranten Monolatrie wurde und damit den Tatbestand des späteren 1.Dekaloggebotes, des Fremdgötterverbotes, entstehen ließ. Der Wille zur Abgrenzung von fremden Göttern und Kulten konnte nur wirksam werden, wenn alle Hinweise auf diese wichen; dazu gehören Bilder und Symbole an erster Stelle. Somit ist das Fremdgötterverbot, dem das Bilderver-

---

113) Vgl. H.D. PREUSS, Verspottung, bes. 192-247; zur Einordnung der Belege bei DtJes vgl. K. KIESOW, Exodustexte, 159 Anm. 2; zur Weisheitsliteratur vgl. H. EISING, Weisheitslehrer, passim; G.v.RAD, Weisheit, 229-239.

114) So teilweise von H.D. PREUSS, Verspottung, bes. 16-23, vermutet.

bot seine Entstehung verdankt und als dessen Konkretion es erscheint, der eigentliche Motor auf dem Weg zum Bilderverbot. Gegenüber der abstrakten Forderung nach ausschließlicher JHWH-Verehrung tritt im Bilderverbot die konkrete Seite dieses Theologumenons in Erscheinung, und dieser Konkretheit ist wohl auch die enorme Wirkung dieses Verbotes zuzuschreiben. Erkennt man den enorm hohen Wert des Bildes für den Glauben[115], dann wird deutlich, daß das Verbot von Bildern zur Reinigung eines Glaubenssystems am entscheidenden Wurzelgrund ansetzt und wohl niemals wirkungslos bleiben kann. Die enge Verbindung von 1. und 2.Gebot im Dekalog, daß nämlich beide Gebote dieselbe Sache betreffen - die Ausschließlichkeit der JHWH-Verehrung, einmal quasi theoretisch formuliert (1.Gebot) und einmal quasi praktisch gefordert (2.Gebot) -, hat dazu geführt, daß beide Gebote eine Zeitlang nebeneinander bestehen konnten, und daß vor allem der sich präziser artikulierende Monotheismus das Zurücktreten des 1. hinter das 2.Gebot bewirkt hat. Der Weg geht also vom Verbot fremder Götter zum Bilderverbot über eine Phase der gleichberechtigten Koexistenz, so daß der Tatbestand, der zuerst vorhanden war und den zweiten erst als Präzisierung entlassen hat, später vom zweiten völlig aufgesogen wurde. Jedoch ist bei alledem kein Bilderverbot als *Kunstverbot* im AT nachzuweisen, sondern das Bilderverbot bleibt während seiner ganzen Entwicklung dem kultischen Bereich eng verhaftet. Die Tatbestände von Fremdgötter- und Bilderverbot verhalten sich in der Geschichte des AT folglich nicht wie Geschwister, sondern wie Vater und Sohn; der eine entsteht aus dem anderen und löst diesen später ab. Bei aller Selbständigkeit und Verschiedenheit haben beide aber gemeinsam die Zugehörigkeit zur gleichen Familie.

---

115) Vgl. z.B. O. KEEL, Jahwe-Visionen, 324f.

5. KAPITEL

Ausblicke und Konsequenzen

Hier ist nicht der Ort, die Wirkungsgeschichte des alttestamentlichen Bilderverbotes im Detail nachzuzeichnen; dies wäre zum einen Stoff genug für eine eigene Untersuchung, und zum anderen liegt dies zumindest teilweise andernorts bereits vor[1]. Was hier abschließend versucht werden soll, ist schlicht als "Blick über den Zaun" zu bezeichnen. Es sollen einige Konsequenzen aus der vorliegenden exegetischen Untersuchung gezogen werden, die in andere theologische Disziplinen hineinreichen. Nicht als theologische Gesamtüberblicke wollen diese Ausblicke verstanden werden, sondern als ausgewählte offene Fragen, die sich von der Exegese her aufdrängen, die aber ihren Untersuchungsbereich und damit die Kompetenzen des Exegeten überschreiten.

Da die Auseinandersetzung um Bilder und deren Verehrung eben nicht mit dem AT abgeschlossen ist, sondern sich im Laufe der (jüd./christl.) Religionsgeschichte immer wieder zu Wort meldete, kann die eben nachgezeichnete Entwicklung im AT (bes.4.6.) als ein Paradigma der Auseinandersetzung um die

---

1) Vgl. vor allem den Art. Bilder in der TRE sowie die dort angegebene umfangreiche Speziealliteratur.

Bildverehrung, oder exakter ausgedrückt, um die Gottesverehrung im Bild gewertet werden. Die Beleuchtung der Entstehungsbedingungen des alttestamentlichen Bilderverbotes hat gezeigt, daß das Verbot von Bildern aus dem Willen zur Abgrenzung von anderen Religionen entstanden ist. Grundlage dieser Ablehnung der Bilder im Kult ist die Erkenntnis ihrer Ambivalenz, d.h. ihrer fehlenden Eindeutigkeit, gewesen. Somit liegt die Motivation des Bilderverbotes nicht im Wesen des Bildes (Urbild - Abbild), sondern in der Praxis der Verwendung des Bildes, da das gleiche Bild oder Symbol unterschiedlich erfahren, gedeutet und folglich verwendet werden kann. Der (auch für den Glauben) positive Wert des Bildes, Träger theologischer Vorstellungen zu sein[2] und diese teils besser als das erklärende Wort vermitteln zu können[3], ist es, der dem Bilderverbot letztendlich zugrunde liegt[4], nur daß die Abgrenzungsabsicht dazu führt, diesen Wert des Bildes umzukehren. Das Problem wird also rigoros gelöst: da ein Bild die Tür zu fremden Religionen öffnen könnte, werden Bilder grundsätzlich verboten.
Somit ist das Bilderverbot im AT Indikator für tieferliegende theologische Probleme. Dieses Verständnis und die Tradition des Bilderverbotes scheint sich teils erhalten zu haben. So hat das Frühjudentum das biblische Bilderverbot nicht

---

2) Bereits im 6.Jh.n.Chr. hat Papst Gregor die "Biblia pauperum" als Bibel für den des Lesens unkundigen gelobt, und dieses Lob des Bildes und der Ornamente als "Bücher" der Laien hat sich durch die Jahrhunderte gehalten, vgl. J. GUTMANN, Image, 1f., wobei jedoch unbedingt zu beachten ist, daß darin jedoch eine theologische Konzeption liegt und sich die "Biblia pauperum" weder als "Armenbibel" noch als illustrierte Bibel darstellt.

3) Vgl. auch R. HOEPS, Bildsinn, 168: "Die sprachlose Bilderfahrung tritt so als Modus der Reflexion auf das Offenbarungsgeschehen neben die Theologie als Wissenschaft, indem sie diese ergänzt und erweitert.

4) Dies würde sich letztlich auch besser in die Gesamtinterpretation der Verhältnisbestimmung von Theologie und Bilderfahrung bei R. HOEPS (Bildsinn, 167-176) einfügen als seine Hinweise auf das Bilderverbot als Zeichen eines besonderen Gottverständnisses.

als generelles Bilderverbot verstanden, sondern als Verbot des Götzendienstes[5], d.h. bestand keine Gefahr von Götzendienst, dann brauchte es auch kein Bilderverbot zu geben, oder, anders gewendet, begegnet das Bilderverbot, dann signalisiert dies eine derartige Gefahr[6]. Was im einzelnen unter die Rubrik Götzendienst zu zählen ist (fremde Religionen, Häresien etc.), bleibt dabei der jeweiligen Interpretation anheimgestellt[7].
In gleicher Weise deuten wohl auch die Diskussionen um die Bilderfrage in der alten Kirche, der byzantinische Bilderstreit und die Auseinandersetzung um Bilder in der Reformation auf andere, tieferliegende theologische Probleme hin, wobei nur der Bilderstreit sichtbares Zeichen ist, so daß es gerechtfertigt erscheint, die Indikatorfunktion von ikonoklastischen Bewegungen zum Anlaß zu nehmen, um nach den auslösenden Gründen stärker zu fragen resp. das Verhältnis von Ikonoklasmus und theologischem Problem der jeweiligen Zeit genauer zu hinterfragen[8].

---

5) So führt auch die talmudische Fassung des Dekalogs das Bilderverbot nicht als eigenes Verbot auf.

6) Die zahlreichen Ausschmückungen früher Synagogen geben davon ein Zeugnis, vgl. G. KITTEL, ThWNT II, 38o-386; E.L. EHRLICH, Gebote, 14; J. MAIER, TRE VI, 521-525; K.-H. BERNHARD,Bilderverbot, 79ff.

7) Daraus könnten sich auch die Unterschiede bei der Synagogenausschmükkung sowie deren teilweise späteres Zerstören erklären lassen. Vgl. auch die in Leningrad erst 1931 entdeckte Talmudnotiz: "In den Tagen des Rabbi Abun führten sie Mosaiken mit bildlichen Darstellungen ein, und er hinderte sie nicht daran.", A. NEGEV, Lexikon, 85.

8) Vgl. schon die Einzelbeiträge in dem Sammelwerk: The Image and the Word. Confrontations in Judaism, Christianity and Islam, hrsg. v. J. GUTMANN.

Ein besonders im Bereich der Gotteslehre sowie der theologischen Anthropologie häufig diskutiertes Problem ist das Verhältnis von Imago-Dei-Lehre und alttestamentlichem Bilderverbot[9]. Die Argumentation geht dabei meist vom Bilderverbot aus und erklärt dann positiv, daß der Mensch nach Gen 1,26 das einzig legitime Gottesbild sei: "Demnach ist der Mensch von Fleisch und Blut, so wie er lebt, die Ikone Gottes im Tempel der Welt."[1o]. Die Verbindung zwischen beiden Größen ist jedoch nur in der Übersetzung so leicht herzustellen; im hebr. Text stehen zum einen die Lexemwahl und zum anderen die fehlenden Verweise der Texte aufeinander dagegen. An keiner Bilderverbotsstelle taucht ein Hinweis auf die Gottebenbildlichkeitsaussage von Gen 1,26 auf, und umgekehrt gilt das Gleiche. Auch verwendet P in Gen 1,26 die Begriffe צלם und דמות, beides Begriffe, die in Bilderverbotstexten nicht gebraucht werden (s.o.2.1.)[11]. Will man das genannte

---

9) Vgl. vor allem die bereits in Kap. 1 Anm. 41 genannten Arbeiten zu diesem Problem sowie T.N.D. METTINGER, Abbild, passim; A. HULTGARD, Man, 11of.

1o) W. VISCHER, Bildnis, 77o.

11) Der Hinweis auf die Verwendung von צלם in Num 33,52 und Am 5,26 bei A. ANGERSTORFER, *dmwt*, 39f.,spricht nicht dagegen, da es sich hierbei eben nicht um Bilderverbotstexte handelt. Daß hingegen aufgrund des Bilderverbotes Kultbilder im AT fast immer negativ bewertet werden, ist ein anderes Problem.
A. ANGERSTORFER versucht in dem genannten Aufsatz noch einmal eingehend den Zusammenhang von Bilderverbot und Imago-Dei-Lehre von der Exegese her herzustellen. Dies bleibt aber insofern fraglich, als seine Beschreibungen zu wenig die klassischen Schwierigkeiten von Gen 1,26 und auch Deut 5,8//Ex 2o,4 berücksichtigen. Die von ihm zugrundegelegte Symmetrie von zwei Blöcken in Gen 1 (31) ist recht unbegründet, vgl. dagegen W.H. SCHMIDT, Schöpfungsgeschichte, passim,und bes. O.H. STECK, Schöpfungsbericht, passim. Völlig ungenannt bleibt das Problem des Numeruswechsels in Gen 1,26, sodann wird die Synonymität der verwendeten Lexeme postuliert und nicht begründet (36) und die Austauschbarkeit der Präpositionen mit Hinweis auf Gen 5,3 begründet. Jedoch wechselt von Gen 1,26 zu Gen 5,3 hin allein die Lexemposition! Der ansonsten so präzise formulierenden P-Sprache ist ein derartiges Durcheinander ohne näheren Informationswert in einem Bereich der Kernaussagen wohl schwerlich zuzuschreiben. Last not least ist die Heranziehung von Targumtexten, die in der Tradition der komplizierten Begrifflichkeit von Gen 1,26 stehen, zur semantischen Klärung des aram.

Verhältnis klären, so sollte man vorab die Formulierung von Gen 1,26 ernst nehmen und nicht vorschnell eine Beziehung zum Bilderverbot über den allgemeinen Begriff "Bild" herstellen.
Lexemwahl, Lexemposition und Verwendung der Präpositionen ergeben für Gen 1,26 und auch Gen 5,3 sehr wohl einen genauen Sinn. "Ist für *ṣlm* ein relationaler Aspekt beim Zusammentreffen mit *dmwt* charakteristisch, so ist für *dmwt* in diesem Kontext ein qualifizierender Aspekt insofern konstitutiv, als *dmwt* in irgendeiner Form auf die Wiedergabe der (sinnfälligen und - oder durch diese - geistigen) Gestalt abzielt."[12]. Demnach gibt Gen 1,26 die Funktion, Gott auf der Erde zu vertreten, an ("als unsere Statue"), und dazu erhält der Mensch *quasi-göttliche Qualitäten* ("wie wir beschaffen"). Doch warum formuliert P an dieser Stelle derart kompliziert? Der Kontext des Schöpfungsberichtes zeigt deutlich, daß P mit der Metapher "Bild Gottes", die er bezeichnenderweise allen Menschen zuspricht - und darin liegt das Proprium dieser Anthropologie -, altorientalisch bekanntes Traditionsgut aufgreift. P "weist dem Menschen demnach eine dreifache Fähigkeit und Aufgabe zu:
(1) Wie ein König die Lebensordnung der Schöpfung zu sichern und zu schützen;
(2) wie ein Götterbild Erscheinungsweise und Offenbarungsmedium göttlicher Wirkmächtigkeit auf der Erde zu sein;
(3) wie ein Verwandter/Sohn Gottes die Welt als das ihm zugewiesene Heimathaus/Vaterhaus zu verwalten und liebevoll zu gestalten."[13]

---

dmwt methodisch äußerst fragwürdig (vgl. zu Gen 1,26 und 5,3 W. GROß, Gottebenbildlichkeit, passim sowie zur Semantik von aram. *ṣlm* und *dmwt* C. DOHMEN, Statue, passim).

12) C. DOHMEN, Statue, 98; diese Begriffsdifferenzierung konnte anhand des aram. Textes der Statue von Tell Fecherīje gewonnen werden und hat sich auch für Gen 1,26f. und Gen 5,1-3 bewährt.

13) E. ZENGER, Gottes Bogen, 9o.

Es wird nun verständlich, warum P derartig aufwendig und kompliziert formuliert. P will einerseits Sinn und Bedeutung der altorientalischen Metapher "Bild Gottes" in seiner Theologie und Anthropologie aufgreifen, muß dabei aber mit einer Konfrontation mit dem seit dem Exil stetig an Bedeutung zunehmenden Bilderverbot (s.o.) rechnen. Hätte P die oben genannte Verbindung zwischen Gottebenbildlichkeit und Bilderverbot in der Weise, daß der Mensch das einzig legitime Gottesbild sein soll, herstellen wollen, hätte er wohl einfach den Begriff פסל in Gen 1,26 verwenden können. Daraus folgt, daß sich P, um zu der gewünschten Aussage vom "Bild Gottes" zu kommen, ganz bewußt mit der Kernidee des Bilderverbotes, daß es kein Gottesbild geben darf, auseinandersetzen muß. Dies gelingt ihm durch mehrere Momente. Zum ersten wechselt er mit Gen 1,26 die Gottesrede in den Plural. Dadurch schafft es der streng monotheistisch denkende Verfasser, eine erste Distanz zu schaffen. Es ist eben nicht der eine und einzige Gott, der hier völlig identisch abgebildet wird, sondern göttliche Größe kommt im Plural zum Ausdruck und aus ihr - nicht sie in ihrer Ganzheit - wird das Folgende "abgebildet". Dies zeigt besonders die folgende Lexemwahl: zwei Begriffe mit entsprechenden Präpositionen geben exakt Funktion und Qualität an (s.o.), wodurch wiederum eine bewußte Schranke zur möglichen Überschreitung des Bilderverbotes eingebaut wird. Somit gelangt P gerade zu einer sehr differenzierten und präzisen Beschreibung der "Gottebenbildlichkeit" des Menschen. Das Bilderverbot hat P veranlaßt, so genau zu formulieren; P war folglich auf seine strenge Einhaltung bedacht und nicht auf seine Auflösung durch anthropologische Aussagen. Eine theologische Anthropologie sollte dies berücksichtigen[14].

---

14) Vgl. schon den Stellenwert des Bilderverbotes bei W. PANNENBERG, Anthropologie, bes. 312-328.

Die Thematik von Anthropologie und Gottesbild berührt auch die in jüngster Zeit immer wieder aufgeworfene Frage nach dem Weiblichen im Gottesbild[15]. Die altorientalischen Religionen bieten auf den ersten Blick in diesem Bereich eine einfache und eingängige Lösung durch das Nebeneinander von Gott und Göttin. Das AT geht hier bewußt im Gegenzug andere Wege und nimmt dabei eine oberflächliche Einengung des Gottesbildes in Kauf. Der starke Ausschließlichkeitsanspruch JHWHs bedingt letztlich die Alleinkompetenz für Israel und damit Einzigkeit und Einheit (s.o.). Konsequenz dieser Alleinverehrung JHWHs ist, daß es weder ihm unter- oder beigeordnete Götter noch entsprechende Begleiterinnen gibt, wenn sich in der Volksfrömmigkeit gelegentlich auch andere Perspektiven[16] zeigen. "Bedingt durch das Fehlen der Göttin, die fehlende Überhöhung weiblicher Sexualität, spielt das 'Männliche' an JHWH auch keine primäre Rolle mehr."[17]. Das bedeutet, daß die *Transzendenz* dieses Gottes umfassend ist, da er der grundsätzlich andere (nicht Mensch, sondern Gott) ist.
Es konnte gezeigt werden, daß der kompromißlos vertretene Alleinverehrungsanspruch JHWHs, die intolerante Monolatrie, letztlich das Bilderverbot hervorgebracht hat, so daß für den vorliegenden Zusammenhang gefolgert werden kann: Das Bilderverbot wahrt auf seine Weise die Transzendenz dieses Gottes, der in seinem absoluten "Allein-Gott-Sein" alles Menschliche übersteigt. Die im AT recht jungen priesterlichen Traditionen zeigen diese Differenz von Gott und Mensch deutlich an, wenn sie in Gen 1,26 den Menschen als zweigeschlechtlich geschaffenes Wesen beschreiben und in ihrer Glossierung der dtr. Bilderverbotsparänese von Deut 4,16 die

---

15) Vgl. den instruktiven Überblick bei C. SCHÜTZ, "Gottvater"?, 314-317.

16) Vgl. bes. die Diskussion um die Funde von Khirbet-el-Qom und Kuntillet ᶜajrud, dazu Kap. 1 Anm. 25,sowie zum Problem insgesamt U. WINTER, Frau, 483-5o8.

17) U. WINTER, Frau, 672.

Geschlechtsdifferenz für das verbotene Kultbild expressis verbis hervorheben, d.h. eine geschlechtsspezifische Komplementierung (männlich - weiblich) darf es auch und gerade nicht durch Bilder und Symbole im Kult geben.
Das so skizzierte Gottesbild verdeutlicht, daß die notwendige grammatische Festlegung der Sprache auf eines der beiden Geschlechter bei der Rede von Gott nicht sachlich im Sinn eines *Vater*gottes im ausschließlich geschlechtsspezifischen Sinn mißverstanden werden darf[18], und daraus folgend sollte das männliche Geschlecht des Mensch gewordenen Gottessohnes Jesu nicht von der "nur menschlichen" Geschlechtsdifferenz her bedacht werden, sondern von der innergöttlichen Einheit her, die als "göttliche" so gewahrt wird. Menschwerdung Gottes setzt eben nicht die "Abbildung" menschlicher Bedingungen im Göttlichen voraus, so daß sich auf dem Hintergrund des Bilderverbotes zusammenfassen läßt: Was Gal 3,28 für die Christologie, das bedeutet Deut 4,16 für die Theologie.
Abschließend stellt sich die Frage nach dem Stellenwert des alttestamentlichen Bilderverbotes. Gehört das Bilderverbot wirklich zu Israels *differentia specifica*[19]? Das in der vorliegenden Arbeit modifiziert aufgenommene Modell einer kultursoziologischen Erklärung für die Entstehung des Bilderverbotes sowie das Vorhandensein einer massiven Ablehnung von Götter- und Kultbildern in der griechisch-römischen Welt[20] scheinen dagegen zu sprechen. Es will aber beachtet sein, daß der kultursoziologische Hinweis lediglich die Bildlosigkeit des Kultes und nicht das Verbot von Bildern

---

18) Zum Vaterbild des alttestamentlichen Gottes vgl. L. PERLITT, Vater, 97-lol; und zum bipolaren Charakter der Gottessymbole vgl. R. HOLTE, Gottessymbol, 12f.

19) Vgl. T. METTINGER, Veto, 15.

2o) Vgl. die Belege und weitreichenden Erläuterungen von B. GLADIGOW, Konkurrenz, passim.

betrifft[21], und daß dieses Verbot von Bildern eben nicht philosophischer Reflexion oder aufgeklärter Skepsis entwachsen ist[22], sondern dem Alleinverehrungsanspruch JHWHs und der daraus resultierenden Konkurrenz der Religionen.
Somit ist das Bilderverbot durchaus als *differentia specifica* Israels zu werten, da es die der israelitischen Religion eigene heilsgeschichtliche Komponente anschaulich in seinen Entstehungsbedingungen und in seiner Entwicklung zum Ausdruck bringt.

---

21) S.o. 3.2.4. sowie O. KEEL, Jahwe-Visionen, 44; vgl. auch K.-H. BERNHARDT, Bilderverbot, 74, zur Diskussion mit KEELs These.

22) Vgl. K.-H. BERNHARDT, Gott, 61. Eine der philosophischen Bilderkritik vergleichbare Haltung findet sich in den späten alttestamentlichen Stellungnahmen zur Bildverehrung bei DtJes und in der Weisheitsliteratur.

LITERATURVERZEICHNIS

Ackroyd,P., יד *jād*, ThWAT III, 1982, 425-455.

Aharoni,Y., Arad. Its Inscriptions and Temple, BA 31, 1968, 2-32.

Aistleitner,J., Wörterbuch der ugaritischen Sprache, Berlin 1963.

Alonso Díaz,J., El alcance de la "prohibicíon de las imágenes" en el Décalogo mosaico, EstEcl 48, 1973, 315-326.

Alonso-Schökel,L., מחה *māḥāh*, ThWAT IV, 1984, 8o4-8o8.

Alt,A., Die Ursprünge des israelitischen Rechts; Kleine Schriften zur Geschichte des Volkes Israel I, München 1953, 278-332.

Al-Wardi,A., Soziologie des Nomadentums. Studie über die iraqische Gesellschaft (Soziologische Texte 73) Darmstadt 1972.

Amsler,S., קום *qūm*, THAT II, ²1979, 635-641.

André,G., Determining the Destiny (Coniectanea Biblica Old Testament Series 16) Uppsala 198o.

Angerstorfer,A., Ašerah als "consort of Jahwe" oder Aširtah?, BN 17, 1982, 7-16.

-- Hebräisch *dmwt* und aramäisch *dmw(t)*. Ein Sprachproblem der Imago-Dei-Lehre, BN 24, 1984, 3o-43.

Baentsch,B., Exodus-Leviticus-Numeri (HK I/2) Göttingen 19o3.

Balandier,G., Die Dynamik der Primitivgesellschaften; H.P. Dreitzel (Hrsg.), Sozialer Wandel (Soziologische Texte 41) Neuwied und Berlin 1967, 213-238.

Barth,C., Theophanie, Bundesschließung und neuer Anfang am dritten Tage, EvTh 28, 1968, 521-533.

Barth,J., Die Nominalbildung in den semitischen Sprachen, Hildesheim 1967 (= Leipzig ²1894).

Barth,K., Die kirchliche Dogmatik III/1, Zürich 1947.

Bartsch,H.-W., Das alttestamentliche Bilderverbot und die frühchristliche Verwendung des Bildes im Wort und in den Anfängen der christlichen Kunst, Symbolon 6, 1968, 15o-162.

Bauer,H.-Leander, P., Historische Grammatik der hebräischen Sprache des Alten Testamentes I, Halle 1922.

Baumann,A., לוח *lūaḥ*, ThWAT IV, 1984, 495-499.

Baumgartner,W.-(Stamm,J.J.), Hebräisches und aramäisches Lexikon zum Alten Testament, Leiden I, 1967; II, 1974; III, 1983.

Beauchaump,P., מין *mîn*, ThWAT IV, 1984, 867-869.

Beck,P., The Drawings from Horvat Teiman (Kuntillet ^{c}Ajrud), Tel Aviv 9, 1982, 3-68.

Begg,C., The Literary Criticism of Deut 4,1-4o. Contributions to an Continuing Discussion, EThL 56, 198o, 9-55.

-- The Destruction of the Calf (Exod 32,2o/Deut 9,21) (noch unveröffentlicht).

Behm,J., μορφή κτλ., ThWNT IV, 1942, 75o-767.

Bergsträsser,G., Einführung in die semitischen Sprachen, Darmstadt 1977 (= München 1928).

-- Hebräische Grammatik, Teil I, Hildesheim 1983 (= Leipzig 1918).

Bernhardt,K.-H., Gott und Bild. Ein Beitrag zur Begründung und Deutung des Bilderverbotes im Alten Testament (Theol. Arbeiten 2) Berlin 1956.

-- Das "Bilderverbot" im Alten Testament und im antiken Judentum; J. Irmscher (Hrsg.), Der byzantinische Bilderstreit, Leipzig 198o, 73-82.

Beyer,K., Die aramäischen Texte vom Toten Meer, Göttingen 1984.

Boecker,H.J., Recht und Gesetz im Alten Testament und im Alten Orient, Neukirchen-Vluyn 1976.

Boehmer,R.M., Götterdarstellungen in der Bildkunst, RLA III, 1957-1971, 466-469.

Botterweck,G.J., Gott und Mensch in den alttestamentlichen Löwenbildern; Wort, Lied und Gottesspruch, FS. J. Ziegler (FzB 2) Würzburg 1972, 117-128.

Boyce,M., Iconoclasm among the Zoroastrians; J. Neusner (Hrsg.), Christianity, Judaism and other Greco-Roman Cults IV, Leiden 1975, 93-111.

Braulik,G., Die Mittel deuteronomistischer Rhethorik erhoben aus Deuteronomium 4,1-4o (AnBib 68) Rom 1978.

-- Literarkritik und archäologische Stratigraphie. Zu S. Mittmanns Analyse von Deuteronomium 4,1-4o, Bibl 59, 1978, 351-383.

-- Die Freude des Festes, ThJ 1983, 13-54.

-- Rez. zu B. Lang (Hrsg.), Der einzige Gott; ThR 8o, 1984,11-15.

Brinkman,J.A., Kudurru, RLA VI, 198o-1983, 267-274.

Brongers,H.A., Bemerkungen zum Gebrauch des adverbialen *w^{ec}attāh* im Alten Testament, VT 15, 1965, 284-299.

Broshi,M., The Expansion of Jerusalem in the Reigns of Hezekiah and Manasseh, IEJ 24, 1974, 21-26.

Brown,F.-Driver,S.R.-Briggs,C.A., Hebrew and English Lexicon of the Old Testament, Oxford 1977 (= 1957).

Brown,J.P., The Sacrificial Cult and its Critique in Greek and Hebrew II, JSS 25, 198o, 1-21.

Brueggemann,W., The Crisis and Promise of the Presence in Israel, HBT 1, 1979, 47-86.

Brugger,W., Bild, PhWb, ^{14}1976, 49f.

Brunner,H., Grundzüge der altägyptischen Religion, Darmstadt 1983.

Buchholz,H.G., Kälbersymbolik, Acta Praehistorica et Archaeologica 11/12, 198o/81, 55-77.

Busink,Th.A., Der Tempel von Jerusalem. I. Der Tempel Salomos, Leiden 197o.

Cardascia,G., Kauf. Mittelassyrisch, RLA V, 1976-198o, 514-52o.

Carroll,R.P., The Aniconic God and the Cult of Images, StTh 31, 1977, 51-64.

Caquot,A., Le Siracide a-t-il parlé d'une "Espèce" humaine?, RHPR 62, 1982, 225-23o.

Caquot,A.-Sznycer,M.-Herdner,A., Textes Ougaritiques. Tome I. Mythes et Légendes (Littératures Anciennes du Proche-Orient 7) Paris 1974.

Cassuto,U., A Commentary on the Book of Exodus, Jerusalem 1974 (= 1967).

Cazelles,H., Etudes sur le Code de l'alliance, Paris 1946.

Childs,B.S., Exodus. A Commentary, London 1974.

Cholewiński,A., Heiligkeitsgesetz und Deuteronomium (AnBib 66) Rom 1976.

Clements,R.E., Old Testament Theology. A fresh Approach, London 1978.

-- כוכב *kôkāḇ*, ThWAT IV, 1984, 79-91.

Coats,G.W., Rebellion in the Wilderness. The Murmuring Motif in the Wilderness Traditions of the Old Testament, Nashville 1968.

Conrad,D., Studien zum Altargesetz Ex 2o:24-26, Diss. Marburg 1968.

-- Einige (archäologische) Miszellen zur Kultgeschichte Judas in der Königszeit; Textgemäß, FS. E. Würthwein, Göttingen 1979, 28-32.

Cortese,E., L'esegesi di H (Lev.17-26), RivBib 29, 1981, 129-146.

Cowley,A., Aramaic Papyri of the Fifth Centura B.C., Osnabrück 1967 (= Oxford 1923).

Crüsemann,F., Bewahrung der Freiheit. Das Thema des Dekalogs in sozialgeschichtlicher Perspektive, München 1983.

Cutler,B.- MacDonald,J., The Unique Ugaritic Text UT 113 and the Question of "Guilds", UF 9, 1977, 13-3o.

Dahood,M., ^{c}*ēṣāh*, Bibl 5o, 1969, 57.

Davenport,J.W., A Study of the Golden Calf Tradition in Exodus 32, Diss. Princeton, New Jersey 1973.

Dean McBride,S., Deuteronomium, TRE VIII, 1981, 53o-543.

Debus,J., Die Sünde Jerobeams. Studien zur Darstellung Jerobeams und der Geschichte des Nordreiches in der deuteronomistischen Geschichtsschreibung (FRLANT 93) Göttingen 1967.

Deissler,A., Zwölf Propheten I+II (NEB) Würzburg 1981 + 1984.

Delcor,M., Une allusion â ^{c}Anath, déesse guerrière en Ex.32:18?, JJSt 33, 1982, 145-16o.

Diem,W., Das Problem von שׂ im Althebräischen und die kanaanäische Lautverschiebung, ZDMG 124, 1974, 221-252.

Dietrich,M.- Loretz,O., Die sieben Kunstwerke des Schmiedegottes in KTU 1.4 I 23-43, UF 1o, 1978, 57-63.

Dietrich,M.- Loretz,O.- Sanmartin,J., Die keilalphabetischen Texte aus Ugarit. Teil 1 Transkription (AOAT 24/1) Neukirchen-Vluyn 1976.

Dietrich,W., Israel und Kanaan. Vom Ringen zweier Gesellschaftssysteme (SBS 94) Stuttgart 1979.

Dillmann,A., Exodus - Levitikus (KeH XII) Leipzig ^{2}188o.

-- Numeri - Deuteronomium - Josua (KeH XIII) Leipzig ^{2}1886.

Dohmen,C., פסיל$^{+}$ - פסל. Zwei Nominalbildungen von פסל?, BN 16, 1981, 11-12.

-- Das Heiligtum von Dan. Aspekte religionsgeschichtlicher Darstellung im Deuteronomistischen Geschichts werk, BN 17, 1982, 17-22.

-- Die Statue von Tell Fecherīje und die Gottebenbildlichkeit des Menschen. Ein Beitrag zur Bilderterminologie, BN 22, 1983, 91-1o6.

-- Ein kanaanäischer Schmiedeterminus (*nsk*), UF 15, 1983, 39-42.

-- מזבח *mizbeaḥ*, ThWAT IV, 1984, 787-8o1.

-- Heißt סמל 'Bild,Statue'?, ZAW 96, 1984, 263-266.

Donner,H., "Hier sind deine Götter, Israel!"; Wort und Geschichte, FS. K. Elliger (AOAT 18) Neukirchen-Vluyn 1973, 45-5o.

Donner,H.- Röllig,W., Kanaanäische und aramäische Inschriften, Wiesbaden I, ^{4}1979; II, ^{3}1973; III, ^{3}1976.

Drenkhahn,R., Die Handwerker und ihre Tätigkeiten im Alten Ägypten (ÄA 31) Wiesbaden 1976.

Driver,S.R., Notes on the Hebrew Text and the Topography of the Books of Samuel, Oxford [2]1913.

Dummermuth,F., Zur deuteronomischen Kulttheologie und ihren Voraussetzungen, ZAW 7o, 1958, 59-98.

Dus,J., Das zweite Gebot, Communio Viatorum 4, 1961, 37-5o.

-- Zur bewegten Geschichte der israelitischen Lade, AION 41, 1981, 351-383.

Ebeling,E., Schlange, RLV XI, 1927/28, 266.

-- Keilschrifttexte aus Assur juristischen Inhalts (WVDOG 5o) Leipzig 1927.

Edzard,D.O.-Grayson,A.K., Königslisten und Chroniken, RLA VI, 198o-1983, 77-135.

Ehrlich,E.L., Die lo Gebote; Israel hat dennoch Gott zum Trost, FS. Shalom Ben Chorin, Trier 1978, 11-19.

Eilers,W., Die vergleichend-semasiologische Methode in der Orientalistik (AWLM lo) Wiesbaden 1974.

Eising,H., Der Weisheitslehrer und die Götterbilder, Bibl 4o, 1959, 393-4o8.

-- Bild Gottes ohne Gottesbild; W. Heinen (Hrsg.), Bild - Wort - Symbol in der Theologie, Würzburg 1969, 35-54.

Eissfeldt,O., Lade und Stierbild, ZAW 58, 194o/41, 19o-215.

-- Gott und Götzen im Alten Testament; Kleine Schriften I, Tübingen 1962, 266-273.

Elliger,K., Leviticus (HAT I/4) Tübingen 1966.

-- Deuterojesaja (BK XI/1) Neukirchen-Vluyn 1978.

Emerton,J.A., New Light on Israelite Religion: The Implications of the Inscriptions from Kuntillet ᶜAjrud, ZAW 94, 1982, 2-2o.

Ephᶜal,J., The Ancient Arabs. Nomads on the Bords of the Fertile Crescent 9th-5th Centuries B.C., Leiden 1982.

Erman,A.-Grapow,H., Wörterbuch der ägyptischen Sprache, Berlin - Leipzig 1926-1963.

Fabry,H.-J., הדם *hᵃdom*, ThWAT II, 1977, 347-357.

-- כסא *kisse'*, ThWAT IV, 1984, 247-272.

-- לב *leḇ*, ThWAT IV, 1984, 413-451.

-- Noch ein Dekalog! Die Tora des lebendigen Gottes in ihrer Wirkungsgeschichte. Ein Versuch zu Deut 27; Im Gespräch mit dem dreieinen Gott, FS. W. Breuning, Düsseldorf 1985 (i. Druck).

Fales,F.M., A Cuneiform Correspondence to Alphabetic ש in West Semitic Names of the I Millennium B.C., Or 47, 1978, 91-98.

Faur,J., The Biblical Idea of Idolatry, JQR 69, 1978, 1-15.

Fenton,T.L., Ugaritica - Biblica, UF 1, 1969, 65-7o.

Feucht,C., Untersuchungen zum Heiligkeitsgesetz (Theol. Arbeiten 2o) Berlin 1964.

Fichtner,J., Die Bewältigung heidnischer Vorstellungen und Praktiken in der Welt des Alten Testamentes; FS. F. Baumgärtel, Erlangen 1959, 24-4o.

Floss,J.P., Jahwe dienen - Göttern dienen. Terminologische, literarische und semantische Untersuchung einer theologischen Aussage zum Gottesverhältnis im Alten Testament (BBB 45) Bonn 1975.

Fohrer,G., Das Buch Hiob (KAT XVI) Gütersloh 1963.

-- Das sogenannte apodiktisch formulierte Recht und der Dekalog, KuD 11, 1965, 49-74.

Frankfort,H.+ H.A., Juden und Griechen; dies., Alter Orient - Mythos und Wirklichkeit, Stuttgart u.a. [2]1981, 242-27o.

Fritz,V., Israel in der Wüste. Traditionsgeschichtliche Untersuchung der Wüstenüberlieferung des Jahwisten (MThSt 7) Marburg 197o.

-- Der Tempel Salomos im Lichte der neueren Forschung, MDOG 112, 198o, 53-68.

-- The Israelite "Conquest" in the Light of Recent Excavations at Khirbet el-Meshâsh, BASOR 241, 1981, 61-73.

Füglister,N., Sühne durch Blut. Zur Bedeutung von Leviticus 17,11; Studien zum Pentateuch, FS. W. Kornfeld, Wien u.a. 1977, 143-164.

Fuhs,H.F., Sehen und Schauen. Die Wurzel ḥzh im Alten Orient und im Alten Testament. Ein Beitrag zum prophetischen Offenbarungsempfang (FzB 32) Würzburg 1978.

Galling,K., Bethel und Gilgal, ZDPV 66, 1943, 14o-155; 67, 1944/45, 21-43.

-- Erwägungen zum Stelenheiligtum von Hazor, ZDPV 75, 1959, 1-13.

-- Tafel, Buch und Blatt; FS. W.F. Albright, Baltimore - London 1971, 2o7-223.

-- Götterbild, weibliches, BRL[2], 1977, 111-119.

-- Priesterkleidung, BRL[2], 1977, 256f.

Garbini,G., The Phonetic Shift of Sibilants in Northwestern Semitic in the First Millennium B.C., JNSL 1, 1971, 23-38.

García López,F., "Un Peuple Consacré". Analyse critique de Deutéronome VII, VT 32, 1982, 438-463.

Gese,H., Der Dekalog als Ganzheit betrachtet, ZThK 64, 1967, 121-138 (= Vom Sinai zum Zion, München 1974, 63-80).

Gesenius,W.-Buhl,F., Hebräisches und aramäisches Handwörterbuch über das Alte Testament, Berlin u.a. 1962 (= [17]1915).

Gesenius,W.-Kautzsch,E., Hebräische Grammatik, Hildesheim 1983 (= Leipzig [28]1909).

Gerlemann,G., שלם *šlm* genug haben, THAT II, [2]1979, 919-935.

Gerstenberger,E., Wesen und Herkunft des "Apodiktischen Rechts" (WMANT 20) Neukirchen-Vluyn 1965.

Giesen,G., Die Wurzel שבע "schwören". Eine semasiologische Studie zum Eid im Alten Testament (BBB 56) Bonn 1981.

Gilula,M., To Yahweh Shomron and his Asherah, Shnaton 3, 1978/79, 129-137 (hebr.).

Gladigow,B., Konkurrenz von Bild und Namen im Aufbau theistischer Systeme; H. Brunner u.a. (Hrsg.); Wort und Bild, München 1979, 103-122.

Görg,M., Die Lade als Thronsockel, BN 1, 1977, 29-30.

-- Zur "Lade des Zeugnisses", BN 2, 1977, 13-15.

-- Keruben in Jerusalem, BN 4, 1978, 13-23.

-- ישב *jāšaḇ*, ThWAT III, 1982, 1012-1032.

-- Der Altar - Theologische Dimensionen im Alten Testament; Freude am Gottesdienst, FS. J.G. Plöger, Stuttgart 1983, 291-306.

-- *mīn* - ein charakteristischer Begriff der Priesterschrift, BN 24, 1984, 12-15.

Gordon,C.H., Ugaritic Textbook (AnOr 38) Rom 1965.

Gottwald,N.K., The Tribes of Yahweh. A Sociology of the Religion of Liberated Israel, 1250-1050 B.C.E., New York 1979.

Graesser,C.F., Standing Stones in Ancient Palestine, BA 35, 1972, 34-63.

Gressmann,H., Die Lade Jahves und das Allerheiligste des Salomonischen Tempels (BWAT 1) Stuttgart 1920.

Grintz,J.M., Some Observations on the "High-Place" in the History of Israel, VT 27, 1977, 111-113.

Groß,W., Bileam. Literar- und formkritische Untersuchung der Prosa in Num 22-24 (StANT 38) München 1974.

-- Verbform und Funktion. *wajjiqṭol* für die Gegenwart? Ein Beitrag zur Syntax poetischer althebräischer Texte (ATS 1) St. Ottilien 1976.

Groß,W., Die Gottebenbildlichkeit des Menschen im Kontext der Priesterschrift, ThQ 161, 1981, 244-264.

-- Otto Rössler und die Diskussion um das althebräische Verbalsystem, BN 18, 1982, 28-78.

Gunneweg,A.H.J., Leviten und Priester. Hauptlinien der Traditionsbildung und Geschichte des israelitisch-jüdischen Kultpersonals (FRLANT 89) Göttingen 1965.

Gutmann,J., The "Second Commandment" and the Image in Judaism, HUCA 32, 1961, 161-174.

-- Deuteronomy: Religious Reformation or Iconoclastic Revolution; ders. (Hrsg.), The Image and the Word. Confrontations in Judaism, Christianity and Islam, Missoula 1977, 5-25.

Haag,E., Abraham und Lot in Gen 18-19; Mélanges bibliques et orienteaux, FS. H. Cazelles (AOAT 212) Neukirchen-Vluyn 1981, 173-199.

Haag,H., Das Bild als Gefahr für den Glauben; H. Brunner u.a. (Hrsg.), Wort und Bild, München 1973, 151-165 (= Das Buch des Bundes, Düsseldorf 198o, 261-274).

-- Das "Buch des Bundes" Ex 24,7; Das Buch des Bundes, Düsseldorf 198o, 226-233.

-- כתב *kātab*, ThWAT IV, 1984, 385-397.

Hahn,J., Das "Goldene Kalb". Die Jahwe-Verehrung bei Stierbildern in der Geschichte Israels (EHS XXIII/154) Frankfurt - Bern 1981.

Halbe,J., Das Privilegrecht Jahwes Ex 34,1o-26. Gestalt und Wesen, Herkunft und Wirken in vordeuteronomischer Zeit (FRLANT 114) Göttingen 1975.

Haran,M., Temples and Temple Service in Ancient Israel. An Inquiry into the Character of Cult Phenomena and the Historical Setting of the Priestly School, Oxford 1978.

Harper,R.F., Assyrian and Babylonian Letters belonging to the Kouyunjik Collection of the British Museum I-XIV, London - Chicago 1892-1914.

Hartmann,B., Gold und Silber im Alten Testament, SchThU 28, 1958, 29-33.

Heinisch,P., Das Buch Exodus (HSAT I/2) Bonn 1934.

Helck,W., Gottesleib, LexÄg II, 1977, 816.

-- Kultstatue, LexÄg III, 198o, 859-863.

Held,M., Philological Notes on the Mari Covenant Rituals, BASOR 2oo, 197o, 32-4o.

Henninger,J., Das Opfer bei den Arabern. Eine religionsgeschichtliche Studie, Habil. ungedruckt, Fribourg 1944.

Henninger,J., Le sacrifice chez les Arabes, Ethnos 1/2, 1948, 1-16.

-- Zum frühsemitischen Nomadentum; L. Földers (Hrsg.), Viehwirtschaft und Hirtenkultur. Ethnographische Studien, Budapest 1969, 32-68.

Hentschel,G., Die Elijaerzählungen. Zum Verhältnis von historischem Geschehen und geschichtlicher Erfahrung (EThSt 33) Leipzig 1977.

-- Zum Bau des Tempels und seiner Ausstattung; J. Reindl (Hrsg.), Dein Wort beachten, Leipzig 1981, 16-32.

-- Die geschichtlichen Wurzeln der Elijatradition; J. Reindl (Hrsg.), Dein Wort beachten, Leipzig 1981, 33-57.

Höfner,M., Die vorislamischen Religionen Arabiens; H. Gese - M. Höfner - K. Rudolph, Die Religionen Altsyriens, Altarabiens und der Mandäer (RdM 1o/2) Stuttgart 197o, 233-4o2.

Hoeps,R., Bildsinn und religiöse Erfahrung. Hermeneutische Grundlagen für einen Weg der Theologie zum Verständnis gegenstandsloser Malerei (Disputationes theologicae 16) Frankfurt 1984.

Hoffmann,H.-D., Reform und Reformen. Untersuchungen zu einem Grundthema der deuteronomistischen Geschichtsschreibung (AThANT 66) Zürich 198o.

Holte,R., Gottessymbol und soziale Struktur; H. Biezais (Hrsg.), Religious Symbols and their Functions, Uppsala 1979, 1-14.

Holzinger,H., Exodus (KHC II) Tübingen 19oo.

Horn,H., Traditionsschichten in Ex 23,1o-33 und Ex 34,1o-26, BZ 15, 1971, 2o3-222.

Hornung,E., Der Eine und die Vielen. Ägyptische Gottesvorstellungen, Darmstadt [2]1973.

Horst,F., Hiob (BK XVI/1) Neukirchen-Vluyn [3]1974.

Hossfeld,F.-L., Untersuchungen zu Komposition und Theologie des Ezechielbuches (FzB 2o) Würzburg [2]1983.

-- Der Dekalog. Seine späten Fassungen, die originale Komposition und seine Vorstufen (OBO 45) Fribourg - Göttingen 1982.

-- Glaube und Politik bei den Propheten, LS 35, 1984, 1o6-112.

-- Einheit und Einzigkeit Gottes im frühen Jahwismus; Im Gespräch mit dem dreieinen Gott, FS. W. Breuning, Düsseldorf 1985 (i. Druck).

Hrouda,B., Le mobilier du temple; Le temple et le culte (CRRA 2o) Istanbul 1975, 151-155.

Hrouda,B.- Krecher,J.- Seidl,U., Göttersymbole und -attribute, RLA III, 1957- 1971, 483-498.

Hultgard,A., Man as Symbol of God; H. Biezais (Hrsg.), Religious Symbols and their Functions, Uppsala 1979, 11o-116.

Hunger,H., Babylonische und assyrische Kolophone (AOAT 2) Neukirchen-Vluyn 1968.

Hutter,M., Hiskija, König von Juda. Ein Beitrag zur judäischen Geschichte in assyrischer Zeit (GrTS 6) Gra7 1982.

Ipşiroğlu,M.S., Das Bild im Islam. Ein Verbot und seine Folgen, Wien - München 1971.

Jagersma,H., Leviticus 19. Identiteit - Bevrijding - Gemeenschap (SSN 14) Assen 1972.

Janowski,B., Erwägungen zur Vorgeschichte des israelitischen *šelamîm*-Opfers, UF 12, 198o, 231-259.

-- Sühne als Heilsgeschehen. Studien zur Sühnetheologie der Priesterschrift und zur Wurzel KPR im Alten Orient und im Alten Testament (WMANT 55) Neukirchen-Vluyn 1982.

Jaroš,K., Die Stellung des Elohisten zur kanaanäischen Religion (OBO 4) Fribourg - Göttingen 1974.

Jean,C.F.- Hoftizer,J., Dictionnaire des inscriptions sémitiques de l'Ouest, Leiden 1965.

Jenni,E., נחה *nḥh* leiten, THAT II, [2]1979, 53-55.

Jeremias,J., Kultprophetie und Gerichtsverkündigung in der späten Königszeit Israels (WMANT 35) Neukirchen-Vluyn 197o.

-- Der Prophet Hosea (ATD XXIV/1) Göttingen 1983.

Joüon,P., Grammaire de l'Hébreu Biblique, Rom [2]1947.

Kaiser,O., Der Prophet Jesaja Kapitel 1-12 (ATD XVII) Göttingen [5]1981.

-- Der Prophet Jesaja Kapitel 13-39 (ATD XVIII) Göttingen [2]1976.

-- Einleitung in das Alte Testament, Gütersloh [5]1984.

Kaufmann,Y., The Religion of Israel, Chicago 196o.

Kedar,B., Biblische Semantik. Eine Einführung, Stuttgart u.a. 1981.

Kedar-Kopfstein, B., זהב *zāhāḇ*, ThWAT II, 1977, 534-544.

-- חג *ḥag̱*, ThWAT II, 1977, 73o-744.

Kedar-Kopfstein, B. - Bergman,J., דם *dām*, ThWAT II, 1977, 248-266.

Keel,O., Die Welt der altorientalischen Bildsymbolik und das Alte Testament. Am Beispiel der Psalmen, Zürich - Neukirchen-Vluyn [3]198o.

-- Jahwe-Visionen und Siegelkunst. Eine neue Deutung der Majestätsschilderungen in Jes 6, Ez 1 und lo und Sach 4 (SBS 84/85) Stuttgart 1977.

Keel,O.- Küchler,M., Orte und Landschaften der Bibel. Ein Handbuch und Studien-Reiseführer zum Heiligen Land II, Zürich - Göttingen 1982.

Keel,O.(Hrsg.), Monotheismus im Alten Israel und seiner Umwelt (BB 14) Fribourg 198o.

Keil,C.F., Genesis und Exodus (BCAT I) Leipzig 1861.

Keller,C.A., ארר *'rr* verfluchen, THAT I, [3]1978, 236-24o.

Kellermann,D., חמץ *ḥmṣ*, ThWAT II, 1977, 1o61-1o68.

-- לוי *lewî*, ThWAT IV, 1984, 499-521.

Kiesow,K., Exodustexte im Jesajabuch. Literarkritische und motivgeschichtliche Analysen (OBO 24) Fribourg - Göttingen 1979.

Kilian,R., Literarkritische und formgeschichtliche Untersuchung des Heiligkeitsgesetzes (BBB 19) Bonn 1963.

Kim,J.C., Das Verhältnis Jahwes zu den anderen Göttern in Deuterojesaja, Diss.masch. Heidelberg 1963.

Kittel,G., εἰκών B. Götter- und Menschenbilder im Judentum und Christentum, ThWNT II, 1935, 38o-386.

Knapp,D., Untersuchungen zu Deut 4 (Arbeitstitel, Diss. Göttingen, noch unveröffentlicht).

Knudsen,E.E., Spirantization of Velars in Akkadian; *lišān mitḫurti*, FS. W. v.Soden (AOAT 1) Neukirchen-Vluyn 1969, 147-155.

Knudtzon,J.A., Die El-Amarna-Tafeln (VAB 2) Leipzig 1915.

-- Zur Deutung einiger Bibelstellen, ZAW 33, 1913, 192-2oo.

Koch,K., חטא *ḥāṭā'*, ThWAT II, 1977, 857-87o.

-- Die Profeten I. Assyrische Zeit, Stuttgart u.a. 1978.

-- Das Buch Daniel (EdF 144) Darmstadt 198o.

Koehler,L.- Baumgartner,W., Lexikon in Veteris Testamenti Libros, Leiden 1953.

König,E., Das Deuteronomium (KAT III) Leipzig 1917.

König,E.F., Die Hauptprobleme der altisraelitischen Religionsgeschichte gegenüber den Entwicklungstheoretikern, Leipzig 1884.

Koep,L., Das himmlische Buch in Antike und Christentum, Bonn 1952.

Konikoff,C., The Second Commandment and its Interpretation in the Art of Ancient Israel, Genf 1973.

Kornfeld,W., Levitikus (NEB) Würzburg 1983.

Koschaker,P., Neue keilschriftliche Rechtsurkunden aus der El-Amarna-Zeit, Leipzig 1928.

Koster,M.D., The Numbering of the Ten Commandments in some Peshitta Manuscripts, VT 3o, 198o, 468-473.

Kraus,H.-J., Psalmen (BK XV/1) Neukirchen-Vluyn [5]1978.

Kruyswijk,A., "Geen Gesneden Beeld...", Franeker 1962.

Kühlewein,J., ספר *sēfær* Buch, THAT II, [2]1979, 162-173.

Kutsch,E., מקרא, ZAW 65, 1953, 247-253.

Laberge,L., Is 3o,19-26: A Deuteronomic Text?, Eglise et Théologie 2, 1971, 35-54.

Lambert,C., Le veau d'or. Etude critique et historique du chap. 32 du livre de l'Exode, Paris 1982 (unveröffentlicht).

Lambert,W.G., Gott, RLA III, 1957-1971, 543-546.

Lambert,W.G.-Parker,S.B., Enuma Eliš. The Babylonian Epic of Creation, Oxford 1966.

Lanczkowski,G.-Welten,P.-Maier,J.-Thümmel,H.G.-Loewenich,W.v.-Volp,R., Bilder, TRE VI, 198o, 515-568.

Lang,B., Die Jahwe-allein-Bewegung; ders. (Hrsg.), Der einzige Gott. Die Geburt des biblischen Monotheismus, München 1981, 47-83.

-- Neues über den Dekalog, ThQ 164, 1984, 58-65.

-- כפר *kippær* , ThWAT IV, 1984, 3o3-318.

Leemans,W.F., Gold, RLA III, 1957-1971, 5o4-515.

Leeuwen,C.v., עד *ᶜēd* Zeuge, THAT II, [2]1979, 2o9-221.

Lehming,S., Versuch zu Ex XXXII, VT 1o, 196o, 16-5o.

Lemaire,A., Inscriptions Hébraiques. Tome I. Les Ostraca (Littératures Anciennes du Proche-Orient 9) Paris 1977.

-- Recherches actuelles sur les Origines de l'ancien Israel, JA 27o, 1982, 5-24.

Leslau,W., Concise Amharic Dictionary, Wiesbaden 1966.

Lestienne,M., Les dix "paroles" et le décalogue, RB 79, 1972, 484-51o.

Loewenstamm, S.E., The Making and the Destruction of the Golden Calf, Bibl 48, 1967, 481-49o.

Lohfink,N., Das Hauptgebot. Eine Untersuchung literarischer Einleitungsfragen zu Dtn 5-11 (AnBib 2o) Rom 1963.

Lohfink,N., Verkündigung des Hauptgebots in der jüngsten Schicht des Deuteronomiums (Dt 4,1-4o), BuL 5, 1964, 247-256.

-- Die Dekalogfassung von Dt 5, BZ 9, 1965, 17-32.

-- Zum "kleinen geschichtlichen Credo" Dtn 26,5-9, ThPh 46, 1971, 19-39.

-- Die These vom "deuteronomistischen" Dekaloganfang - ein fragwürdiges Ergebnis atomistischer Sprachstatistik; Studien zum Pentateuch, FS. W. Kornfeld, Wien u.a. 1977, 99-1o9.

-- חרם *ḥāram*, ThWAT III, 1982, 192-213.

-- Rez. zu B. Lang (Hrsg.), Der einzige Gott, ThPh 57, 1982, 574-577.

Lohfink,N.,u.a. Anfänge Israels, BiKi 2/2, 1983.

Loretz,O., Die Gottebenbildlichkeit des Menschen, München 1967.

-- Die Analyse der ugaritischen und hebräischen Poesie mittels Stichometrie und Konsonantenzählung, UF 7, 1975, 265-269.

Luhmann,N., Funktion der Religion, Frankfurt 1977.

MacCarthy,D.J., Treaty and Covenant (AnBib 21a) Rom ²1978.

Maier,J., Das altisraelitische Ladeheiligtum (BZAW 93) Berlin 1965.

Maneschg,H., Die Erzählung von der ehernen Schlange (Num 21,4-9) in der Auslegung der frühen jüdischen Literatur. Eine traditionsgeschichtliche Studie (EHS XXIII/157) Frankfurt 1981.

Mayes,A.D.H., Deuteronomy (NBC) London 1979.

-- Exposition of Deuteronomy 4:25-31, IBSt 2, 198o, 67-83.

-- Deuteronomy 4 and the Literary Criticism of Deuteronomy, JBL 1oo, 1981, 23-51.

Meissner,B., Babylonien und Assyrien II, Heidelberg 1925.

Messerschmidt, L., Keilschrifttexte aus Assur historischen Inhalts (WVDOG 16) Leipzig 1911.

Mettinger, T.N.D., Abbild oder Urbild? "Imago Dei" in traditionsgeschichtlicher Sicht, ZAW 86, 1974, 4o3-424.

-- The Veto on Images and the Aniconic God in Ancient Israel; H. Biezais (Hrsg.), Religious Symbols and their Functions, Uppsala 1979, 15-29.

-- The Dethronement of Savaoth. Studies in Shem and Kabod Theologies (Coniectanea Biblica Old Testament Series 18) Lund 1982.

Metzger,M., Über die spätbronzezeitlichen Tempel; R. Hachmann (Hrsg.), Frühe Phöniker im Libanon. 2o Jahre deutsche Ausgrabungen in Kāmid el-Lōz, Mainz 1983, 66-78.

Meyer,R., Hebräische Grammatik, Berlin I, ^{3}1966; II, ^{3}1969; III, ^{3}1972; IV, ^{3}1972.

Michel,D., Grundlegung einer hebräischen Syntax I. Sprachwissenschaftliche Methodik. Genus und Numerus des Nomens, Neukirchen-Vluyn 1977.

Milgrom,J., Religious Conversion and the Revolt Model for the Formation of Israel, JBL 1o1, 1982, 169-176.

Mittmann,S., Num 2o,14-21 - eine redaktionelle Kompilation; Wort und Geschichte, FS. K. Elliger (AOAT 18) Neukirchen-Vluyn 1973, 143-149.

-- Deuteronomium 1,1-6,3, literarkritisch und traditionsgeschichtlich untersucht (BZAW 139) Berlin 1975.

-- "Reigentänze" in Ex 32,18, BN 13, 198o, 41-45.

Moberly,R.W.L., At the Montain of God. Story and Theology in Exodus 32-34 (JSOT Suppl. 22) Sheffield 1983.

Moor,J.C.de, בעל, ThWAT I, 1973, 7o6-718.

-- Rez. zu A.S. Kapelrud, The Violent Goddess, UF 1, 1969, 223-227.

Moore,A.C., Iconography of Religions. An Introduction, London 1977.

Moscati,S., The Semites in Ancient History. An Inquiry into the Settlement of the Beduin and their Political Establishment, Cardiff 1959.

Moscati,S. (Hrsg.), An Introduction to the Comparative Grammar of the Semitic Languages. Phonology and Morphology, Wiesbaden ^{3}198o.

Mosis,R., יסד *jāsad*, ThWAT III, 1982, 668-682.

Motzki,H., Ein Beitrag zum Problem des Stierkultes in der Religionsgeschichte Israels, VT 25, 1975, 47o-485.

Mowinckel,S., Wann wurde der Jahwäkultus in Jerusalem offiziell bildlos?, AcOr 8, 193o, 257-279.

Müller,A.R., Der Text als russische Puppe? Zu P. Weimars "Die Berufung des Mose", BN 17, 1982, 56-72.

Müller,H.-P., Rez. zu O. Keel, Jahwe-Visionen und Siegelkunst, ZA 69, 1979, 158-16o.

Müller,V., Kultbild, PWSuppl. V, Stuttgart 1931, 471-486.

Mulder,M.J., Jahwe en El, identiteit of assimilatie?, Rondom het Woord 13, 1971, 4o2-418.

Nebeling,G., Die Schichten des deuteronomischen Gesetzeskorpus. Eine traditions- und redaktionsgeschichtliche Analyse von Dtn 12-26, Diss.masch. Münster 197o.

Negev,A.(Hrsg.), Archäologisches Lexikon zur Bibel, München u.a. 1972.

Niemann,H.M., Untersuchungen zur Herkunft und Geschichte des Stammes Dan, Diss. Rostock 1979 (noch unveröffentlicht).

Nötscher,F., "Das Angesicht Gottes schauen" nach biblischer und babylonischer Auffassung, Würzburg 1924 (= Darmstadt 1969).

-- Altorientalischer und alttestamentlicher Auferstehungsglauben, Darmstadt 198o (= Nachdruck d. Ausgabe Würzburg 1926, durchgesehen und mit einem Nachtrag hrsg. v. J. Scharbert, 197o).

-- Himmlische Bücher und Schicksalsglaube in Qumran, RQ 1, 1959, 4o5-411 (= ders., Vom Alten zum Neuen Testament, BBB 17, Bonn 1962, 72-79).

North,C.R., The Essence of Idolatry; FS. O. Eissfeldt (BZAW 77) Berlin [2]1961, 151-16o.

Noth,M., Das 2. Buch Mose. Exodus (ATD V) Göttingen [6]1978.

-- Das 3. Buch Mose. Leviticus (ATD VI) Göttingen [4]1978.

-- Das 4. Buch Mose. Numeri (ATD VII) Göttingen [3]1977.

-- Könige (BK IX/1) Neukirchen-Vluyn 1968.

-- Die israelitischen Personennamen im Rahmen der gemeinsemitischen Namengebung (BWANT 46) Stuttgart 1928.

-- Überlieferungsgeschichtliche Studien, Darmstadt [3]1967.

-- Der Hintergrund von Ri 17-18 (AbLAK I) Neukirchen-Vluyn 1971, 133-147.

-- Jerusalem und die israelitische Tradition, OTS 8, 195o, 28-46 (= ThB 6, München 1957, 172-187).

Obbink,H.T., Jahwebilder, ZAW 47, 1929, 264-274.

Oesch,J.M., Petucha und Setuma. Untersuchungen zu einer überlieferten Gliederung im hebräischen Text des Alten Testaments (OBO 27) Fribourg - Göttingen 1979.

Oppenheim,A.L., The Golden Garments of the Gods, JNES 8, 1949, 172-193.

Oriental Institute of the University of Chicago, The Assyrian Dictionary, Chicago - Glückstadt 1956ff.

Otto,E., Stehen wir vor einem Umbruch in der Pentateuchkritik?, VuF 22, 1977, 82-98.

-- Feste und Festtage. II Altes Testament, TRE XI, Berlin 1983, 96-1o6.

-- Historisches Geschehen - Überlieferungen - Erklärungsmodelle. Sozialhistorische Grundsatz- und Einzelprobleme in der Geschichtsschreibung des frühen Israel, BN 23, 1984, 63-8o.

Ouellette,J., Le deuxième commandement et le rôle de l'image dans la symbolique religieuse de l'Ancien Testament. Essai d'interpretation, RB 74, 1967, 5o4-516.

Pannenberg,W., Anthropologie aus theologischer Perspektive, Göttingen 1983.

Paret,R., Das islamische Bilderverbot; J.v. Ess (Hrsg.), Schriften zum Islam, Stuttgart u.a. 1981, 238-247.

-- Die Entstehung des islamischen Bilderverbots; J.v. Ess (Hrsg.), Schriften zum Islam, Stuttgart u.a. 1981, 248-269.

Parpola,S., Letters from Assyrian Scholars to the Kings Esarhaddon and Assurbanipal I (AOAT 5/I) Neukirchen-Vluyn 197o.

Perlitt,L., Bundestheologie im Alten Testament (WMANT 36) Neukirchen-Vluyn 1969.

-- Mose als Prophet, EvTh 31, 1971, 588-6o8.

-- Der Vater im Alten Testament; H. Tellenbach (Hrsg.), Das Vaterbild in Mythos und Geschichte. Ägypten, Griechenland, Altes Testament, Neues Testament, Stuttgart u.a. 1976, 5o-lol.

-- Sinai und Horeb; Beiträge zur alttestamentlichen Theologie, FS. W. Zimmerli, Göttingen 1977, 3o2-322.

-- Rez. zu F.-L. Hossfeld, Der Dekalog, ThL lo8, 1983, 578-58o.

Perlitt,L.-Magonet,J.-Hübner,H.-Fritzsche,H.G.-Surkan,H.W., Dekalog, TRE VIII, 1983, 418-428.

Petschow,H.P.H., Kauf. Neuassyrisch, RLA V, 1976-198o, 52o-528.

Pfeiffer,R.H., Images of Yahweh, JBL 45, 1926, 211-222.

Preuß,H.-D., אליל, ThWAT I, 1973, 3o5-3o8.

-- את, ThWAT I, 1973, 485-5oo.

-- דמה *dāmāh*, ThWAT II, 1977, 266-277.

-- Verspottung fremder Religionen im Alten Testament (BWANT 92) Stuttgart u.a. 1971.

-- Deuteronomium (EdF 164) Darmstadt 1982.

Pury,A.de, Promesse divine et légende cultuelle dans le cycle de Jacob. Genèse 28 et les traditions patriarchales, Paris 1975.

Quentin,H. (Hrsg.), Biblia Sacra iuxta Latinam Vulgatam Versionem. Libros Exodi et Levitici, Rom 1929.

Rad,G.v., εἰκών A. Das Bilderverbot im AT, ThWNT II, 1935, 378-38o.

Rad,G.v., οὐρανός B. Altes Testament, ThWNT V, 1954, 5o1-5o9.

-- Theologie des Alten Testamentes I, München [6]1969.

-- Weisheit in Israel, Neukirchen-Vluyn 197o.

-- Das 5. Buch Mose. Deuteronomium (ATD VIII) Göttingen [3]1978.

Rainey,A.F., El Amarna Tablets 359-379 (AOAT 8) Neukirchen-Vluyn 1978.

Ratschow,C.H.-Gemser,B.-Beck,H.-G.-Hertzsch,E., Bilder und Bilderverehrung, RGG[3] I, 1957, 1268-1276.

Rehm,M., Das erste Buch der Könige. Ein Kommentar, Würzburg 1979.

-- Das zweite Buch der Könige. Ein Kommentar, Würzburg 1982.

Reichert,A., Altar, BRL[2], 1977, 5-1o.

-- Massebe, BRL[2], 1977, 2o6-2o9.

Reicke,B., Altar, BHHW I, 1962, 63-65.

-- Die zehn Worte in Geschichte und Gegenwart. Zählung und Bedeutung der Gebote in den verschiedenen Konfessionen (BGBE 13) Tübingen 1973.

Reindl,J., Das Angesicht Gottes im Sprachgebrauch des Alten Testamentes (EThSt 25) Leipzig 197o.

Rendtorff,R., Studien zur Geschichte des Opfers im Alten Israel (WMANT 24) Neukirchen-Vluyn 1967.

Renger,J.-Seidl,U., Kultbild, RLA VI, 198o-1983, 3o7-319.

Reventlow,H.Graf,Das Heiligkeitsgesetz formgeschichtlich untersucht (WMANT 6) Neukirchen-Vluyn 1961.

-- Gebot und Predigt im Dekalog, Gütersloh 1962.

Richter,W., Traditionsgeschichtliche Untersuchungen zum Richterbuch (BBB 18) Bonn 1963.

-- Recht und Ethos. Versuch einer Ortung des weisheitlichen Mahnspruches (StANT 15) München 1966.

Rinaldi,G., L'"aniconismo", BibOr 24, 1982, 58.

Ringgren,H., אלהים, ThWAT I, 1973, 285-3o5.

-- Die Religionen des Alten Orients (ATD Ergänzungsreihe Sonderband) Göttingen 1979.

-- The Symbolism of Mesopotamien Cult Images; H. Biezais (Hrsg.), Religious Symbols and their Functions, Uppsala 1979, 1o5-1o9.

Rose,M., Der Ausschließlichkeitsanspruch Jahwes. Deuteronomische Schultheologie und die Volksfrömmigkeit in der späten Königszeit (BWANT 1o6) Stuttgart u.a. 1975.

Rosén,H.B., The Comparative Assignment of Certain Hebrew Tense Forms; Proceedings of the International Conference on Semitic Studies, Jerusalem 1965, 212-234.

Röttger,H., Mal'ak Jahwe - Bote von Gott. Die Vorstellung von Gottes Boten im hebräischen Alten Testament (RStTh 13) Frankfurt 1978.

Rudolph,W., Der "Elohist" von Exodus bis Josua (BZAW 68) Berlin 1938.

-- Hosea (KAT XIII/1) Gütersloh 1966.

-- Micha - Nahum - Habakuk - Zephanja (KAT XIII/3) Gütersloh 1975.

Rüterswörden,U., Beiträge zur Vernichtungssymbolik, BN 2, 1977, 16-22.

Sæbø,M., יום *jôm*, ThWAT III, 1982, 566-586.

Sasson,J.M., The Worship of the Golden Calf; Orient und Occident, FS. C.H. Gordon (AOAT 22) Neukirchen-Vluyn 1973, 151-159.

Sauer,G., Siegel, BHHW III, 1966, 1786-179o.

Scharbert,J., ארר, ThWAT I, 1973, 437-451.

Schenker,A., Das Zeichen des Blutes und die Gewissheit der Vergebung im Alten Testament. Die sühnende Funktion des Blutes auf dem Altar nach Lev 17,1o-21, MThZ 34, 1983, 195-213.

Schicklberger,F., Die Ladeerzählungen des ersten Samuel-Buches. Eine literaturwissenschaftliche und theologiegeschichtliche Untersuchung (FzB 7) Würzburg 1973.

Schlüter,D.-Hogrela,W., Bild, HWbPh I, 1971, 913-919.

Schmidt,L., Menschlicher Erfolg und Jahwes Initiative (WMANT 38) Neukirchen-Vluyn 197o.

Schmidt,W.H., Die Schöpfungsgeschichte der Priesterschrift (WMANT 17) Neukirchen-Vluyn 1964.

-- Überlieferungsgeschichtliche Erwägungen zur Komposition des Dekalogs, VTS 22, 1972, 2o1-22o.

-- Ausprägungen des Bilderverbots? Zur Sichtbarkeit und Vorstellbarkeit Gottes im Alten Testament; Das Wort und die Wörter, FS. G. Friedrich, Stuttgart u.a. 1973, 25-34.

-- Exodus (BK II) Neukirchen-Vluyn 1974ff.

-- אלהים *'ᵆlōhîm* Gott, THAT I, [3]1978, 153-167.

-- Alttestamentlicher Glaube in seiner Geschichte, Neukirchen-Vluyn [3]1979.

Schmidt,W.H., Einführung in das Alte Testament, Berlin ²1982.

-- Exodus, Sinai und Mose. Erwägungen zu Ex 1-19 und 24 (EdF 191) Darmstadt 1983.

Schmitt,G., Der Ursprung des Levitentums, ZAW 94, 1982, 575-599.

-- Du sollst keinen Frieden schließen mit den Bewohnern des Landes (BWANT 91) Stuttgart u.a. 197o.

Schmitt,R., Zelt und Lade als Thema alttestamentlicher Wissenschaft. Eine kritische forschungsgeschichtliche Darstellung, Gütersloh 1972.

-- Exodus und Passah. Ihr Zusammenhang im Alten Testament (OBO 7) Fribourg - Göttingen 1975.

Schneider,J., ὁμοίωμα, ThWNT V, 1954, 191-198.

Schottroff,W., Der altisraelitische Fluchspruch (WMANT 3o) Neukirchen-Vluyn 1969.

-- פקד *pqd* heimsuchen, THAT II, ²1979, 466-486.

Schrade,H., Der verborgene Gott, Stuttgart 1949.

Schreiner,J., Die zehn Gebote im Leben des Gottesvolkes. Dekalogforschung und Verkündigung, München 1966.

Schrenk,G., βίβλος, ThWNT I, 1933, 613-62o.

Schüngel-Straumann,H., Der Dekalog - Gottes Gebot? (SBS 67) Stuttgart 1973.

-- Überlegungen zum JHWH-Namen in den Gottesgeboten des Dekalogs, TZ 38, 1982, 65-78.

Schütz,C., "Gottvater"?; MySal Ergänzungsband, Zürich u.a. 1981, 314-317.

Schützinger,H., Bild und Wesen der Gottheit im alten Mesopotamien; H.-J. Klimkeit (Hrsg.), Götterbild in Kunst und Schrift, Bonn 1984, 61-8o.

Schulz,H., Das Todesrecht im Alten Israel (BZAW 114) Berlin 1969.

Schweitzer,H., Metaphorische Grammatik. Wege zur Integration von Grammatik und Textinterpretation in der Exegese (ATS 15) St. Ottilien 1981.

Segert,S., Vorarbeiten zur hebräischen Metrik I-II, ArOr 21, 1953, 481-542.

Seters,J.v., The Place of the Yahwist in the History of Passover and Massot, ZAW 95, 1983, 167-182.

Seybold,K., תרפים *tᵉrāfīm* Idol(e), THAT II, ²1979, 1o57-1o6o.

Skweres,D.E., Die Rückverweise im Buch Deuteronomium (AnBib 79) Rom 1979.

Smend,R., Der biblische und der historische Elia, VTS 28, 1975, 167-184.

Smend,R., Die Entstehung des Alten Testaments (ThW 1) Stuttgart u.a. [2]1981.

-- Rez. zu F.-L. Hossfeld, Der Dekalog, ThR 79, 1983, 458f.

Smith,J.P., A Compendious Syriac Dictionary, Oxford 1979 (= 19o3).

Snaith,N., Ex 23,18 and 34,25, JThSt 2o, 1969, 533f.

Soden,W.v., Akkadisches Handwörterbuch I-III, Wiesbaden 1958-1981.

-- Stierdienst, RGG[3] VI, 1965, 372f.

-- Die Spirantisierung von Verschlußlauten im Akkadischen: Ein Vorbericht, JNES 27, 1968, 214-22o.

-- Grundriß der akkadischen Grammatik samt Ergänzungsheft (AnOr 33/47) Rom [2]1969.

-- Zum hebräischen Wörterbuch, UF 13, 1981, 157-164.

-- Mottoverse zu Beginn babylonischer und antiker Epen, Mottosätze in der Bibel, UF 14, 1982, 235-239.

Soden,W.v.-Röllig,W., Das akkadische Syllabar (AnOr 42) Rom [3]1976.

Soggin,J.A., Judges. A Commentary, London 1981.

Spieckermann,H., Juda und Assur in der Sargonidenzeit (FRLANT 129) Göttingen 1982.

Spycket,A., Les statues de culte dans les textes mésopotamiens des origines à la Ire dynastie de Babylone (Cahiers de la RB 9) Paris 1968.

-- La statuaire du Proche-Orient ancien (HdO VII/1,2) Leiden 1981.

Stamm,J.J.-Andrew,M.E., The Ten Commandments in Recent Research (Studies in Biblical Theology Second Series 2) London 1967.

Steck,O.H., Überlieferung und Zeitgeschichte in den Elia-Erzählungen (WMANT 26) Neukirchen-Vluyn 1968.

-- Der Schöpfungsbericht der Priesterschrift (FRLANT 115) Göttingen [2]1981.

Steinmann,F., Untersuchungen zu den in der handwerklich-künstlerischen Produktion beschäftigten Personen und Berufsgruppen des Neuen Reiches, ZÄS 1o7, 198o, 137-157.

Stendebach,F.J., Altarformen im kanaanäisch-israelitischen Raum, BZ 2o, 1976, 18o-196.

Steuernagel,C., Das Deuteronomium (HK I/3,1) Göttingen [2]1923.

Stockton,E., Stones at Worship, AJBA 1/3, 197o, 58-81.

Thiel,W., Erwägungen zum Alter des Heiligkeitsgesetzes, ZAW 81, 1969, 4o-73.

-- Die deuteronomistische Redaktion von Jeremia 1-25 (WMANT 41) Neukirchen-Vluyn 1973.

Thiel,W., Die deuteronomistische Redaktion von Jeremia 26-45 (WMANT 52) Neukirchen-Vluyn 1981.

Timm,S., Die Dynastie Omri. Quellen und Untersuchungen zur Geschichte Israels im 9.Jahrhundert vor Christus (FRLANT 124) Göttingen 1981.

Toit,S.du, Aspects of the Second Commandment; Proceedings of the Meeting of die Outestamentiese Werkgemeenshap in Suid-Afrika. Department of Semitic Languages 12, Pretoria 1969, lol-llo.

Tsereteli,K., Zur Frage der Spirantisation der Verschlußlaute in den semitischen Sprachen, ZDMG 13o, 198o, 2o7-216.

Unger,E.-Roeder,G., Götterbild, RLV IV, Berlin 1926, 412-426.

Utzschneider,H., Hosea. Prophet vor dem Ende. Zum Verhältnis von Geschichte und Institution in der alttestamentlichen Prophetie (OBO 31) Fribourg - Göttingen 198o.

Valentin,H., Aaron. Eine Studie zur vor-priesterschriftlichen Aaron-Überlieferung (OBO 18) Fribourg - Göttingen 1978.

Vanoni,G., Ist die Fügung *HYY* + Circumstant der Zeit im Althebräischen ein Satz?, BN 17, 1982, 73-86.

Vaughan,P.H., The Meaning of 'Bāmâ' in the Old Testament, Cambridge 1974.

Veijola,T., Das Königtum in der Beurteilung der deuteronomistischen Historiographie. Eine redaktionsgeschichtliche Untersuchung, Helsinki 1977.

Vischer,W., "Du sollst dir kein Bildnis machen"; Antwort, FS. K. Barth, Zürich 1956, 764-772.

Vollmer,J., Geschichtliche Rückblicke und Motive in der Prophetie des Amos, Hoseas und Jesajas (BZAW 119) Berlin 1971.

Vorländer,H., Der Monotheismus Israels als Antwort auf die Krise des Exils; B. Lang (Hrsg.), Der einzige Gott, München 1981, 84-113.

Wagner,S., בנה, ThWAT I, 1973, 689-7o6.

Wagner,V., Rechtssätze in gebundener Sprache und Rechtssatzreihen im israelitischen Recht. Ein Beitrag zur Gattungsforschung (BZAW 127) Berlin 1962.

-- Zur Existenz des sogenannten "Heiligkeitsgesetzes", ZAW 86, 1974, 3o7-316.

Wallis,G., Der Vollbürgereid in Deuteronomium 27,15-26, HUCA 45, 1974, 47-63.

Wambacq,B.N., Les Maṣṣôt, Bibl 61, 198o, 31-54.

Wanke,G., Untersuchungen zur sogenannten Baruchschrift (BZAW 122) Berlin 1971.

Wehr,H., Arabisches Wörterbuch für die Schriftsprache der Gegenwart, Wiesbaden ^{4}1968.

Weimar,P., Untersuchungen zur Redaktionsgeschichte des Pentateuch (BZAW 146) Berlin 1977.

-- Die Berufung des Mose. Literaturwissenschaftliche Analyse von Ex 2,23-5,5 (OBO 32) Fribourg - Göttingen 198o.

-- Der Schluß des Amos-Buches. Ein Beitrag zur Redaktionsgeschichte des Amos-Buches, BN 16, 1981, 6o-1oo.

Weinfeld,M., Deuteronomy and the Deuteronomic School, Oxford 1972.

Weippert,H., Dan, BRL^2, 1977, 55-56.

Weippert,M., Gott und Stier. Bemerkungen zu einer Terrakotte aus *jāfa*, ZDPV 77, 1961, 93-117.

Wellhausen,J., Reste arabischen Heidentums, Berlin ^{3}1961.

Welten,P., Geschichte und Geschichtsdarstellung in den Chronikbüchern (WMANT 42) Neukirchen-Vluyn 1973.

-- Götterbild, männliches, BRL^2, 1977, 99-111.

-- Göttergruppe, BRL^2, 1977, 119-122.

-- Schlange, BRL^2, 1977, 28o-282.

Westermann,C., Genesis (BK I/1-3) Neukirchen-Vluyn 1974-1982.

-- Theologie des Alten Testamentes in Grundzügen (ATD Ergänzungsreihe 6) Göttingen 1978.

Wildberger,H., Jesaja (BK X/1-3) Neukirchen-Vluyn 1972-1982.

-- צלם *ṣælæm* Abbild, THAT II, ^{2}1976, 556-563.

-- Der Monotheismus Deuterojesajas; Beiträge zur alttestamentlichen Theologie, FS. W. Zimmerli, Göttingen 1977, 5o6-53o (= ThB 66, München 1979, 249-273).

Wildung,D., Götterbild, LexÄg II, 1977, 671f.

-- Götterbilder, volkstümlich verehrte, LexÄg II, 1977, 672-674.

Willi-Plein,I., Vorformen der Schriftexegese innerhalb des Alten Testaments. Untersuchungen zum literarischen Werden der auf Amos, Hosea und Micha zurückgehenden Bücher im hebräischen Zwölfprophetenbuch (BZAW 123) Berlin 1971.

Wilms,F.-E., Das jahwistische Bundesbuch in Exodus 34 (StANT 32) München 1973.

Wifall,W., Israel's Origins: Beyond Noth and Gottwald, BThB 12, 1982, 8-1o.

-- The Tribes of Yahweh: A Synchronic Study with a Diachronic Title, ZAW 95, 1983, 197-2o9.

Winter,U., Frau und Göttin. Exegetische und ikonographische Studien zum weiblichen Gottesbild im Alten Israel und in dessen Umwelt (OBO 53) Fribourg - Göttingen 1983.

Wolff,H.W., Hosea (BK XIV/1) Neukirchen-Vluyn [3]1976.

-- Joel, Amos (BK XIV/2) Neukirchen-Vluyn [3]1976.

Woude,A.S.v.d., Het tweede Gebod, Rondom het Woord 19, 1967, 221-231.

Wüst,M., Bethel, BRL[2], 1977, 44-45.

Yinger,J.M., Die Religion als Integrationsfaktor; F. Fürstenberg (Hrsg.), Religionssoziologie (Soziologische Texte 19) Neuwied und Berlin 1964, 93-1o6.

Zenger,E., Die Sinaitheophanie. Untersuchungen zum jahwistischen und elohistischen Geschichtswerk (FzB 3) Würzburg 1971.

-- Psalm 87,5 und die Tafeln vom Sinai; Wort, Lied und Gottesspruch, FS. J. Ziegler (FzB 2) Würzburg 1972, 97-1o3.

-- Israel am Sinai. Analysen und Interpretationen zu Ex 17-34, Altenberge 1982.

-- "Durch Menschen zog ich sie..." Hos 11,4. Beobachtungen zum Verständnis des prophetischen Amtes im Hoseabuch; Künder des Wortes, FS. J. Schreiner, Würzburg 1982, 183-2o1.

-- "Hört, auf daß ihr lebt" (Jes 55,3). Alttestamentliche Hinweise zu einer Theologie des Gotteswortes; Freude am Gottesdienst, FS. J.G. Plöger, Stuttgart 1983, 133-144.

-- Gottes Bogen in den Wolken. Untersuchungen zu Komposition und Theologie der priesterschriftlichen Urgeschichte (SBS 112) Stuttgart 1983.

-- Rez. zu J. Halbe, Das Privilegrecht Jahwes, ThR 75, 1979, 277-28o.

Zimmerli,W., Das zweite Gebot; FS. A. Bertholet, 195o, 55o-563 (= ThB 19, München 1963, 234-248).

-- Das Bilderverbot in der Geschichte des alten Israel. Goldenes Kalb, Eherne Schlange, Mazzeben und Lade; FS. A. Jepsen, 1971, 86-96 (= ThB 51, München 1974, 247-26o).

-- Ezechiel (BK XIII/1-2) Neukirchen-Vluyn [2]1979.

-- Grundriß der alttestamentlichen Theologie (ThW 3) Stuttgart u.a. [4]1982.

-- Die Spendung von Schmuck für ein Kultobjekt; Mélanges bibliques et orienteaux, FS. H. Cazelles (AOAT 212) Neukirchen-Vluyn 1981, 513-528.

Zobel,H.-J., ארון, ThWAT I, 1973, 391-4o4.

REGISTER

I. Bibelstellen

II. Worte und Wendungen